长篇小说
CHANGPIANXIAOSHUO

上海巨头

上海巨头
SHANGHAIJUTOU

天歌 著
TIANGE ZHU

图书在版编目（CIP）数据

上海巨头 / 天歌著. — 北京：金城出版社，2014.9
ISBN 978-7-5155-1147-4

Ⅰ.①上… Ⅱ.①天… Ⅲ.①长篇小说—中国—当代 Ⅳ.①I247.5

中国版本图书馆 CIP 数据核字(2014)第 202814 号

上海巨头

作　　者	天　歌
责任编辑	雷燕青
开　　本	710 毫米×1000 毫米　1/16
印　　张	17.5
字　　数	280 千字
版　　次	2015 年 3 月第 1 版　2015 年 3 月第 1 次印刷
印　　刷	香河县宏润印刷有限公司
书　　号	ISBN 978-7-5155-1147-4
定　　价	32.00 元

出版发行	**金城出版社** 北京市朝阳区广泽路 2 号院（东区）14 号楼 邮编　100102
发 行 部	（010）84254364
编 辑 部	（010）84250838
总 编 室	（010）64228516
网　　址	http://www.jccb.com.cn
电子信箱	jinchengchuban@163.com
法律顾问	陈鹰律师事务所　（010）64970501

目 录

引　子

米老三在东杰村靠劁牲口的手艺混饭吃，但是年过五十却从未讨过婆娘。

村人们都说：这家伙是不是顺手把自己也劁了？

老光棍平时嗜酒如命，身体力行着“皇帝万万岁、百姓日日醉”的哲学观点，但也晓得“不孝有三，无后为大”的圣训，看看老之将至，多少有点担心日后无人养老送终，坟前连个烧香磕头的人都没有。

特别是天翻地覆的今年，米老三有些着慌了。

短短二个多月时间里，中华民国政府在南京成立，孙中山就任临时大总统；袁世凯迫使清帝退位，开始执掌北京新政——南北共治渐成局面，中华大地开始改用阳历纪元，大清的宣统年号说完蛋就他娘的完蛋，从此得叫一九一二年了。

朝廷都是说倒就倒，米老三掂量着自己的身体早被一天二顿的烧刀子烧得千疮百孔，未必就比大清江山更加牢靠，这香火问题恐怕不得不虑。

大概是苍天有眼，米老三某天去邻村劁猪，半夜里喝得醉醺醺地回家，路过段老爷家门口的时候，醉眼里依稀见到门首有个人影一闪，旋即又不见了踪影。东杰村是一所有着数百户人家的村落，首屈一指的富户就是这拥有数百亩良田和油坊、酒肆、盐场的段家。米老三疑心有歹人偷鸡摸狗，忙仗着酒胆摸过去看个究竟，不想却在门口的石台阶上发现了一个枕头般大小的包裹。

定睛一看，哪是什么装有财物的包裹，只见薄薄的“蜡烛包”内，裹着的是一个熟睡中的男婴，看上去像是刚满月的样子。

米老三大呼小叫着拍响了段家的门板，但最后却差一点挨了段老爷的耳刮子。

段老爷有个续弦的小老婆，前几天刚生下一名女婴，这事村里人全都知道，那弃婴的人大概就是看中了这一点，想让段家将苦命的男婴一并收养下来——一只羊是赶，两只羊也是放嘛——段家乃村中第一大户，横竖是个最好的去处吧？

可惜段老爷并不这么想。

段老爷一口咬定这男婴是米老三在外不正经而造下的孽，自己的脑袋又没被驴踢过，有什么理由去帮别人抚养儿女？“这事就像把别人家的棺材抬到自己家来哭一样荒唐，”段老爷愤愤地嚷道，“揽下这事，老子不是光着屁股推磨，转着圈丢人？”

米老三转念一想，自己不怕丢人，而且正好缺一个以后在棺材前哭的人，这不是现成的香火？

于是米老三一下子高兴起来。

男婴四肢健全，面目周正，米老三干脆以村名为人名，给小把戏取名叫米东杰，在隔壁一名周姓老妇人的相帮下天天熬些粥汤，开始一本正经地喂养这天赐的子息，竟连酒也少喝了不少。

手忙脚乱地忙活了近一年，看看小把戏虽然瘦弱，但精神还算不错，米老三安下心肠，隔三岔五又开始喝起酒来。

盛夏的一个傍晚，米老三被老朋友烂眼阿四拖去邻村一家新开的酒肆吃驴肉，二人喝了个烂醉，摸着黑相互搀扶回家。也是合该有事，路过一条大河时，满头大汗的烂眼阿四嚷嚷着天气太热，连“舌头上都长出了痱子”，非要下河去泡个澡，顺嘴还吹起了牛，夸耀自己水性如何了得，“一口气能在水底憋上一袋烟的功夫”。米老三不甘落后，鄙夷地说这算什么本事，“老子起码能憋一顿饭的功夫！”

烂眼阿四水涨船高，忙说自己要是高兴的话，就是在水底下“呆个半天”也不打紧。米老三大怒，一下子又把记录推到了“三天三夜”。

“嘴头子不要犟，有种现在就下水比个高低！”烂眼阿四当然不服气，粗着脖子大叫道。

“比就比，谁先露出头来就算输，接下来连请三顿酱驴肉。”米老三大着舌头应战，豪气冲天地开始脱除衣裤。

一对光屁股醉鬼摇摇晃晃地走下河滩，站在齐腰深的水中，叫声一、二、三，捏住鼻子同时沉入河底。

米老三赢了！

潜入水底的时候，米老三脚底一滑，所以再也没有浮出头来。直到两天以后，村人们才在一里以外的河道里找到米老三那赤条条的尸首。

还没学会走路的米东杰再次成了一名孤儿。

左邻右舍都不富裕，不想家里再添一张吃饭的嘴，一番商量之后，米东杰被隔壁那位姓周的老妇人送入了村子西头的耶稣堂，让“洋和尚”去接这块烫手的山芋。

东杰村地处苏北平原的滨海一隅，宋时还是一片汪洋泽国，后来黄河夺淮入海，夹带大量泥沙而下，数百年后终于沧海变桑田。此地与盐城、淮安、连云港三地交汇，虽属江苏响水县管辖，实际上往北二、三百里便与山东接壤。早在光绪年间，西洋传教士开始进入响水传教，后来“上海差会[1]”派来一名名叫马丁的苏格兰牧师，在村西大兴土木建立礼拜堂，洋教渐成气候，颇吸引了一批信众。

与中华民国同龄的米东杰由马丁牧师出资，委托那位周姓妇人继续抚养，但隔三岔五常有机会去吃一点教堂的面包和牛奶。但是有一点相当奇怪，米东杰直到五岁还不会开口说话，让人怀疑这孩子是不是天生的哑巴。

结果，要么死不开口，要么一开口便令人口瞪目呆。

小把戏似乎像天生的一样，竟然会讲一口谁也听不懂的洋话！村人们惊叹道，这孩子恐怕是“妖怪的儿子”吧？

牧师将米东杰送到村塾里去读书，但这个会说“洋鬼子话”的孩子念起四书五经来显然并不聪明，而且呆头呆脑的很难跟村子里的其他孩子玩到一处去。米东杰肤色白皙，眉目清秀，与村子里那些黑黝黝的孩子呆在一起，大有鹤立鸡群之感——塾师最后得出的结论是：这孩子是聪明面孔笨肚肠！

但是村子里那位疯疯癫癫的牛鼻老道并不这么认为。

老道其实并不老，也就五十岁上下，身为难辨真假的道人，平时却寄居在关帝庙中，靠游荡于四乡算命卖卜为生。米东杰六七岁的时候，道人曾有断言，说此子北人而南相，风骨殊奇，命宫宽大，日后必将大富大贵！村人们听了几乎笑死，说这小把戏是喝粥汤长大的，要力气没力气，要脑筋没脑筋，日后别饿死就

[1] 又称内地会，为西方基督教新教在中国境内传教的最大团体，总部设立在上海，创始人为戴德生。

不错喽。

村里的顽童们都爱欺负这个长得过于漂亮的傻小子，甚至给米东杰起了个外号叫“米呆子”。笨嘴拙舌的米东杰既吵不赢，通常也打不赢，即使难得与人战成平手，只要被对方骂作“不知哪里捡来的野种”，马上便兵败如山倒，唯一的结果便是落下两行委屈的眼泪。不过，米呆子偶尔发起狠劲来也不得了，而且还知道擒贼先擒王，有一次竟然捧着一块石头撵着村里个头最高、力气最大的狗蛋追了大半个村子，吓得狗蛋好一阵见了米东杰就绕着走。当然，这样的事难得发生。

只有段红莲总是护着米东杰。

段红莲是村中首富段老爷的宝贝女儿，年纪与米东杰一般大，事实上，出生日期只比米东杰小了十来天。当年，襁褓中的米东杰被扔在段家的门口，要是段老爷发善心将弃婴收养下来，米东杰也不会孤零零地在教堂里长大了。

段红莲天生胆大，脾性中还微微带些刁蛮、泼辣，吵起架来伶牙俐齿，十个男孩加在一起也不是她的对手。奇怪的是，这位舌战群儒的段家千金在米东杰面前，虽然时时充当保护人的角色，却常有低眉顺眼的时候，就像一条凶猛但又忠心的狗一样。

有一次，一帮混小子合伙作弄米呆子，扛来一架竹梯架在村口最高的一棵树下，骗米东杰说树上的鸟窝里有一只“九头鸟”——所有人全都信誓旦旦地宣称自己已经爬上去看过，那鸟确实长着九个脑袋——米东杰经不住好奇，傻乎乎地爬了上去。

结果可想而知：树上没有鸟窝，树下没了梯子。

米东杰又急又怕，喊了半天没人搭理，混小子们却围在树下一个个乐得在地上打滚。树梢上枝桠不粗，不上不下的米东杰悬在空中晃晃悠悠，随时都有掉下来的可能，鼻子一酸，不由得张大嘴巴大哭起来。

救星到了。

段红莲正好路过，见此情景连忙去拿梯子，混小子们当然不乐意，双方争来抢去，又耗去了不少时间。这当口，米东杰气力不支，腿都打起了哆嗦，段红莲看在眼里，突然像发狂一般一口咬住身边一个小子的手臂，疼得对方哇哇大叫。随后，段红莲逮谁咬谁，众人招架不住，只得一哄而散，米东杰这才全胳膊全腿下了地。

所以说，不要老是说英雄救美、英雄救美，世上自有不少颠倒过来却又顺理顺章的事情，只不过你没见过罢了。

于是，混小子们大声起哄宣布：“段红莲是米呆子的老婆！”

这话其实是说到米东杰的心坎里去了。

打十岁开始，米东杰便认定：长大以后，自己的老婆肯定就是段红莲！

由此可见，“两小无猜”的说法很不靠谱。事实证明，至少米东杰和段红莲，两下里还是颇有些想法的。

第一章　米呆子

一晃眼的功夫，米东杰长到了二十岁。

马丁牧师年近七十，这辈子看遍了千山万水，怎会看不出米东杰那点“君子好逑”的小心思？于是胃口很好地决定参与尘世俗事，在“上帝的祝福与带领”下帮助米东杰成就这段姻缘。

这二十年里，牧师一直在留意打听米东杰的身世，想搞清楚当年在段家门首那一闪而过的人影到底是谁，只可惜始终毫无头绪。米东杰从七、八岁开始便在教堂里干些扫地、劈柴之类的杂活，十几岁的时候，读书之余又到教堂名下的一座磨坊去帮工。

磨坊属于教堂的“自养产业”，生意一直不错。两年前，牧师将磨坊完全交给米东杰去经营，自己打算回国养老。米东杰做事十分上心，粗话、细活全都拿得起来，小小的一座磨坊被打理得井然有序，每年都有近百大洋的盈余。

牧师请来一位媒婆，郑重其事地到段家去撮合婚事。没想到，段老爷没等媒婆把话说完，当堂就打了回票。

段家千金早已出落得貌美如花，平时有事没事总爱去磨坊转悠，村里的长舌妇们背地里指指点点，很是说出了一些难听话来。段老爷虽然早就看出了光景，可也拿大胆任性、且娇且骄的宝贝女儿没辙。按乡间习俗，女孩儿一般十七、八岁便要嫁人，过了二十已属“高龄”，要是搁到二十五以上，乖乖，那就是“古色古香”了。

前些年，上门来说亲的媒婆几乎踏破了门槛，但段老爷抱定“君子爱财”的宗旨，一口咬定聘金起码得三百大洋，否则任何人免开尊口。但是，近两年里，提亲的人绝了迹。为什么？因为段红莲的“名声”出了点问题。

前年的春节，村子里请来戏班子唱戏，段红莲众目睽睽之下大大咧咧地与米东杰并肩而坐在台下看戏——这么做已经非常不妥，谁知道更离谱的事情还在后头——戏演到叫好声此起彼伏的当口，段红莲高兴得过了头，竟然侧过脸来飞快地在米东杰的脸上鸡啄米般亲了一口。

哎呀妈啊，这还了得？

虽然目睹这一场景的人并不太多，但一传十、十传百，几乎一夜之间，全村的人都知道了段家千金这一骇人听闻的壮举，长舌妇们纷纷断言，这么不正经的闺女，除了嫁给米呆子这种来路不明的家伙，还有哪家好人家肯要？至少在本村是绝对嫁不出去了。

很好，段红莲要的就是这份轰动，就是要摆明非米东杰不嫁的架势！

说到底，这本身就是段红莲自作聪明而略施小计——可以逼着老父和兄长就范，答应最好，不答应也得答应。

谁都挡不住段红莲喜欢米呆子！咋的，不服？方圆五百里内，你能找出比米东杰更体面、更厚道、更听话的小伙子来？

段老爷只能认栽，但是，三百大洋的聘金依然一分都不能少。

两边都是君子，一位好逑，一位爱财，中间依然隔着长江天堑般的三百大洋，暂时还是没法商量。

三百啊，大洋！

按眼下的物价来算，一亩良田最多只值十五块，村里身份最高贵的塾师，每月的薪金也只有八块，大部分的村民，恐怕壮足了胆都没法想象三百大洋堆在一起会是怎样的壮观景象。

一个礼拜天的上午，段红莲借口要去教堂听布道，偷偷溜到磨坊，把米东杰叫到小河边去商量对策。

“要不，咱俩私奔吧？”米东杰的脑瓜里，只想得出这种高明得过头的主意。

“说你呆吧，你还不信，看场破戏就学会个私奔，”段红莲简直是气不打一处来，“你走出村子试试看，站要站钱，坐要坐钱，说吧，你有多少钱？”

“我能挣钱。”米东杰还不大服气。

"照你这样的死脑筋，只怕是被人骗了还帮人数钱！"段红莲数落起来就没个完，"还挣钱呢，你那死脑筋要是不想办法活络活络，日后有你的苦头吃！听到没有，不管啥事，得知道动脑筋、动脑筋！"

"我又不是缺胳膊缺腿，别人能做到的事，为啥我就做不到？"米东杰犯起了倔。

"为啥？就因为你的脑筋没有扭过来呗！"段红莲像高明的郎中开出了药方。

凭心而论，段红莲最喜欢的，其实恰恰是米东杰身上的那股傻劲和倔劲。以前，老是骂米呆子是"属王八的"，认准死理咬住了就不松口，可这样的男人，天生就是最靠得住的丈夫、最踏实的"孩子他爹"，你只要想办法把他那股傻劲拧过来，将来还准有出息。

还好，事情有了转机。

牧师得知此事，跟着急了眼，当时正巧又喝了几口小酒，脑袋一热作出了一个云开雾散的决定：立约将磨坊转让给米东杰，十年之内，每年向教堂上缴三分之一的净收入——牧师年纪老迈，身体一直不好，已经决定明年开春就回国去安度晚年。

米东杰有了身价，媒婆再去提亲时腰板挺直了不少。

段老爷心里的小算盘滴滴答答一打，终于有点动心。米东杰的那座磨坊至少抵得过几十亩田，而且还是旱涝保收的铁杆庄稼，这笔生意恐怕不算吃亏。聘金不聘金的，眼下就马虎点吧。

但是，没想到半途杀出个程咬金，段家大少爷段令康却说什么也不答应。

段令康比段红莲大一岁，近年一直在盐城的洋学堂里读书，学问做得如何不得而知，但对以下之人"君子不齿"的风范确已领会，所以无论如何没有那成人之美的雅量。当然，段令康的话也不无道理：婚配讲究个门当户对，来路不明的米呆子连个门户都没有，这笔账怎么算？

"这磨坊虽说也值不少钱，可毕竟不是现钱，"段老爷听了儿子的煽动，顿时口风大变，"这样吧，傻小子什么时候拿得出三百大洋的现钱，我就把女儿许配给他。"

段老爷的意思是给米东杰出一道难题，好让傻小子知难而退，同时将女儿加倍看紧，去哪儿都让女佣跟着，尽可能地断绝这俩孩子的来往。

可是，米呆子就是米呆子，一旦认定了死理，哪管天有多高，地有多厚，特别是在小河边跟段红莲偷偷见过几面以后，眼看着心爱的女孩儿双手捧出包在手帕之中的二十几块大洋，米东杰眼泪都掉了下来。这一包大洋，是段红莲从每月购买零嘴和脂粉、头油的零花钱里一个铜子、一个铜子省下来的，能积攒到这样一个数目，简直是精卫填海般的壮举。

但是，靠这几粒米又怎么熬得成一锅粥呢？盯着心上人泪水涟涟的双目，脑袋里只有一根筋的米东杰作出了一个颇为冒险的决定：去找“脱底棺材”商借那笔能把一般人吓得魂飞魄散的三百大洋！

“你脑袋又进水了是不是？口里再渴，也不能去喝毒药啊。”段红莲简直是恨铁不成钢，当下双手叉腰把米东杰骂了个狗血喷头。“说你是属王八的真是一点不假，咬住了就不松口，可你也得看清楚了再咬啊。按你这死脑筋啊，早晚砸锅。”

话虽这么说，其实段红莲现在是既高兴又恼恨——喜的是，米呆子为了娶自己，竟然甘冒这么大的风险；恨的是，咋就看不到这么做的后果极可能是鸡飞蛋打呢？

脱底棺材乃响水地面上大名鼎鼎的青皮光棍，平时靠放印子钱为生，为人心狠手辣，六亲不认，差不多就是一条敲骨吸髓的恶狗。米东杰稍加打听，得知本村有一个名叫“三光”的二流子，常在脱底棺材手下当“跟脚先生[1]”，跑上门去把事情一说，两下里一拍即合。

三光年约四十来岁，年轻时举债讨过一个老婆，日后一直心疼那笔彩礼，于是有事没事就经常打老婆出气，似乎每打一拳，本钱就回收了一些，最后打得老婆流产后一命归西，自己也差点吃官司。现在的三光已经大觉大悟，参透人生之况味，实现“吃光、用光、当光”的宏大理想，所以身上的衣服时常散发出一股浓烈的樟脑味来——为什么？刚从当铺的库房里取出来呗。

要找脱底棺材并不难，只要去响水县城的混堂里找，一找一个准。

但凡天气变冷，脱底棺材铁定是带着几个弟兄整天泡在混堂里，几天几夜不回家也是常事。眼下已近年底，天空中阴沉沉不见半丝阳光，耳边只有尖硬的冷风呼呼乱响，米东杰跟着浑身樟脑味的三光找到县城内最大、最好的“龙池浴室”，终于见到了那具闻名遐迩的棺材。

脱底棺材这句话的本意，是指一个人烂得没底，没有任何收拾的余地，而这位民间非法金融家得此雅号，是因为每逢外出讨债，身后的跟脚们总是抬着一口

[1] 为放债人跑腿，靠拉生意及讨债为生。

薄皮棺材浩浩荡荡地随行，一则以壮声威，二则对借方造成巨大的威慑力。

地痞流氓喜欢像老母鸡孵蛋一样“孵混堂”，主要是贪图享乐，也因为冻得吃不消。这些活宝本来就爱出风头，平时吆五喝六地在市面上走动，如果穿得鼓鼓囊囊的，威风便打了折扣，所以非得一身轻薄的短打扮不可，西北风刮得再烈，胸口还必须像官府的大门一样八字敞开。这个叫做“若要俏，冻得跳”，故而只有这暖融融、臭烘烘的混堂才是冬日里最好的盘踞点。

抬眼望，肥壮汉子，四十来岁，生就一张财运亨通的大饼面孔。暴眼，浓眉，大蒜鼻，涂足了刨花油的头发收拾得山清水秀，一根根亮得晃眼。米东杰有些害怕，那对毫无道理的暴眼，看上去既像表示欢迎，又像表示挑衅，老实巴交的米东杰长这么大，还从没跟这类角色打过交道。

“要借三百？！”脱底棺材倒吸一口冷气，一对暴眼像在本钱上加了利息般鼓得更出。“你小子想把响水城买下来？说句实话，老子这辈子还没放过超出五十大洋的账呢。”

“大哥，这小子有抵押。”三光凑到脱底棺材的耳边轻声提醒道。

米东杰早就豁出去了，也知道空着双手不可能借到那么多的钱，所以事先已经跟牧师商量过，打算将磨坊作为抵押，以后再连本带利逐步还清。

牧师年事已高，常年不出教堂的大门，只以为所谓的高利贷无非是利息高一点，但究竟高到什么程度并不清楚，所以并未阻拦，要是搞清楚了印子钱那“驴打滚”的原理，肯定说什么也不会同意米东杰去饮鸩止渴。

放债人以高利向借款人放贷，双方立一手折以作凭证，以后本金和利息按月结算，放债人收得款后，将在手折上按一个指印表示收讫——印子钱之名，由此而来——而且借款发放时还须先打一个九五扣，也就是说，米东杰今天借贷三百，实际到手的只有二百八十五，扣出来的那十五块，将被当作“鞋袜费”归拉来这笔生意的三光所有。

印子钱的凶悍之处，在于借款人万一不能按时还钱的话，这部分金额将被纳入本金，开始杀人不见血的“利滚利”。举例来说：放账十块，以十个月为期，每月二分行息，合计一个月间的本利共为一块二角，假如无法交付，那么下个月的本金就变成了十一块二角，利息部分则再次水涨船高，周而复始，无穷无尽……

这笔阎王账的算法，昨天晚上三光已经仔细解释过一遍，只是米东杰那颗喝粥汤长大的脑袋算不来这笔细账，刚推算到第三个月已经晕头转向，暗想自己的借期长达三年，只要不脱期限，分摊下来每个月连本带利不过十四、五块钱，只要磨坊正常经营，自己再多卖点力气，不分日夜地不停干活，不怕还不上来。

“既然有磨坊做抵押，老子今天就破例一回。”脱底棺材听完三光的详细介绍，脸上有了点笑容。“你小子会做生意，有眼力，有胆量，肯花三百大洋下聘，佩服！”

“没错，真是一笔好生意啊，”三光自作聪明地感叹道，“以后做了段家的女婿，这点本钱还怕捞不回来？瞧瞧，这就叫舍不得孩子套不住狼。”

米东杰没想到这笔简直无法想象的巨款，居然这么容易就拿到了手。

在浴室里呆了不到半个时辰，三光出门找来一位被称为“说合人”的中人，三方当场立下契约，开具了一式二份的手折，一张二百八十大洋的银票交到了米东杰的手中——又扣掉五块作为中人的酬劳。

米东杰已经想好了，明天就去请媒婆，再到段家去提亲。

没想到，段家看到那张银票，仍然不肯拍板。

媒婆传话来说，段老爷的意思是现在单有聘金没有用，安身立命的磨坊反倒捏到别人手里去了，女儿一旦嫁了过去，什么保障都没有，这事儿啊，还是等还清了债，把磨坊拿回来以后再说吧……

米东杰一下子楞了神，还清债务至少得花三、四年的时间，段老爷明摆着是故意推托，这不是要人性命吗？

其实，真正要命的事情还在后头。

三天以后，米东杰傍晚时分去教堂找马丁牧师商量对策，但谈论了半天仍然一筹莫展，米东杰垂头丧气地走出教堂，准备回磨坊去睡觉——这几年里，米东杰一直吃住在磨坊，天天都要干活到半夜才歇息。

回去的路上，离磨坊还有半里地的时候，耳朵里突然听到一阵急促的响锣！

抬眼远望，心里猛地一凛，只见河边方向的半空中一片通红，隐隐可见火光在林梢闪烁、跳动。

河边那个方位并无人家居住，只有自己的磨坊！

腿脚一阵发软，米东杰连滚带爬地向前狂奔而去。

什么都晚了，正因为磨坊附近无人居住，所以着火后很晚才被发觉，等到米东杰上气不接下气地赶到，原本神气活现地矗立在河畔的磨坊，差不多已经成了一堆废墟。

哪怕是事隔多年以后，米东杰仍然猜不透这场大火到底是谁放的。

磨坊里没有火源，绝不可能无缘无故地失火，而且这把火早不烧晚不烧，偏偏是在典押出去以后马上就烧，实在有点蹊跷。

难道是段老爷？因为不愿女儿下嫁，所以下狠手斩草除根？不可能，段老爷虽然势利、贪财，但并不狠毒。难道是辣手辣脚的脱底棺材？不可能，自己回不出账来，对他有什么好处？那么，是奸猾的三光？更不可能，这家伙得了十五块大洋乐得屁颠屁颠的，跟自己都快成亲兄弟了……

米东杰的脑袋里乱成了一锅粥。

三光的脸说变就变，亲兄弟要明算账了，第二天就把失火的消息捅到了响水县城。

这一下捅翻了马蜂窝，脱底棺材带着一票跟脚亲自来到村子里，而且果真抬着一口薄皮棺材以示“不怒自威”——还不上钱，就叫你躺进这口棺材！

米东杰看到棺材，腿脚已经发了软，暗想段红莲确实骂得没错，自己真是属王八的，没看清就咬，这下果然砸锅了。

看一眼早已坍塌的磨坊，脱底棺材二话不说，先让米东杰交出那张二百八十大洋的银票。

谢天谢地，银票一直藏在身边，否则真要当场被钉进棺材了。

米东杰怯生生地问，遇上了天灾人祸，借贷一事能不能就此作罢，除了归还银票，自己另外想办法，再凑几十大洋作补偿。

“几十大洋？”脱底棺材怪里怪气地大笑道。“你以为老子是你们洋庙里头的上帝？”

三光沉着脸给米东杰算了一笔细账：按三年的死期计算，利息的总额应该是二百十六块，乡里乡亲的，算个整数吧，现在拿出二百大洋来，契约和手折当场撕掉，这件事就算了结了。

米东杰听了此话如五雷轰顶，张口结舌连话都说不出来。人家的算法并没错，现在就是手搀着手去县里打官司也没有用。

“拿不出来也没关系，”脱底棺材似乎相当通情达理，“以后每个月还六块，到日子交到三光手里就行。”

“现在磨坊没了，连吃饭都难了，叫我上哪弄钱去？再说……”米东杰终于愤怒地叫了起来。

下面的话还没说出口，一名跟脚早已跳上一步，一把掐住了米东杰的脖子。

“不识相，吃辣酱，”脱底棺材笑呵呵地说，“没钱，找洋和尚去要啊，教堂里不会没钱。要是再没钱，没关系，老子也不把你钉进棺材，你以后每个月剁一根手指给我就行。”

米东杰从头凉到脚，不由自主地微微发起颤来。

“想明白了吧？”三光凑上前来十分体贴地说道。“赶紧去找洋和尚，否则谁也救不了你。”

“三光，从现在开始，你给我天天盯着这小子！”脱底棺材鼓着双眼命令道。“拿到了钱，少不了你的好处。”

三光真是一条合格的好狗，就此不离不弃，无论米东杰走到哪里，屁股后面再也甩不掉这根尾巴。

米东杰哪里还有脸面再去教堂，也实在不想把麻烦带给善良的牧师，那群恶狗本来就是醉翁之意不在酒，很清楚穷小子身上根本榨不出油水来，真正看中的就是牧师，也算是项庄舞剑，意在沛公。

三光知道现在火候还不到，所以并不急着逼米东杰马上去找牧师，但是，又怕傻小子偷偷逃跑，最后想出一个好办法来，说你小子现在连晚上睡觉的地方都没了，这阵子不如先住到关帝庙去，以后再慢慢想办法吧。

关帝庙十分破败，里面常年寄居着一位靠算命卖卜为生的老道士——也就是那位十几年前曾经断言米东杰“北人而南相，且风骨殊奇，日后必将大富大贵”的算命先生——十几年过去了，老道已是风烛残年，终日颤颤巍巍的再也走不出村子，就靠村人及偶尔来上香的人接济点米粮，有一顿没一顿地捱日子。

三光当着米东杰的面凶神恶煞般警告老道，要其日夜看住米东杰，若是米东杰跑了，从此别想在庙里栖身，而且还要“把你这老东西扔到河里去”——这一招十分凶险，等于给米东杰找了个中保——三光看准了米东杰心性善良，绝对看不得无辜的老人受自己牵连，也就不可能拍屁股一跑了之。

段红莲天天偷跑到庙里来看望米东杰，除了送来温暖人心的安慰之外，还从家里分批带来当下急需的被褥、大米和咸菜，让米东杰可以借用老道的锅灶搭伙做饭。

段红莲圆脸蛋、尖下颌，一对瞳仁漆黑的大眼中永远目光炯炯，再加上双眉高挑而略锁，看上去自有一种不容侵犯的凌厉劲。但是，那两道尖硬的目光一旦投射到米东杰的身上，又会不由自主地变得柔和而散漫，这一点实在令人匪夷所思。

“一对小冤家啊……”奇怪的是老道见了段红莲总是如此叹息。

这句话，现在的米东杰和段红莲自然只能理解一半。

天气越来越冷，终于飘飘洒洒地下起了今年的第一场雪。

雪片足有鹅毛般大小，从灌河上空刮来的北风呼啸不止，卷起洁白的雪片四处飞舞，将天与地遮盖得混沌难分。滴水成冰的严寒之中，枯干的树梢不停地发抖，游荡在村外的野狗也被冻得连声哀嚎。

雪后的路面冰滑难行，可段红莲依然一大早就冒着严寒来到关帝庙。米东杰看着段红莲冻得通红的脸蛋十分心疼，连忙去后院里捡来一些废柴，小心翼翼地在中堂生起一堆火来。三人围坐在一起烤火，嘴里有一搭没一搭地闲聊，说着说着便聊到了米东杰今后的去向问题。

老道劝米东杰尽快逃走，呆在村里肯定是死路一条。

“不行，我走了，那群恶鬼绝不会放过你。”米东杰连连摇头。

“唉，我这把年纪，本来就是过一天是一天，他们能把我怎么样？”老道一声长叹。

“不行，我不能让别人为我背黑锅。”米东杰依然摇头。“再说，我能逃到哪里去呢？”

“是啊，能逃到哪里去呢？”段红莲也苦着脸重复了一句。

老道盯着米东杰的面孔仔细端详，尔后伸出枯干的手指往正南方向一指。

“南边？”米东杰和段红莲异口同声地问。

“去苏州吧，你的运势在南方，”老道疲惫地说道，“你的用神旺、忌神弱，这是天生的好命。正神好，一世有人帮，有福之人，凡事都可逢凶化吉、遇难呈祥。十几年前我就说过，你日后必将大富大贵，这可不是一句玩笑啊。”

“过了江全属南方，为什么偏偏要去苏州呢？”段红莲半信半疑，但也开始有些好奇。

老道虽然形同乞丐，但是腹中确有学问，当下叠二根手指，说出一段“洪武赶散”的典故，将江北的响水与江南的苏州联系起来。

话说明朝洪武年间，朱元璋为了报复苏州人对张士诚的拥戴，以移民垦荒为由将江南四十万人口驱赶到江北，史称“洪武赶散”，而苏州阊门一带的周、惠、刘、管、段、金等姓，都是这一时期迁徙来此的，各家各户在芦苇丛中、海涂荒滩上插草为标，占地而居，从此世世代代繁衍开来。

“这么说来，我们段家的祖上，也打苏州而来？”段红莲挑着眉毛问道。

老道的回答是一连串的咳嗽。

"我不走，我不能让别人为我背黑锅。"米东杰依然大摇其头。"再说，去了苏州，我能干什么呢？"

"那你等着他们来斩断你的手指？"段红莲竖着柳眉尖叫起来。"苏州那么大，干什么不能混口饭吃？学生意也好，卖苦力也好，总比困死在这里强吧？"

"后生，你现在只有一条路，去……去苏州！"老道咳得上气不接下气。

"我走了你怎么办？"米东杰有点动心，但想想自己走后三光将一口咬住弱不禁风的老人，无论如何下不了决心。

"别慌，我有个主意！"段红莲眼珠乱转，突然从地上蹦了起来。

刚才来关帝庙的路上，段红莲听人说，灌河边的龙王庙前，昨天晚上冻死了一名老乞丐，可怜那老汉无儿无女，连收尸的人都没有，大概直到现在还在原地趴着。

"这和我有什么关系？"米东杰大惑不解。

"我看不如这样，"段红莲得意地朝米东杰眨眨眼，"你把身上的衣服脱下来，我去帮那老乞丐收尸，雇二个人立即下葬。"

米东杰的衣服有点特别，至少跟村里的人大不相同，从头到脚都是马丁牧师穿剩下来的西式衣服——老棉袄外面套着一件半旧的厚呢外套，以前走到邻村去时常被不知究竟的人唤作"二鬼子"。

"下葬就下葬，要我的衣服干什么？"米东杰仍不明白。

"笨蛋，移花接木啊！"段红莲轻声骂道。"让老乞丐换上你的衣服，我再找人在河边挖个坑，用芦席一卷后下葬，然后就放出风去，说你想不开跳河了。我就不信了，他们还能挖开坟头去看？"

米东杰顿时豁然开朗。

这办法要是管用，一则摆脱了三光和随时准备咬人的脱底棺材，二则开脱了老道，要是以后到了江南果真兴旺发达，不，也不用大富大贵，只要赚满一千大洋就回来，到时候把那笔阎王账结清，然后风风光光地把段红莲娶到手，余下的钱再造一座磨坊……

"好，我现在就走！"米东杰咬了咬牙。

"笨蛋，你现在身无分文，走到半道就该饿死了。"段红莲再次骂道。"呆在这里别动，天黑前我再来一趟。"

段红莲也是个急性子，任何事都是说干就干，当下跳起身来匆匆离去。

雪越下越大，米东杰围着火堆团团打转，想到马上就将离开这片养育了自己二十年的土地，去到传说中那陌生、富庶、险恶的江南，后脊梁上不由得一阵阵地发凉。

傍晚时分，段红莲回来了，带来了一只小小的包裹，里面装着几块热烘烘的，显然是刚刚赶制出来的烙大饼，外加五块大洋及一大把零碎铜子。毫无疑问，女孩儿的全部家当都在这里了。

“刚才雇了两个人，在河边把老乞丐埋掉了，”段红莲大声嚷嚷道，“换上洋服，把脸兜住，谁还认得出来？我在旁边假意大哭了一阵。旁边看热闹的人挺多，都以为是米呆子寻了短见，好多人还跟着流泪呢。”

“那两个挖坑的人会不会走漏风声？”米东杰还有点担心。

“不会，事先把话都挑明，每人给了一块大洋，”段红莲得意地一笑，“放心吧，嘴巴上全都贴上了封条。”

“夜长梦多，我这就上路吧。”米东杰将包裹斜系在身上。“三光听到了风声，肯定会马上找到这里来。”

“嗯。”段红莲点点头，从贴身的衣袋里摸出一只小小的荷包。

荷包上绣着一朵花，本来是准备送给磨坊主米东杰当钱袋用的。段红莲绣艺不精，那朵牡丹花绣得歪歪扭扭，而且尚未绣完，看上去笨拙而稚嫩，显得十分好笑。米东杰接过来一捏，只觉得荷包内软乎乎的，不知道装着什么宝贝。

打开一看，是一些灰黑色的焦土状粉末。

“啥玩意儿？”米东杰问道。

“灶膛里刮出来的炉灰。”段红莲答道。“听我爹说过，这玩意儿能治水土不服，去了南边，你肯定用得着。”

“没错，这东西叫做伏龙肝，要是水土不服、上吐下泻，拿一点泡水喝马上见效。”老道在旁证实道，继而看着段红莲连声叹息：“闺女，你想得好周到啊。”

米东杰紧紧地捏着这一小袋盛满深情的“伏龙肝”，鼻子一酸，眼中猛地沁出泪来。如果没搞错的话，这只小小的绣囊，大概得算是私订终身的信物了。

“赶紧上路吧。”段红莲的脸上早已热泪纵横。

老道忍不住偷偷抹了抹眼角的老泪。

冬日里白日短暂，转眼功夫已是薄暮时分。米东杰一头冲出关帝庙的大门，迎着漫天风雪，朝正南方向大步走去。

“运势真在南方？”无力地靠在庙门口的段红莲自言自语般连问老道。“日后真能大富大贵？”

“唉，这孩子连八字都没有，我去哪里找用神和忌神……”老道连咳带喘地摇头说道。“可是，不这么说的话，这孩子哪里肯走……”

段红莲既惊讶又不安，瞪圆了泪水未干的双眼，脸上的悲楚之中更添了一份新的忧虑。

没有用神和忌神的米东杰一路大步，如出笼的小鸟飞向白茫茫的天地。

走出了半里多地，身后的雪地上留下了笔直的一行脚印，心里空落落的米东杰回过头来，隔着飞絮般的雪片，依稀可见关帝庙前段红莲那红衣、绿裤的娇小身影，依然久久地伫立在那里……

第二章　江湖险恶

走走停停，穿过一座座村庄和集镇，速度不快也不慢。

饿了，吃一个被冻得坚硬如铁的大饼；渴了，抓把积雪直接吞下肚，一天下来，包裹里的大饼先少掉了一半。

但是，一天四、五十里路走下来，脚下那双湿乎乎的棉鞋已经支撑不住，鞋面跟鞋底大有分道扬镳之势。米东杰捡来两截草绳，将破鞋牢牢地绑在脚上，暂时解决了难题。

白天紧赶慢赶，身上倒也不冷，晚上就实在难熬了。米东杰舍不得花钱住店，只能找不太颓败的破庙过夜，寻个不透风的角落，烧起一堆小火烘烤衣服和鞋袜，再胡乱抱些干草一铺，蜷缩着身子席地而卧。

第三天中午，疲惫不堪的米东杰来到了离响水已有百里之遥的阜宁。

阜宁古称黄浦，地处苏北平原的中部，境内水网密布，隶江苏省第十督察区管辖。阜宁的县治名为阜城镇，规模不大，但因赫赫有名的“阜宁大糕”而名气响亮。米东杰从北面的拱辰门走入城厢，包裹里的大饼正好全部吃完，现在一直拿不定主意，接下来补充干粮，应该买价钱便宜的大饼，还是买价钱稍贵但又香又甜的阜宁大糕。

此去遥远，每一个铜板都得掰成二个来花，还是买便宜的大饼吧。

米东杰问路人，哪里有卖大饼，随后朝着别人指明的方向走进一条小巷——穿过这条小巷，便可去到集市所在的大街。

小巷里比大街上冷清得多，几乎看不到什么来往行人。米东杰东张西望着慢慢走去，心里盘算着呆会儿是不是应该再买双新鞋。

“老弟，有旧货出手吗？”有人大声招呼道。

米东杰低头一看，原来是一个蹲在屋檐下的汉子，面前歇着一付装满破铜烂铁等杂物的箩筐，显然是个走街串巷收旧货的小贩。

米东杰苦笑着摇摇头，暗想这家伙真没眼力，居然看不出自己是个外乡人，哪来的旧货出售？

继续前行，但是没走出几步路，迎面与人撞了个满怀。米东杰定睛一看，只见一个年约十六、七岁的小姑娘，已被自己撞倒在地，连忙满怀歉意地伸手扶起。

“不要紧，是我自己不小心。”小姑娘摇摇手，站起来朝屋檐下的收旧货汉子快步走去。

“小姑娘，有东西要出手？”汉子招呼道。

“这件东西你能出多少钱？”小姑娘像变戏法一样撩起衣服的下摆，取出一根乌黑的烟枪。

“哟，哪来的宝贝？”汉子顿时两眼放光。

米东杰看在眼里有点好奇，不由得往回走了几步，凑近去看到底是什么宝贝。

“快点，你说个价，到底多少钱肯收？”小姑娘急匆匆地催促道，一边不住地探头朝来的方向张望。

“东西是好东西，紫檀木，象牙嘴，中间还包着纯银，”汉子将烟枪接在手里反复察看，“我说你一个小姑娘，哪来的这件宝贝？”

“我在前面张老爷家做佣人……”小姑娘吞吞吐吐地答道。

“我明白了，你是把张老爷的宝贝偷出来卖！”汉子压低了些声音。

“我……我在张家起早摸黑帮了一年的佣，到年底却一个铜板的工钱也没拿到……”小姑娘涨红了脸分辨道。

“这个我可管不着，”汉子笑嘻嘻地说道，“这样吧，我给你十块大洋。”

“不行，这可是包象牙的紫檀木，听懂行的人说，至少得值二十大洋，”小姑娘看来不好糊弄，“这样吧，你给十五个大洋吧。”

“东西是好东西，也值这个价，可我身上哪有那么多的钱啊，”汉子面露难色，“这样吧，再加二块，你跟我到家里去，我给你十二块大洋。”

“算了，不卖了。”小姑娘朝巷子口一番张望，突然脸色大变，劈手将烟枪夺回。

米东杰随着小姑娘的目光看去，只见巷口出现了两名男子的身影，边往前走，边朝左右两旁敞开的门户里张望，口中大声叫唤“小红”。

“呵呵，张老爷家的人找来了吧？”汉子幸灾乐祸地笑道，挑起了自己的担子。“我还是先躲会吧，别他娘的羊肉没吃到，羊骚气倒惹了一身。”

汉子自顾自地离去，小姑娘的脸由红转白，吓得浑身发起抖来，突然一把拉住了米东杰的胳膊。

“大哥哥，救救我吧。”小姑娘快要哭出来了。“要是被他们看见烟枪，我今天非被打死不可。”

“我只是个过路人，有什么办法救你？”米东杰想走也走不掉了。

“这根烟枪先在你身上藏一会好吗？”小姑娘可怜巴巴地哀求道，居然毫不迟疑地跪下地去。“你在这里稍微等一会儿，我回头就来取。”

“我还要赶路呢……”米东杰不想管闲事，但看看小姑娘被吓得魂飞魄散的样子，又有点于心不忍。

“最多一顿饭的功夫，”小姑娘不由分说地将烟枪往米东杰的手上一塞，“我先空着手跟他们回去，找个空子就溜回来取。”

这下算是湿手沾上了干面粉。

这时，一位路过的老者见了呆立在那儿的米东杰，本来已经擦身而过，但嘴里似乎憋着一句话实在忍不住，又回头折了回来。

“后生，我劝你少管闲事。”老者朝米东杰低声说道。

“怎么能见死不救呢？”米东杰并不领情。

“唉，”老者摇头叹息，“好心肠，死脑筋，当心吃苦头啊，回头别怪老汉我没有提醒你啊。”

小姑娘偷偷朝老者狠狠地瞪了一眼。

老者本来还想说些什么，迟疑了一下，还是径自离去了。米东杰站在原地又一阵发呆。咦，这老汉的话怎么跟段红莲说得一模一样，而且一眼就看出自己是个什么样的人。

小姑娘朝米东杰鞠了个躬，匆匆忙忙快步离去。但是，刚走出三、五步路，突然又站住脚，迟疑着走了回来。

“大哥哥，我走了你可不能跑掉啊。”小姑娘怯生生地说。

"既然答应了帮忙，我怎么会跑掉？"米东杰不高兴地说。

"万一你跑掉了，我就鸡飞蛋打了……"小姑娘说着说着有点像要哭出来了，想了想又提出一个新的建议："这样行不行，帮人帮到底，你先押一样东西给我，这样我就放心了。"

"我身上什么东西也没有。"米东杰摇头答道。

"不会吧，"小姑娘自作主张地把手伸到米东杰的口袋里一摸，"这不是大洋？"

说话之间，段红莲临别时放进去的那五块大洋，已经到了小姑娘的手中。

"唉，真拿你没办法。"米东杰没法跟姑娘家拉拉扯扯。

最多也就一顿饭的功夫，再说这支至少能卖十二块大洋的烟枪就在自己手里，干脆就把好人做到底吧——米呆子的脑筋，目前只能想到这么远。

"把烟枪藏好，千万别走开啊。"小姑娘一溜烟地离去。

米东杰苦笑着叹口气，撩起衣服的下摆，将烟枪仔细藏了起来。

一等就是一个时辰。

小姑娘再也不见回来，米东杰开始觉得有点不对劲，连忙顺着巷子前行，一路打听"张老爷"家在哪里、有没有一个名唤小红的丫鬟？

这当口，刚才那位提醒过米东杰的老者正好返回，见米东杰像热锅上的蚂蚁一般团团转，早已猜到是什么结果，本来不想多嘴，但走出几步后还是忍不住回过头来。

"傻小子，腰里是不是藏着根烟枪啊？"老者笑呵呵地问。"是不是跟你说是紫檀木、象牙嘴，收旧货的也肯出十二块大洋？"

"是啊。"米东杰呆了一会，只得点点头。

"上当啦，"老者叹息道，"这伙骗子专门骗你这种老实巴交的外乡人。"

"可烟枪还在我这里。"米东杰不太服气，拿出烟枪来给老者看。

"什么紫檀木，那就是最普通、最便宜的烟枪，木头外边涂层黑漆，包上点白铜，镶上点牛骨，集市上一块大洋就可以买到。"老者解释道。"你啊，刚才我好心好意提醒过你，可你就是不听，唉，刚才我又没法明说，不能得罪那伙骗子。"

出师不利，刚刚离家就被这种简单的骗术给骗得人仰马翻，接下来的路怎么走？段红莲骂得一点不错："你那死脑筋要是不想办法活络活络，日后有你的苦头吃"，这不，吃苦头了吧？

无可奈何的米东杰搜尽口袋，凑起最后的十几个铜板，去集市上的大饼摊前全部换成大饼，垂头丧气地走出城厢，准备去郊外找一处破庙过了夜再说。

“小兄弟，买这么多大饼干什么啊？”有人拍着米东杰的肩膀问道。

“吃呗。”米东杰没好气地答道。

扭头一看，原来还是刚才那位提醒自己不要遭骗的老者。

“这玩意儿干哈哈的有什么好吃的？”老者含笑摇头。“你就不怕吃厌？”

“有得吃就不错啦，”米东杰忍不住翻了个白眼，“等这包大饼吃完，大概只能喝西北风了。”

“那你想不想找个吃饭的地方呢？”老者似乎就在等这句话。

“想啊。”米东杰毫不迟疑地答道。

老者自我介绍说，自己是城里陈掌柜家的账房先生，明天要随船陪少爷去兴化送货，今天来集市上采办一些东西，看米东杰这样的外乡人似乎身处困境，所以有心随手帮个小忙——船上正缺一个帮工，要是愿意的话，一路上包吃包住，到了兴化还有工钱。

这真是喜从天降，兴化正是南去的必经之路，这下连路都不用走了。

账房先生当下领着米东杰走出东门，径直来到射阳河边的码头上。

陈掌柜家雇下的货船共有三只，已经装好了满满当当的货物，全是本地的特产，如阜宁大糕、沙岗花生、条黄粉丝、板湖百叶等等。账房先生带着米东杰见过陈家少爷，同时吩咐船老大在船舱里安排铺位和被褥。

陈家少爷见了米东杰十分客气，甚至可以说是一见如故，非但不用米东杰去干船上的粗话，还让所有的人，包括账房先生和船老大，全都管米东杰叫“米少爷”。第二天开船之前，居然还从家里带来一身自己的衣服让米东杰换上，同时不无歉意地说，昨晚偶感风寒，身体实在不适，今天无法同行了，烦请米东杰代替自己一路押船，到兴化后必有重谢。

“大家全都听好了，一路上全部要听米少爷的吩咐！”陈少爷大声关照。

米东杰想要推迟，但又不好意思驳人面子。

“放心吧，米少爷，路上一切由我操心，你只管应承下来。”账房先生首先表示遵命。

船家和船工更无异议，米东杰只好答应下来。

米少爷换上一身半旧的软缎面料的丝棉衣裤，十分光鲜地站在船头，心里边不由得飘飘欲仙，暗忖老道士确实没说错，果然是吉人自有天相，运气说转就转。

射阳河乃苏北平原上的母亲河，一路弯弯曲曲，有九里十八弯之说，而周边更是连接无数的河道和湖塘，一路上的风光十分养眼。

唯一让人心有戚戚的是，此地与鲁南、豫东、皖北交界，乃土匪猖獗的地带之一：鲁南的土匪窜到苏北，或者豫东的土匪窜到鲁南，那都是家常便饭。正因为这样，陈家冒着风险做生意，尽管装载的都是不甚值钱的土产，但运到兴化后价格起码能翻一个倍。

一路上风平浪静，啥事都没发生。

但是，到了大纵湖边，水匪们如同天降般说来就来。

“咣”一声锣响，枯黄的芦苇后面顿时鬼影幢幢。

水匪一共二、三十人，手持长短枪械和钢刀利刃，分乘尖头小艇从左右两边包抄，像灵巧的猴子一样纷纷跳上船来。

“船和少爷留下，其他人统统滚蛋！”一名个子矮得出奇、腮边布满须茬的汉子用手里的二十响点着米东杰的脑门大声喝道。

“十天以后，带上一千大洋来这里碰头，船、货、人全都还给你们。”一名脸色白皙、戴着眼镜的年轻男子补充道。

大纵湖其实并不大，南北十里，东西十二里，大致呈椭圆状，如一粒珍珠镶嵌在坦荡如砥的平原上。

湖虽不大，但密布于水面的芦苇却长得嚣张，叶面阔大厚实，最高竟可长到一丈五那么高。眼下到了冬季，苇杆通体枯黄，银灰色的芦花毛茸而蓬松，组成无数道苇墙将水域隔成错综复杂的水道，如八卦阵一般有活道、有死道、有循环道，船走一圈后仍然回到原地属于常事，倘有外人驾船冒冒失失地深入其中，即使转上一天也未必走得出来。

匪徒们的老巢，就深藏在芦荡之中的一片巨大的浮丘之上。

水寨规模不大，依水搭建着十几间简陋的棚屋，大约共有五、六十个“硬爬兄弟[1]”，那个矮个的络腮胡汉子便是为首的“杆首”，诨名叫做“矮脚虎”，而那个白面书生模样的男子则是“白扇”，算是军师之类的角色。

米东杰再三申明，自己不是什么少爷，只是一个被临时拉上船的过路客，说起来也是上了陈家人的当。

[1] 土匪黑话：捆起来。

矮脚虎哪里肯信，不过态度还算客气，将米东杰关进一间有门无窗、专门用于拘押肉票的“秧子房”，每天好吃好喝地伺候着“养票”，只等十日以后“票家”来“上香”。

陈家人当然不会再露面。

十天以后，大失所望的矮脚虎态度顿变，开始“架票”威逼，除了饮食方面不再周全，还逼着米东杰往家里写“海叶子 ”催要赎金，甚至扬言要“剪票”，先割一只“招风子 ”随信一同“飘”到陈家去——这个叫做“飘海叶子”，乃土匪勒索的第二阶段，所谓“秧子好比摇钱树，不打不摇不落金”也。

米东杰这下着了慌，原以为时间长了矮脚虎自会明白过来，哪知道这厮的脑瓜跟自己差不多，也是一根筋，这下可砸锅了。

唉，死脑筋啊死脑筋，果真被段红莲不幸而言中，真是“被人骗了还帮人数钱”。

这信怎么写呢？即使胡写一通交了差，也没地方好送啊，可矮脚虎不管那么多，嘴一咧，“码起来 ”三个字掷地有声。

小把戏们拿来一根扁担，将米东杰的双臂拉直了固定在扁担上，使身体像十字架一样无法动弹，随后拿出二根筷子将左耳齐根夹住，又用细麻绳将筷子的两端使劲勒紧。米东杰负痛大叫，一团破布恰到好处地塞进了嘴。

“这也是为你好，”一名倒挂眉毛的小把戏对米东杰十分贴心地说道，“现在夹得紧点，呆会儿刀子下去反而不太疼，夹得松的话就割不齐了，更他妈疼。”

米东杰被塞住了嘴，只能闭着眼从嗓子口呜呜哀叫，声音悲愤而凄惨。心里一急，又想起了段红莲曾经说过的话：“你那死脑筋要是不想办法活络活络，日后有你的苦头吃！听到没有，不管啥事，得知道动脑筋、动脑筋”——老天爷啊，现在就是该动脑筋的时候啦！

矮脚虎走上前来，从腰里摸出了一把亮晃晃的短刀。

“God is with us（上帝与我们同在）！”米东杰拼尽全力吐出嘴里的破布团，张口喊出了一句英语，随即眼望着站在门边的白扇先生，继续字正腔圆地说道：“Brother，please help me（兄弟，请帮帮我）！”

这是米东杰唯一想得出来的办法，也是他唯一拥有的本事。

匪众中间，惟有白扇先生肤色白皙、面戴眼镜，一望便知是个读书人——这样的人一则明事理，二则通情理，想必不会像其他人那样脑子全都一根筋。

所有的人全都愣住了，包括白扇先生。

“慢，慢点动手。”白扇先生一把抓住了矮脚虎的手。

“啥事？”矮脚虎奇怪地问。“这小子哼哼唧唧说啥呢？”

“他说他是被冤枉的，”白扇先生解释道。“大哥，我看这小子“半尖半腥[1]”，现在动手还早了点。”

“那咋办？”矮脚虎一挑眉毛。

“把他交给我吧，再好好盘盘。”白扇先生不由分说，动手取下米东杰耳朵上的筷子。

“好吧，再好好盘盘。”矮脚虎没法不给军师面子。

矮脚虎带着小把戏离去，白扇先生连忙解开米东杰身上的扁担。

“多谢先生搭救。”米东杰赶紧朝白扇先生抱拳施礼。

在水寨里呆了十来天，米东杰已经学会了土匪们的礼仪，像这样的施礼，并非如常人那样当胸抱拳，因为这么做太像戴铐了，对土匪来说不甚吉利——正确的做法是抱拳在左肩的位置，晃一晃后再往后一甩。

白扇先生说起话来十分和气，甚至还让“看秧”的小把戏打开门，带着米东杰在水寨的简易码头边随意溜达。米东杰偷眼观察，只见白扇先生年纪约比自己稍大，生就一张皮肤光洁的圆脸，配上一副圆框眼镜后更显得和善、机巧，尤其是镜片后的一双眼睛，始终透出孩童般的清澈和老人般的平和，大有功德圆满、福如东海之气象。

米东杰惊魂甫定，被夹的耳朵疼得像被烫伤了一样。身后，二名身上挎着长枪的小把戏不远不近地跟在后面。

白扇先生的大名唤做洪云甫，其实打一开始就觉得米东杰不像是货真价实的阔少，而且阜宁和响水虽然相隔不远，但口音却颇有不同，再说陈家如果真是少爷被绑，哪会不闻不问，连讨价还价都不屑……可见陈家的如意算盘打得十分好：要是货船顺顺当当地抵达兴化，自然皆大欢喜，万一出了差错，那就由外乡客去做替死鬼。

但是，米东杰会讲英语，实在令人意想不到。人道是英雄相惜，既然大家都是读书人，能帮当然得帮。

“听你的口音，确实像是响水人，”洪云甫远望着无边无际的湖面说道，“我以前在盐城念书的时候，有个最要好的同学就是响水人，所以一听就知道你

[1] 土匪黑话：半真半假之意，“尖”为真，“腥”为假。

没说谎。对了，你是在哪里上的学，英语的发音怎么这么准？”

米东杰心里一个咯噔：盐城念书、响水人、二十来岁的年纪——这样的人，不知道在整个响水有多少，但在东杰村，只有段红莲的哥哥段令康一个人。

“不会是段令康吧？”米东杰随口说道。

“你认识段令康？”洪云甫顿时喜形于色。

“太认识啦！”米东杰叫道，但并不知道应该怎么解释才好。“差不多就是……就是……就是我的大舅子。”

“你是他的妹婿？”洪云甫一把抓住米东杰的肩膀。

米东杰赶紧将自己的来龙去脉，以及与段家的关系详细叙述了一遍，当然也留了点小心眼，没提段令康坚决反对一事。洪云甫听得大眼瞪小眼，直说大水冲了龙王庙，差点伤了自家人。

天啊，好险啊，要是不动脑筋，今天耳朵就“飘”走了。段红莲的话说得太对了，你看，一动脑筋，马上就尝到了甜头。

“既然这样，我跟大哥好好说说，明天就放你走吧。”洪云甫痛快地承诺。

洪云甫心里一高兴，带着米东杰在水寨的前前后后逛了个遍，指指点点把芦荡中怎么看岔道、怎么识记号的诀窍都稍加提及。水寨里的房屋全部由竹木和苇杆、泥巴建成，存粮极多，小把戏们还养了不少鸡鸭，军师先生最后感叹道，要是自己也有陶渊明的心态，这里倒是不失为苏北平原上的一处世外桃源。

“先生不想久呆在这里？”米东杰听出了话外之音。

“久呆？猪头才想呆在这样的鬼地方！”洪云甫压低声音哼哼道。

“那你……”米东杰试探道。

“唉，我是骑虎难下啊。”洪云甫摇头长叹。

心情和气氛都恰到好处，洪云甫拉着米东杰在水岸边坐下，一五一十地说起了自己的身世。两名小把戏在离开几步路远的地方也坐了下来，有一搭没一搭地自顾自闲聊。

洪云甫出身于连云港的大户人家，后在盐城的私立化工专门学校念书，与段令康数年同窗，交情深厚。去年的暑假期间，洪云甫去兴化探望亲戚，途径大纵湖时，听说湖上的景致极美但有匪众出没，由于年轻气盛，还是不顾劝阻雇了船只下湖游玩，最后被矮脚虎绑了票。

当时的匪巢中，没有一个识字的人，矮脚虎“求贤若渴”，网开一面，把洪云甫强留下来尊为军师，专门书写各类敲诈勒索的“海叶子”。洪云甫本来就不是太喜欢读书，一开始觉得这样的绿林生涯似乎还十分有趣，而且身为军师，地位在一人之下、众人之上，日子过得异常洒脱。想当年，施耐庵就在兴化这个地方落过草，加入了张士诚的“十八条扁担”，可见好男儿志在四方，哪里不可建功立业?

但是，时间长了以后，洪云甫开始深深地后悔。

矮脚虎乃一介莽夫，哪有当年诚王[1]的胆略，而且终年困守在芦荡深处，天天与那班粗鄙、野蛮的小把戏为伍，实在令人忍无可忍。半年多前，洪云甫偷逃过一次，备下一只小划子准备半夜里闯出芦苇荡去，可惜还没上船，营地上的“皮子炸了[2]”，计划完全失败。好在矮脚虎并未追究，但从此立下一条规矩：无论军师去到哪里，身后必须紧跟二名小把戏。

现在听到米东杰要去苏州，洪云甫的心里敲开了边鼓。

“我们一起去苏州吧！”米东杰看出洪云甫心里有点乱，试着用英语鼓动道。

段红莲再三强调的“动脑筋”三字，看来真是法力无边，现在何不再接再厉?

“你是说，逃走?”洪云甫看看不远处的二名小把戏，当然明白米东杰的用意，也用英语反问道。

米东杰压低声音，继续用带有浓重苏格兰口音的英语将自己的设想和盘托出，洪云甫也用英语连连表示赞同，两人叽里咕噜、磕磕巴巴地一唱一和，把旁边的小把戏听得直翻白眼，没想到日日相处的白扇先生居然也会麻利的“色唐钢儿[3]”。

“夜长梦多，不如当机立断，”洪云甫一拍大腿，继而又用英语补充：“现在就走！”

“怎么走?”米东杰用英语问道。

“看我的，”洪云甫跳起身来，改用苏北土话对二名小把戏命令道，“今天馋野味了，走，登瓢[4]，一块儿进湖去打几只扁嘴子来下酒。”

小把戏一听进湖去打野鸭，马上起劲地去码头边划来一只小船，四个人脸上

[1] 元末，兴化盐贩张士诚在高邮称诚王，建国号大周，后定都于平江（苏州），最终被朱元璋所灭。

[2] 土匪黑话：狗叫。狗为皮子，叫为炸，或为喘。

[3] 土匪黑话：洋话。

[4] 土匪黑话：上船。瓢为船。

全都笑嘻嘻的，三转二转消失于“遮岸[1]”之中。

看看离开浮丘已远，洪云甫开始想办法骗取小把戏身上的武器。

“金丹[2]不多，不要浪费，”洪云甫伸手向离自己最近的小把戏讨要长枪。“把喷子[3]给我，老子管直[4]。”

小把戏不假思索地取下身上的长枪，双手递给看上去兴致勃勃的军师。

洪云甫脸色突变，退到船尾哗啦一拉枪栓，调转枪口对准了另一名小把戏。

“这……这是干啥？”那名小把戏一楞。

“把喷子扔过来！”洪云甫一瞪眼。

小把戏这才明白军师不是在跟自己开玩笑，但仍然不解其意，只得取下长枪轻轻扔在洪云甫的脚下。

“兜熏风[5]，快划！”洪云甫一边示意米东杰捡起长枪，一边继续威逼小把戏。“要么把瓢子划上岸，要么自己跳下水，随你们选。”

寒冬腊月，落水的下场不比“贴金[6]”好到哪里去，二名小把戏乖乖地捡起船桨，无可奈何地奋力划水，小船朝着南岸如箭般射去。

一顿饭的功夫，船靠了岸。

洪云甫命令二名小把戏将船往回划，而且不许回头观望，眼看着船影渐渐远去，这才呼出一口长气，将二杆长枪使劲扔进湖中。

“走，奔南！”洪云甫重重地一拍米东杰的肩膀。

二人认准方向，甩开大步往前走去，银装素裹的大地上留下了二行清晰的脚印。

“矮脚虎会不会随着脚印追上来？”米东杰回头看看脚印，不免有点害怕。

“拉地硬些[7]！”洪云甫也有些担心，一着急又漏出一句黑话。“前面十几里路便有村庄，到了那儿脚印就乱了。”

“这会儿，矮脚虎没准已经追上来了。”米东杰又急又怕又冷，满口的牙齿连连打架。

现在想想，最懊恼的人大概得数矮脚虎了——绑了个肉票是“腥货”不说，

[1] 土匪黑话：芦苇。
[2] 土匪黑话：子弹，也称白米。
[3] 土匪黑话：枪。
[4] 土匪黑话：枪法准。
[5] 土匪黑话：朝南走。熏风为南，取熏风南来之意。
[6] 土匪黑话：挨子弹。
[7] 土匪黑话：走快些。拉地为行走之意，硬为快，软为慢。

最后竟然还把军师给拐跑了！这事要是传了出去，还不让江湖上的人笑破肚皮？

平原上的风绵软而悠长，刮过光秃秃的树梢，发出一阵阵哭泣般的怪叫。

铁灰色的天空中云层厚重，老天爷十分帮忙，傍晚时分，晶莹洁白的鹅毛大雪又开始纷纷洒落，像被扯碎的棉絮一样打着卷随风狂舞。极目四望，天与地顿时相连，原野上白茫茫一片，连地平线都看不甚清。雪片迅速掩盖住地面枯萎的小草，自然也填没了新鲜的脚印。

两个年轻人心急火燎地迈腿前行，后背上居然沁出了热汗，脚踩在雪面上，如同踩在细盐上一样，发出一连串“咯吱咯吱”的声音。

“这儿离长江还有多远？”米东杰气喘吁吁地问道。

“大概还有二百多里路。”洪云甫艰难地回答道。“咱们先去泰州，那是个大码头，看看能不能搭到便船。”

第三章　初到姑苏

还没走到泰州，洪云甫突然改了主意。

由于逃离匪巢是临时做出的决定，所以洪云甫身上拢总只带有三块袁大头和若干铜子，当然，以这些钱做盘缠到苏州，应该是富富有余了。

但是，现在洪云甫准备调转方向往回走。

“沦入匪窟将近两年，不知家中父母已经急成了啥样，无论如何应该先回盐城去报个平安。”洪云甫准备跟米东杰分手。“要是过了江，以后就不知什么时候才能回来了。”

“嗯，你家爹娘肯定急坏了。”米东杰自然支持。

“就是，爹娘一直盼着我早点成亲，天天等着抱孙子呢，”洪云甫苦笑道，“家里本来已经给我说好了一门亲事，说女家是盐城城内的富商，八字合下来也非常合适。唉，谁知道还没来得及相亲，我这里却掉进了匪窝。”

“有这样的好事，哪还用得着去江南乱闯，还是赶紧回去吧。”米东杰十分羡慕。

“我看这样吧，你一个人先去苏州，我回去探望父母，”洪云甫建议道，“我在家中少则一个月，多则二、三个月，随后便去苏州找你。”

“家里已经定好了亲，你还去江南瞎折腾？”米东杰觉得非常奇怪。

“唉，这都什么年代了？民国已经建立了二十年，一名受过教育的新青年，竟然因循守旧，奉行封建礼法，岂不让人笑掉大牙？”洪云甫慷慨陈词。“父母之命、媒妁之言，那跟牛羊被赶着去配种有什么两样？”

“也好，那我就先行一步了。”米东杰听不太明白，更无法反对。

“我以前去过苏州，阊门一带还算熟悉，”洪云甫计划得非常周全，“阊门外的渡僧桥边，有一座叫做玉泉楼的茶馆，二楼自带客栈，我到了苏州以后，肯定会到那里去落脚，以后你每隔一段日子就去打听打听。”

“好，我就在阊门一带找家店铺，先做学徒学生意。”米东杰连连点头。

三块银元，洪云甫硬分给米东杰二块，说自己抬腿就到家了，身上没必要多带钱。米东杰想想自己现在囊空如洗，也无推辞的理由，收起银元，想说几句感激的话，但不知道该说什么好。

两位新朋友就此告别，洪云甫回转头来去盐城，米东杰则继续朝南方前行。

一路上，免不得又是一番艰辛。

骤雪初霁，阳光有气无力，稀薄而黯淡的黄光散漫地洒落在大地上，令人感觉不到丝毫的暖意，只是积雪被映照得格外刺眼，路面也更加泥泞难行。

数天之后，米东杰来到靖江，摆渡穿过浩瀚长江，在江阴踏上了江南的地面。

来到苏州的时候，天气终于开始渐渐转暖。

汽笛一声长鸣，从江阴出发的拖轮在苏州护城河边的万人码头靠岸，在底舱闷了一夜的米东杰跳上岸来，在南浩街上东张西望，先问路人“阊门”在什么地方。

奇怪的是，路人们听到米东杰的苏北口音，往往都装聋作哑地不肯回答，好些人非但脚步不愿停留，甚至都不屑于正眼打量一眼。最后终于有一个看上去不那么势利的汉子愿意作答，脸上的神情既有些居高临下的蔑视，又有些情难自抑的骄傲，最后折中了二种态度嘲笑道：“这里不就是阊门？”

米东杰一楞，有点不敢相信。以前念书时偷看过《红楼梦》，其中开首便说：“……东南一隅有处曰姑苏，有城曰阊门者，最是红尘中一二等富贵风流之地”，本以为一定是个繁花似锦的所在，没想到却是一片乱哄哄的街市，甚至还略有几分破败之相。

不过，一旦走出南浩街，眼前顿觉豁然开朗。

姑苏繁华的程度，自明代万历以来便独领风骚，而阊门一带，更是如同皇冠上的明珠，浓缩了这一东南首郡的精华。清人文曰：“姑苏控三江，跨五湖而通海，阊门内外，居货山积，行人水流，列肆招牌，灿若云锦，语其繁华，都门不逮……”也就是说，便是煌煌帝都，也要逊色三分。

眼前所见，街面宽敞、房屋轩昂、店肆林立、车水马龙，可见前人的描述并未夸张。耳中所闻，皆是吴侬软语，米东杰简直一个字都听不懂。

江南和江北，虽然同属江苏，但古时却分属于吴国、楚国，再加上长江天堑阻碍了交流，使两岸在文化、语言、习俗、气候、贫富方面的差异极大，甚至比省与省之间还要大许多。单说口音方面，便有天壤之别：苏北人操一口江淮方言，与北方官话比较接近，差不多走遍全国都无障碍，而苏州人所操的吴语，出城二、三百里大概就没人听得懂了。

米东杰发现，只要开口用苏北话问路，被问的人大都爱理不理，一脸高傲地飘然离去。

好不容易找到离码头不远的渡僧桥边，一眼望见果然有座叫做玉泉楼的茶馆，二楼的窗口挂着客栈的招幌。

但是，跑进去一问，住一晚竟要四角钱。米东杰的口袋里现在还剩最后一块中洋，外加十几枚铜子，这就等于说，只要在这里住二晚就彻底破产了。

接下来的日子里，食宿二字如何解决呢?

回到大街上，米东杰倒是一眼发现了“商机”。

阊门襟连山塘街，山塘河、上塘河和护城河在此交汇，所以短短的路程之内处处可见桥梁，再加上方圆数里内商肆密布，满载货物的拖车在上桥的时候便十分费力，而且是刚下了这座桥，紧接着又须上那座桥。这时，守在桥堍下的几名十四、五岁的小乞丐便一拥而上帮助推车，送完一程，大致可得一到二枚铜子的酬劳。

米东杰观察了一阵，觉得苏州真是一个能赚钱的好地方，简直遍地都是大洋。你看，一撅屁股一弯腰，那钱就到了手。虽然一、二个小钱不起眼，可架不住积少成多啊。

那就不忙找店铺当学徒，先在这里就手试试，看能不能挣几个现钱吃饭。

车来车往，渡僧桥边的几名小乞丐明显有点忙不过来，米东杰瞅准一个空子，跟在一辆满载鱼鲜的拖车后面，卖力地一路推行，接连翻过两座高桥，轻轻松松得到一个铜子。

“那几个小叫花可不是省油的灯啊，劝你还是别惹事了。”拉车的汉子看看米东杰身上鲜亮的衣服，有点摸不着头脑。

满大街的人里边，谁都知道小乞丐的推车营生本来就相当于敲竹杠，哪怕你是轻车经过，他们也会装样帮推而索取报酬，不然便会捣乱或偷抢货物，而且这块生财之地也不是谁都可以染指的，背后往往都有膀粗腰圆的“爷叔”坐镇——一种介于流氓和瘪三之间的角色，来为小乞丐们划分地盘并撑腰、抽成——这个道理，只有米东杰这个会说洋话的土包子闻所未闻。

被抢了饭碗的小乞丐们凑在一起商量了一番，慢慢朝米东杰围拢过来。

“大阿哥，辛苦了。”一名年纪最大的斜眼少年笑嘻嘻地招呼道。“走，交个朋友，我请阿哥吃中饭去。”

米东杰暗想，大码头就是大码头，连乞丐都这么热情好客，刚想推辞，已被少年们左右缠住，就近拉进了一家菜馆。米东杰又想，初来乍到，交几个朋友倒也应该。

四个人在靠近门口的桌子前落座，斜眼少年乒乒乓乓点了一桌子的菜，装模作样谦让了几句，风卷残云般大吃起来。

结局可想而知，等吃喝得差不多了，斜眼少年先说要去撒尿，另一个说“我也正好尿急”，遂一同起身离去——可怜米东杰直到此时还未醒悟——过了一阵，最后一名少年说“怎么还不来，我去看看吧”，转身一晃，顿时也不见了踪影。

米东杰要走，自然走不掉了。

这顿饭，一共吃掉了一块二角，米东杰倾其所有，也只付得出一半的账。堂倌冷笑着说，实在付不出账来也行，把身上的衣服扒下来吧。

天气虽冷，米东杰的脑门上还是沁出了汗珠。

“算啦，剩下的账回头我来付吧。”旁边桌上一名自斟自酌的老者站起身来，劝开堂倌为米东杰解了围。

仔细一看，只见老者年纪约莫六十开外，生得白白净净，脸上一根胡须都没有，身上的一袭长衫同样浆洗得干干净净，看上去显得既干练又和善。

“多谢老伯。”米东杰连忙躬身致谢。

“其实打你们一进来，我就知道你有麻烦了，只是不便点破。”老者微笑着说道。“这几个小瘪三看你身强体壮，料定欺你不得，所以才出此恶策。”

“是啊，没想到竟如此奸诈。”米东杰在老者的对面坐了下来。

想起来真是让人哭笑不得，这都他娘的什么世道，怎么每个人都那么奸诈？你有钱，他要抢你的、骗你的；你没钱，他照样也能哐当一声弄翻你！

“是刚到苏州吧？”老者看看米东杰的衣衫，又问：“看你的样子应该是殷实人家出身，怎么身上只有这么一点钱呢？”

米东杰长叹一声，把自己从哪里来、来苏州想干什么、路上又遇到过什么事等等，全部简略述说了一遍，最后恳求老者，能否帮人帮到底，帮自己解决一下已经火烧眉毛的饭碗问题。

老者自我介绍姓李，名纯庵，在山塘街中段的金家弄开有一家蜜饯作坊，虽属小本经营，不过还算有点人脉。巧的是前几天听一位相熟的当铺老板说正在招收学徒，倒是可以举荐一下，就是不知道人家肯不肯收。

米东杰暗想，今天倒是有点因祸得福的意思了。

“小伙子，有一点你可得自己拿主意，”李老板再三强调道，“进当铺做学徒可不容易，首先是跨进门槛便不易，得有荐人、中保和铺保。三年学徒期间，第一年只管吃饭和住宿，第二年每月能拿一块钱，第三年起每月增加一块，到了第四年就可以顶生意了，也就是以身代股，可分二厘到三厘的红利。再往后，要是升到了内柜的位置，那就是多年的媳妇熬成了婆，按身份的不同，能有五厘到八厘的分红……”

“李老伯，我还年轻，熬得起！”米东杰忙不迭地表示。“眼下只要有吃住的地方就行！”

粗略一算，虽然第一年和第二年等于是白干，但第三年开始属于芝麻开花节节高，全年累计可以拿到近八十块大洋，何不先进去了再说？骑着驴找马，遇到油水更多的生意时再改弦更张，或者同时再找机会干点别的——米东杰摸摸已经没有一枚铜子的口袋，觉得自己现在差不多已经到了狗急跳墙的地步，还有什么资格挑挑拣拣？

“当铺不比别的生意，规矩特别大。本来我也不会多事，不过看你生性忠厚，想必不会拆我的烂污，”李老板说出了心里话，“要是换了别人，我说什么也不会自找麻烦。你知道吗，要是你在当铺里闯了祸，人家最后肯定要跟我这个举荐人算账。”

“绝对不会给老伯添加任何麻烦！”米东杰连连保证。

大名鼎鼎的山塘街东起阊门渡僧桥，西至名胜虎丘山，长约七里，乃白居易任苏州刺史时凿渠修路，水陆双路同时开通，故而这条姑苏第一名街又被名为“白公堤”。山塘街最具苏州水巷的典型特征，长街紧傍在河道的北侧，店铺和民居鳞次栉比，全部都是前门沿街、后门临河，大户人家还建成了许多凌空飞跨的过街楼。

李老板告诉米东杰，苏州城内的当铺极多，而且喜欢扎堆，大部分由徽州人和潮州人开设，主要集中在两个地方：一处在城中心的玄妙观周围，另一处便在这山塘街上。

“当铺成天跟钱物打交道，所以对学徒的品行特别看重，”李老板笑吟吟地说道，“今天要不是看你那么轻易就上别人的当，显然不是那种精明过头之人，我也没有举荐你的胆子了。”

“呵呵……”米东杰一边傻笑，一边暗想这大概就是别人说的“憨人有憨福”了。

“当铺进学徒在行话里称为进将，要正儿八经写定关书，”李老板继续介绍道，“按规矩，我做了举荐人和中保，就不能再做铺保了，还得另外物色一家殷实的店铺来做保。”

“那怎么办？”米东杰忙问。

“这个不要紧，我可以去找朋友帮忙，由他出面来做铺保。”李老板安慰道。

说话间，两人来到一处规模中等的当铺面前。

米东杰抬头一看，只见店招上写着三个大字：“义福当”。

进将的手续办得十分顺利，义福当的朝奉见米东杰老实本分，又是连父母都没有的外地人，总体上还算欢迎——开当铺就怕手下人跟外面有牵连——契约写在红纸折子上，封皮上写着“关书大发”四个字，上面明文规定：五年之内禁止回家、探亲，亦不准中途退伙，否则由中保人承责；倘有天灾病疾，各由天命；学徒期间不容外出，即使准假出门，也不许在外吃喝及留宿；五年之内如有逃匿，一切损失由中人赔偿；每次进出当铺，衣服和包裹都需经人查验；不准结交邪恶、不准赌博、不准吸烟和酗酒、不准打架斗殴、不准嫖妓宿娼、不准私蓄放贷、不准为他人承保……

米东杰觉得这份关书简直形同卖身契，可怜自己来到苏州，连姑苏城是方是圆都没搞清楚，当天就被关进了深牢大狱一般的当铺，而且“刑期”长达五年之久。不过，喜的是一到苏州就站住了脚，人道是：“要想富，开当铺”，对谋求生计的人来说，进当铺等于抱牢了一只终身有靠、不受风吹日晒、令人羡慕的体面饭碗，一般人家的子弟，想进还进不来呢。

义福当这次一共招了三个人，其余二人都是十四、五岁的少年，但先进山门为师兄，二十岁的米东杰反倒成了“师弟”，白天干些抹桌子扫地、端茶倒水之类的杂事，以及整理库房、堵鼠洞、捉蟑螂等等，简直和帮佣差不多。晚上筋疲力尽，还要在油灯下练习打算盘和写“当字”、学“春典”……

最令米东杰头疼的便是那形同鬼画符一般的当字。

当字脱胎于草书的《十七帖》，经简化和变化而成，为求书写快捷，许多字近似符号，目的是防止外人识别、模仿、篡改、伪造。学徒们人手一本四十余页的《当字谱》，乃行内代代相传的金科玉律，第一年就须认识那一千来个当字中的三、四百个，实在不是一件容易事。

相比之下，春典，也就是行话、隐语，还不算太难学。

徽帮典当业的行话与别处不同，大多采用徽州土音，可起到保守行业秘密、回避他人知晓的作用。当柜台上主顾双方讨价还价的时候，伙计与朝奉用明语商议颇不方便，若用切口讨论，客人就完全不知所云了。比方说：一二三四五，被说成是“么按搜臊歪”，六七八九十，被说成是“料俏笨缴勺”；不多，被说成“报端”；没有，被说成“妙以”；这个，被说成“照个儿”……这样的谐音，听多了自然慢慢就会明白。

义福当的朝奉是位汪姓徽商，年约五十来岁，穿着一件下摆几乎遮盖住脚面的棉袍，走起路来像一只猫一样，经常是一点声音都没有就站到了你的身后。汪朝奉从不打骂伙计，但骨子里十分瞧不起江北人，所以当铺上下的二十几个人中，清一色全是徽州人和苏州人。汪朝奉平时话里话外总是透出这样的意思：要不是看在李老板的面子上，以及米东杰没有父母亲戚，义福当绝不可能对江北人敞开门户。

一旦有机会外出，米东杰总不忘到金家弄的蜜饯作坊里去看看李老板，或者到渡僧桥边的玉泉楼茶馆去，向人打听洪云甫有没有来苏，同时留下义福当的地址，拜托堂倌多加留意。

奇怪的是，洪云甫始终没有露面。

渐渐地，米东杰也淡忘了此事，认为洪云甫也许回家后就被父母看住了，打消了南下闯荡的念头，现在已经娶妻生子也未可知。

最让人时刻魂牵梦绕的，只有一个人：段红莲。

每当夜深人静，仍然独自一人守着一灯如豆的油盏练写当字的时候，米东杰的眼前总是一遍遍地浮现出段红莲的面容，回想起她的一颦一笑，包括小时候是怎样舌战群儒，以及如何口口声声地叫自己傻瓜、笨蛋、呆子……此时，只有从贴身的衣袋里摸出那只装有伏龙肝的绣囊，凑在灯前久久地凝视那朵歪歪扭扭、笨拙而稚嫩的牡丹花。

顺便说一句，伏龙肝确实十分管用，米东杰到苏州的半个月后无缘无故地上吐下泻，后来取点伏龙肝泡水喝，居然立马就好了。

学生意的日子枯燥而平淡，但又如同人们常说的那样：白驹过隙、时光荏苒——就这么三晃二晃，两年的功夫已被耗去。

米东杰知道自己不够聪明。

这就好办了，正如一个人知道自己有了毛病，就会去找药吃，这样就有救。米东杰给自己开出的药方是看书，得空便去旧书摊上买书、租书，或者去公园路上的图书馆借书，慢慢地肚皮里倒也装了不少学问，甚至谈起《天演论》来都头头是道。连汪朝奉也打趣说米东杰现在成了“小学博士”。

米东杰觉得自己的毛病差不多已经治好了，这个不是自说自话，而是有例为证。

有一次，锁子——平时跟米东杰关系最好的一位师兄——看走眼收进了一尊“金佛像”，作当一千五百大洋，结果发现当物竟是镀金的。按规矩，谁看走了眼，谁就要承担赔偿责任。锁子哪里赔得出这么一大笔钱，当下急得团团转，连上吊的心都有了。

“锁子，别急，一起来想想办法。”米东杰安慰道。

小学博士米东杰现在喜欢动脑筋、善于动脑筋，再也不是当年的米呆子了。

还别说，苦思冥想了一个晚上，米东杰计上心来。

第二天，米东杰让锁子暗中写了一张假当票，偷偷地扔在山塘街上。

这张假当票很快便被人捡走，想想看，价值连城的金佛像，谁见了不心动？

捡到当票的人是一位商行的账房先生，当下挪用公款凑足了一千五百大洋前来赎当，等到发现受骗，不由得嚎啕大哭，坐在当铺的门前几乎昏厥。很好，米东杰要的就是这一效果。

消息迅速传开，这时候真正骗当的家伙聪明反被聪明误，贪心不足烂肚肠，居然拿着那张真正的当票上门赎当来了。要知道，义福当要是拿不出原物来，打起官司来还不得倾家荡产?

可是，骗子递上当票和一千五百大洋，以及相应的利钱，锁子却不慌不忙捧出了“金佛像”。这下，骗子傻了眼。

原来，米东杰和锁子早就寻到那位账房先生，归还一千五百大洋并换回了假当票和假佛像，专等骗子来自投罗网。

一切尽在米东杰的算计之中，这就是动脑筋的好处。再说当铺本就是个人精扎堆的地方，你日复一日地经受“夹磨”，就是铁杵也被磨成针了。

没错，现在的米东杰精明、灵活，满肚子都是心计，也学会了一切见风使舵的生意经，更重要的是明白了一个道理：诚实和善良，并不应该排斥怀疑和谋略。

但是，米东杰开始着急!

来苏州的目的不光是为了找饭碗，最主要的是找到那一千大洋的老婆本，可是现在呢?

两年来，一个小钱也舍不得花，可省死省活，手里仅仅只有十几块大洋！现在形同骑虎难下，要是离开义福当，这两年的努力前功尽弃，而且还会牵扯到热心肠的李老板。再熬下去吧，第三年也不过七十八个大洋……自己可以等、可以熬，可段红莲等得起、熬得起吗?

米东杰刚到苏州的那一阵，接连着给马丁牧师写过许多信，但全都泥牛入海，没有任何回音。东杰村中农户居多，没有门牌号码，一直实行“邮政代办制”，由“殷实商铺”——村口的一家油盐店代办邮政业务，靠出售邮票后抽取二成取酬——设立“村镇信柜”，由识文断字的油盐店老板负责投递，按道理说，邮路还是很顺畅的。

给段红莲的信，米东杰不敢直接寄往段家，怕被段家父子暗中截留，所以全都寄给牧师，请其找机会转交。奇怪的是信件始终没被退回，不知道是被油盐店老板搞丢了，还是牧师已经回国了。

米东杰开始到处打听同乡，也拜托李老板帮自己留意，希望能够物色到一名响水一带的老乡，这样至少也能带个口信回去，让段红莲知道自己现在的境遇。

但是，找了很久都没有找到。

米东杰越来越焦虑、矛盾，成天心事重重，既舍不得抛弃已经熬下来的两年时光，又看不到漫漫的学徒生涯什么时候才到头，要不是开春的时候突然撞到一次时来运转的机遇，恐怕真要撂挑子不干了。

手上的冻疮微微发痒的二月底，午后的天空中羞羞答答地下着小雨，山塘街的石子路面上像被浇了一层薄油，义福当的柜前突然来了一个特殊的客人。

这是一个金发碧眼的洋人，义福当自开业以来，还是第一次接待上门的洋顾客。这下可好，上自朝奉、大缺、二缺，下至账房和伙计，一个个全都傻了眼，没有一人能够上阵“磨生意”。

这个时候，合该米东杰露脸了。

米东杰口吐莲花，三句话不到便与那洋人搭上了腔，迅速搞清楚此人乃火车站的一名机修工程师，因为需钱急用，所以想将身上的一块金表送当。米东杰按照比行价低得多的价格出价，对方自然不肯答应。

米东杰照规矩“磨一磨”，不紧不慢地先后加了二次价，但看看洋人已经接近恼怒，又赶紧笑嘻嘻地给出最后的底价。洋人欣然接受，买卖顺利成交。

汪朝奉从此对小江北刮目相看。

更令汪朝奉嘴都合不拢的事情还在后头：苏州城内的洋人们很快便知道了义福当内有人能以英语接待客人，柜前居然三天两头开始出现洋人们的身影。

中华大地的各通商口岸陆续开埠以后，在巨大的商业利益推动下，西方人开始深入到各地的每个角落，苏州这样的工商重镇自然也不例外。在苏州的洋人中，不仅有许多商人和传教士，也涌入了大批的外交官、工程师、医生、教员、记者和其他各色人等。和普通中国人一样，洋人并非全都是富人，当然也有经济拮据或周转不灵的时候，汪朝奉做梦也没有想到，小江北竟然不费吹灰之力就帮自己开辟了这么一大块优质的客源。

汪朝奉宣布，米东杰提前满师转入内柜，薪金和二缺一样，每月二十个大洋，另享八厘的分红。

没人眼红，因为谁都知道，这号生意换谁都玩不转啊。

米东杰本人倒没觉得受宠若惊，实际上，还稍稍有点后悔。

道理很简单，米东杰发现了商机——这块客源早就存在了，自己为什么没有早点想到呢？今后，与其在义福当内赚那有限的薪金，何不跳出门去自行创业呢？

但是，创业需要资本，自己的资本在哪里呢？

第四章　阴差阳错

要论本事，米东杰早就学得差不多了。

春去秋来，日复一日，仔细算来，已经不知不觉地在义福当内浸泡了整整四个年头。

四年期间，中国的币制竟然连改了两次：一九三三年开始“废两改元”，废用银两而完全以银元流通，只是中国人认为银两自古通行，只有真金白银才令人放心，所以最终造成银两和银元并行流通的局面。

到了一九三五年，由于美国实行白银政策，造成中国白银大量外流的结果，民国政府正式宣布推行法币，禁止银元再在市面流通——这次和上次一样，薄薄的一张纸币依然令人不甚放心，最后照旧是法币和银元并行流通，在边远的乡村，农民们往往还只认银元。

一块大洋兑换一块法币，米东杰倒是觉得纸币比银元更易保存、携带，要是日后带着一千块沉重的袁大头回响水，简直是一件难以想象的事情。

米东杰开始盘算自己的后路。

典当之称，实际上是对整个行业的泛称，细分起来，还有典、当、质、押几个档次，与架本[1]大小、经营规模、纳税多寡等等有关。米东杰早就想过单飞，但是盘点积蓄，拢共只有六百来块钱，去开个专收穷人的衣服被褥的“小押店”都不够，再说五年的期限还有一年，看来只有熬过这最后一年再说了。

[1] 典当行业的开办资本。

米东杰已经想好，期限一到，先回一趟响水，然后看情况再回苏州，正式跳出义福当，就在山塘街上物色门面，开办一间主要面向在苏洋人的“代当店”——也即典当代理之意——背靠着义福当这棵大树，运用自身的优势赚取差价和佣金。

尽管寄往苏北的信件始终没停过，米东杰还是不得不承认：也许，一切已经为时过晚了。

段红莲已经二十四岁了，不要说是风气古板的苏北乡下，便是放在苏州城内，也算是“搁僵”了的老姑娘，说不定早就迫于父兄的压力而嫁作人妇，生下来的小把戏都满地跑了……米东杰看着那只四年来一直藏在贴胸口袋里的绣囊，除了发呆，就是唉声叹气。

米东杰不敢再往下想，更未放弃寻找同乡的努力。

也叫皇天不负有心人，有一天去浴室洗澡时与邻铺闲聊，还真遇到了一位姓田的老乡。

那人名叫田秋根，年约四十，是位来苏州做土特产生意的响水人，家住离东杰村仅仅二、三十里路的田湾村，而且三天以后就将打道回府。米东杰连忙拉着那人去酒馆小酌，将自己的事情从头至尾说了一遍，托其到家后无论如何到东杰村去跑一趟，把自己在苏州的情况详细告诉段红莲。

“放心，一定办到！”田秋根一口答应，“我反正每隔二、三个月就要在响水跟苏州之间跑一个来回，下次再来苏州，我去当铺找你回话。没旁的，你再请我喝一顿就成。”

乘着酒兴，米东杰从自己的西式钱夹里拿出一张满师时去照相馆拍摄的一张全身照，交由田秋根带给段红莲，也好让心上人一睹自己的风采。

奇怪的是，足足等了大半年，田秋根再也没有露过面。

转眼又到夏末，米东杰看看五年的期限即将熬满，手上也有了八百多元，打算等到年底再拿点分红，离一千的目标也差不太多了，到时候收回关书，啥也不说先回老家，那个田秋根回不回话也就无所谓了。

但是，眼看着即将大功告成，又遇到为难事了。

一天，趁着出来剃头的空档，米东杰提了点陆篙荐的酱肉，一路走向金家弄，去蜜饯作坊看望最近身体一直不太好的李老板。本打算坐下来喝杯茶就走，谁知道坐下以后，直到天黑仍然动不了身。

李老板的作坊跟他的身体一样，境况一年不如一年。

由于投资小、见效快，沿河的山塘街运输又十分便利，近年里金家弄一带的蜜饯作坊如雨后春笋般冒出来了七、八家，大家互相杀价竞争，搞到最后利润近乎于无。李老板还算经验丰富，从去年开始独辟蹊径，放弃热门的陈皮、话梅、橄榄等传统品种，眼光瞄上了大家都不甚注意的品种——光福的桂花。

话说这光福位于苏州城西南方向六十里处的太湖之滨，山水如画，花果遍地，也是全国有名的五大桂花产地之一。桂花虽小，但用途极广，无论烹饪、点心、酿造、熏茶，全都离不开它。李老板将桂花收购上来以后，以“梅浆保鲜法”进行处理，装缸后撒上食盐，可长期贮存并运销四方。

李老板今年的设想是筹集一笔资金，与农户们签订契约，将部分桂花树包下来，这样不怕同行抬价收购，也就牢牢把持住了出货的价格。李老板去光福转了两天，在窑上村靠太湖的岸边物色到一座“桂花山”，山上山下约有老桂两千亩，共达十万余株，可以说是再理想不过了。李老板与农户谈妥，一年之内，山下一片地里的数千株归自己所有，收成如何与农户无关。现在的问题是这笔钱不是小数，李老板动用了全部积蓄，又借遍了亲戚朋友，现在还缺二千来元，眼看着农历八月一到桂花就要飘香，同行们必将零零散散前往收购，这不是让人眼睁睁急出病来?

米东杰暗想，自己刚到苏州的时候何等狼狈，李老板素昧平生却伸出了援手，现在人家遇到了难处，怎能坐视不管？人道是“知恩图报”，现在不正是最好的机会？再说桂花的花期即将来临，资金很快就会回笼，何不将自己手上的那八百多元借出来呢?

李老板本来急得团团转，见米东杰肯帮这个忙，自然十分感激。

“你可帮了我的大忙啊，不单是凑了钱，更给我鼓了气，这下，我办好这件事的底气就更足啦，”李老板搓着手高兴地说，“还差一千多元，干脆用房子和作坊做抵押，找人去借高利贷算了，反正一个圈子周转下来，最多也就二、三个月。”

听到高利贷三个字，米东杰至今仍然心有余悸，也隐隐有了不祥的预感。

农历八月很快来临，但是，一场连续三天三夜的暴雨和突如其来的寒流，彻底打破了李老板的发财梦。

在暴雨和寒流的夹击下，今年的桂花全军覆没，全部脱落下来化作了泥淖!

李老板一气一急，当下病倒在床，连寻短见的心思都有了，米东杰也是欲哭无泪，眼见得多年的辛苦全部泡汤。

坏事情真是一桩接着一桩，这么一次小小的天灾，包括米东杰痛失的那八百大洋，很快又显得不值一提了。

以前人们总是传言，说“东洋人要从东北打过来啦”，大家还在半信半疑之间，“七七事变”的枪声蓦然响起，北平、天津相继沦陷；后来再传“东洋人要从上海打进来啦”，更搞得人心惶惶，没想到乌鸦嘴又兑了现，“八一三事变”后淞沪会战全面爆发，日军狂妄叫嚣“三个月内灭亡中国”。

苏州离上海只有二百里路，这可如何了得？！米东杰天天买报纸看新闻，实在拿不定主意自己应该何去何从。

更加意想不到的是，李老板的身体彻彻底底垮掉了。

李老板的老伴死得早，一个女儿早已出嫁，米东杰只得隔三岔五地抽空前去探视，一边安排汤药，一边着手以李老板的房产和蜜饯作坊清偿高利贷。但病情迤逦了半个月，还是没能留住性命，老人竟然一命呜呼。临终前，李老板满怀歉意地对米东杰说：这次的生意拖累了你，眼下无以为偿，只能把手上那些与光福农户签立的契约全部留给你了，虽然现在已经如同废纸一般，只能令人略微安心一点而已。

李老板同时劝米东杰应该离开苏州去上海，说不管日本人是不是打过来，按你的生意经来说，也应该去上海大展宏图。苏州的洋人毕竟不多，而上海就不同了，租界上全是洋人的天下，即使以后日本人攻占上海，也不敢拿洋人怎么样，所以别看眼下上海打得厉害，其实只有那里才是将来最安生的地方。

米东杰想想确有道理，事实上苏州已经出现了这样的苗头：富户们纷纷抛售房产和地产，扶老携幼，举家迁往上海的租界。

安葬掉李老板后，米东杰还是下不了走的决心。九月份，战争逐步升级，日军不断增兵，中国军队也陆续增援，义福当准备暂时歇业，先看看风向再说。

两国交战，固然令人惊慌、担忧，但另一条不期而至的消息就更加令人伤心不已了：段红莲已经嫁人了！

九月里，那位做土特产生意的响水老乡田秋根再次来到了苏州，郑重其事地将米东杰叫出来喝酒，一五一十说起了事情的原委。

田秋根说，自打米东杰离开以后，段老爷把女儿关在家里不许外出，不到半月就应下了一门亲事。男家是响水城里的大户人家，小少爷知书达理，人又长得十分体面，段红莲见了非常喜欢，半年之后便风风光光地嫁进了县城，现在夫妻恩爱，早已生下了一双儿女……

米东杰两眼发直，只听见田秋根的嗓音在耳边嗡嗡作响，但不知道究竟在说些什么。

“小兄弟，别太痴心啦，看开点吧，”田秋根拍了拍米东杰的肩膀，俨然就是老前辈的口气，“女人啊，都他妈是水性，说变脸就变脸，说过的话不能太当真啊。”

米东杰的脑袋里仍然灌满了浆糊，嘴里木然地喝着酒，连田秋根是什么时候走的都不知道。

傍晚时分，米东杰拖着沉重的脚步走回当铺，一路走，一路解开那只近五年来一直贴胸珍藏的绣囊，扬手将里面的伏龙肝全部撒尽。泪水终于悄悄地滑落，米东杰只觉得自己的一颗心也同时被洒落一空。

一松手，绣囊也被丢弃。

但是，走出十几步路后，米东杰停住脚步顿在那里，最后还是慢慢地折回来，弯腰捡回了绣囊。

俗话说，情场失意，赌场得意，这话大概有些道理。米东杰从不赌博，但好运却拐个弯从生意场上反映出来了。

好运来了，真是挡都挡不住！一不留神，你就能发财。

今年入秋以来，气温一直很高，到了十月份竟然还不见寒意，而被暴雨摧尽的光福桂花，竟然花开二度，又迎来了一次丰收。光福的农人啧啧称奇，都说这样的年景实在罕见，不知道算不算天下大乱的异象。本地的桂花树以香气浓郁、花后不结实的“金桂”和“银桂”为主，不同于常年开花、香气极淡的四季桂，像这种连开二次的盛况，最起码一、二十年才能遇到一次。

米东杰搞不明白，为什么这样的奇事能被自己碰到，难道是又一次的因祸得福？如果说人要发财得靠贵人相助，那么李老板大概就是自己的贵人了。原先那叠形同废纸一般的契约，现在摇身一变，简直就是一张张讨人喜欢的法币了。

米东杰毫不含糊地发财了。

米东杰去光福雇人打下鲜桂花后就地批发，去除各项开销之后最终竟然结余一万二千元。米东杰本来就是厚道人，想想李老板还有一个女儿，这钱怎么说也得分给人家一半，但是找到对方的夫家后，却发现已经人去楼空。邻居们说，这家人在上海战事爆发后不久就走了，不知道是躲到乡下去了，还是逃到上海租界去了——这样的事最近天天都在发生，殷实人家全在考虑退路，看来此事只得作罢。

苏州的空气那么紧张，米东杰不得不认真考虑自己的退路。

想来想去，还是李老板的话有道理，应该去上海！

中日双方陈兵百万，在上海厮杀得天昏地暗；日机轰炸南京，雨花台军区被炸得一片稀烂；十月间，第二战区的“忻口大战”拉开序幕，两军均付出了惨重的代价……

但是，与如此激烈的战况相比，滨海一隅的响水乡下却仍然显得极为平静，没有人真正感受到战火的威胁，拿段老爷的话来说就是：打前清到现在，长毛、土匪、青帮、大刀会，一拨拨像走马灯一样你来我往，可最后怎么样呢？庄稼人该怎么种地就怎么种地，别管那么多。

米东杰打算去上海，而远在响水的段红莲却正在准备着来苏州。

段红莲决心，无论如何也要找到米东杰这个可恨的“负心汉”，至少当众一个耳光打得他满地找牙。

段红莲并未嫁人。

段红莲同样也是上了田秋根的当。

严格点说，是上了兄长段令康的当。

田秋根当初找到段家来时，第一个碰到的人是段令康。当时，段令康正准备出门去访友，恰好在家门口遇到口口声声自称来自苏州的田秋根，当下一把拉住，问清来由后客客气气地请至村里的小酒馆，落座后好酒好菜小心伺候，特别是看到米东杰的那张照片后，马上从口袋里摸出二十块法币往田秋根面前一推。

田秋根一楞，这段家少爷的出手，似乎也太大方了一点，难道是另有所求？

段少爷脸盘周正、眉眼不俗，但两道目光从不正眼看人，虽然看上去十分沉稳，但眉头终日紧锁，似乎总在怀疑着什么、鄙视着什么。田秋根久跑江湖，非常清楚这样的人往往不好对付。

段令康不慌不忙，把米东杰与段红莲的情事从头谈起，直说米东杰那小子又笨又穷，还欠下了一屁股的高利贷，妹子要是跟了他，还不是一辈子受苦？

说到这里，田秋根已有七、八分明白：段少爷敢情是想玩棒打鸳鸯的把戏。

“如有用得着我的地方，段少爷只管吩咐。”田秋根抹着油漉漉的嘴唇夸下了海口。

“老兄今天来得正好。”段令康摊了底牌。“正好麻烦老兄帮忙唱一出双簧，也好彻底断绝了舍妹的念想。”

没错，最近的段家闹腾得有点厉害，段令康早就招架不住了。

米东杰逃走以后，段老爷几次三番想把女儿的亲事确定下来，无奈媒人们倒是进进出出空忙了几场，段红莲却说什么也不答应，逼急了还要寻死觅活。段老爷拿女儿没辙，真是豆腐掉进了灰堆——吹不得也拍不得。

时间一年一年地过去，米东杰居然连封信都没有来过，这一点让人十分恼火。马丁牧师已经回国，段红莲只能三天两头跑到“村镇信柜”，也就是村口的那家油盐店去打听有没有苏州的来信，但每次都是大失所望，怏怏不乐地走回家去。段红莲哪里知道，油盐店老板早就被段令康收买，所有的来信全被暗中截留了。

段红莲终于有点坐不住了，多次准备亲赴苏州寻找情郎，要不是段令康拼命摁着，恐怕早已冒冒失失孤身南下了。

今年春上，媒人上门来说亲，对方是响水城里的大户人家，段老爷十分满意，连聘金和聘礼也收了下来。想想女儿已是二十五岁的“高龄”，过了这村，没有那店，再耽搁下去还得了？段令康也说，这次说什么也不能由着这疯丫头的性子了，就是用绳子绑，也得绑着她上花轿！

“段少爷想怎么做？”田秋根将二十法币藏进口袋，笑嘻嘻地问道。

段令康想出来的办法十分简单，上推下拉，两下里不就被拆散了？

具体做法分两步走：一是传假信说米东杰到苏州后已经变心，现在被山塘街上的一户富人招为乘龙快婿，早过上了锦衣玉食的日子，让妹子完全死心；二是回苏州后再传一道假信，说段红莲二年前就嫁了人，现在夫妻恩爱、儿女成双，也好让米呆子彻底失望。

田秋根依计而行，独自一人再登段家的门，装作神神秘秘的样子让佣人把段家千金叫出门来，先亮出手上的照片，然后将那套编排得天衣无缝的鬼话搬将出来，仔仔细细地从头道来。

事情做得十分漂亮，段红莲结结实实地上了当，当即将照片一撕为二。

但是，段令康说什么也没料到，这么做的后果将会十分严重。

段红莲闻讯以后首先是悲愤，随后是狂怒，并非像段令康预计的那样大哭一场后再心如死灰，随后乖乖地坐上花轿，而是连夜打点包裹，打算立即就去苏州兴师问罪——不是说人在山塘街上吗？那就从街头到街尾全部捋一遍，姑奶奶就不信揪不出一个忘恩负义的米呆子来！

段令康急坏了，只有严令关照女佣日夜看管，威胁说要是小姐跑了，非打断你的腿不可！段令康今年已经二十六岁，按说早到了婚娶的年龄，只是公子哥儿心性极高，别说是在本村，便是响水的大家闺秀，也不太看得上眼，要不是遵循“父母在，不远游”的圣训，早就下江南闯上海，领略十里洋场的花花世界去也。

段老爷急得还要厉害，想想聘金和聘礼已经收下，到时候交不出人来，这张老脸往哪搁？对方在响水城里有头有脸，又怎肯善罢甘休？

好在紧盯了几天后发现，段红莲似乎也不是那种死脑筋到底不转弯的人，慢慢地恢复了有说有笑的旧样，甚至还主动议论起自己的婚事来。段老爷大喜，跟儿子商量，是不是乘热打铁，赶紧选个良辰吉日出嫁，免得夜长梦多，半道上又走了模样。

两亲家一碰头，谁都没有异议，那就赶紧把喜事办了吧。

日子定在十月底的一个黄道吉日，段红莲成天欢欢喜喜地躲在闺房内，不是涂脂抹粉，便是试穿新衣，段家父子看在眼里也觉高兴，一桩心事总算落地。

但是，离出阁还有一天，段红莲突然声称嫁衣的尺寸有问题，“连腰都没法弯”。

“爹，这裁缝大概是老糊涂了，腰里的尺寸抠得那么紧，”段红莲穿着红嫁衣让父亲看，“明天上轿下轿、跪地磕头，别一不留神裂了线缝，那洋相可出大了。”

“这老裁缝怎么一点眼力都没有，连个尺寸都量不准。”段老爷看看女儿的腰身，确实鼓鼓囊囊、紧紧绷绷，“要不赶紧去改改吧，实在不行就让他连夜再做一件。”

谁都不知道，段红莲是在腰间裹了二圈围巾，令村口的老裁缝蒙受了不白之冤。

“我现在就去老裁缝那儿，看着他放几针试试。”段红莲装出着急的样子说道。

段老爷并未疑心，只是关照女佣跟着前去。近一年来，段老爷的身体每况愈下，经常坐着坐着便昏昏欲睡，前一阵受了点寒气，居然就在床上躺了好几天，现在仍然面色晦滞，脘闷作恶，成天有气无力。

要是现在段令康在家，也许就不会如此轻易地放妹子出门。

段老爷在家等了许久，仍然不见女儿回来，直到傍晚时分段令康从响水回来，这才觉得大事不妙。

"爹，你怎么能放她一个人出门呢？"段令康不停地埋怨父亲。

"不是一个人，秋香跟着一起去的。"段老爷还不以为然。

"那个蠢丫头去了也白搭，红莲随便找个事由就把她支开了。"段令康急得直跺脚。"不行，我得赶紧上老裁缝那儿去找。"

不用找，回来了。

只不过回来的仅仅是秋香一个人。

"小姐呢？"段令康瞪着眼问道。

"小姐让我到陈家庄的铺子里去买胭脂、水粉和梳头油，让我买完了直接回家。"秋香捧着一小罐梳头油回答道。"小姐说，陈家庄的货色地道……"

"地道个屁！"段令康气急败坏地夺过罐子，"哗啦"一声摔碎在地。"这半天的功夫，人早跑到了响水城，要是乘上了轮船，现在已经跑到哪里都不知道了！"

苏北的轮船运输近年发展很快，高邮的五家富商合开"源大轮船公司"，主要运营镇江和扬州间的客运业务，另外还用小火轮沟通响水、阜宁、兴化、盐城等大埠的来往，南北通道方便、顺畅了许多。

"这该死的丫头，究竟跑到哪儿去了呢？"段老爷也着了慌，支撑着站起身来。

"能跑到那里去？"段令康恶狠狠地反问道。"跑到苏州去了呗！"

"苏州……"段老爷一阵咳嗽。

"爹，你怎么这么糊涂，都到这节骨眼上了还放她出门？"段令康继续埋怨父亲。"这下可好，明天人家吹吹打打来接亲，这事儿如何收场……"

段令康只顾嘴里唠叨，但还是觉得有点不对劲，回头一看，只见父亲已经瘫坐在椅子上，手里的拐棍"当啷"落地。

段老爷躺倒了。

郎中请了好几个，全都摇头晃脑留下些似是而非的话，诸如"本元素弱，五志厥阳之火煎熬真阴，阴虚则热，热则风生，风火相搏，痰涎自聚"，又如"膏粱积久，湿热之气，上熏成痰，迷其心窍"等等。段家成天飘散出煎药的味道，但段老爷再也没有起过床。

病情的发展极快，不到半个月，段老爷汤药不进，驾鹤西去。

临终之前，段老爷再三叮嘱儿子：不管怎么说，红莲总是你的亲妹妹，你一定要追到苏州去，把她给找回来！

这事，其实不用段老爷关照。

十一月间，国军傅作义部与日军在太原血战，可惜不敌，太原终于陷落。段令康料理完父亲的后事，一边退赔聘金，一边变卖房产和田地，已经作出了日后将移居到江南，严格点说是定居在上海租界之内的打算。母亲多年前已经病故，家里只有一老一少二个佣人，稍微给点钱便能打发，可以说是没有任何后顾之忧了。

段令康三天二头跑到响水城去买小火轮带来的上海报纸看，时刻关注着严峻的局势，也看出战争的危险将离苏北越来越近，现在不走，日后就是想走也走不掉，连房产和田地都没人要了。

到了十一月的中旬，段令康自响水出发，坐上小火轮自水路南下。

响水城里买到的报纸都是三天以前的，段令康现在还不知道，在自己动身的时候，淞沪会战其实已经结束，日军正式占领上海，国民政府宣告迁都重庆。

段令康现在还吃不准，不知道妹子究竟有没有找到米呆子。

要是找到了，现在会是什么情形呢？

其实，这个问题就是让段红莲自己来回答，也未必回答得出。

按段红莲的理解来说，米东杰不是那种薄情寡义的人，也许他会贪图富贵，也许他会慢慢变心，但怎会连一封信都没有呢？这里面，多少有些蹊跷。

段红莲到达苏州的时候还是十月底，根本不知道由于自己的出走，家里已经发生了天翻地覆的大事，更不知道此时此刻的米东杰，也在匆匆忙忙地打点行装，正准备离开生活了近五年的苏州。

战事吃紧，前线传来的每天都是不利消息，实在不能再耽搁了。

至于去到上海，米东杰到目前为止还是满怀信心的，特别是想到手上已有的那一万二千元资本。

一千来个当字早就闭眼都能写就，隐语切口更不在话下，更兼双手能够左右开弓地打算盘，还有，原先见了数字便头疼，现在就是心算也不会出错，最主要的是，练就了一对能识万般货品之真伪的火眼金睛，举凡珠宝首饰、皮货丝绸、字画古董之类的值钱玩意儿，从来没有看走过眼……凭这一身本事，去上海开一家小押店或是代当店，简直等于杀鸡用牛刀。

现在的米东杰，冷静、精明、努力、认真，虽然外表看上去温和谦恭，永远都是那么彬彬有礼，但内心却坚硬而固执，依然保持着当年米呆子身上那股认死理的倔劲。

这就叫阴差阳错，失之交臂。所以，在十月底那个天空中彤云密布的傍晚，段红莲乘坐的航班轮船缓缓地靠近苏州阊门的万人码头，几乎与此同时，手里拎着一只大皮箱的米东杰正好走下码头，轻快地登上夜班航船的甲板。

两条拖轮，一条停靠，一条启航，像约好了一样同时拉响了汽笛。

第五章　阿拉上海

上海在急剧膨胀。

一百年前，这里仅是一座平静的小县城，人口不足十万，鸦片战争后被列强们强辟为通商口岸，面向浩瀚大洋，沐浴欧美风雨，弹丸之地迅速发挥出巨大的能量，如今人口已达四、五百万，毫无异议地成为中国，乃至于是远东的第一大都会。

这座庞然大城，被人们称为帝国主义从经济、文化上对中国进行侵略和渗透的桥头堡，但是谁都无法否认，上海的工业产值占全国的一半，贸易总值占全国的四分之三，其他文化产业更是独占鳌头，无论从哪个角度看去，都是荣耀与屈辱并驾齐驱。

来到上海以后，米东杰寻找旅馆落脚，花了几天时间走遍苏州河的两岸，在两大租界中选择今后的栖身处。

惨烈的淞沪会战结束了，国军投入的兵力总数在七、八十万，伤亡人数达到三十余万；日军投入二十余万人，伤亡六万人。这场规模空前的鏖战长达三个多月，十一月中旬，日军正式占领上海。

初步印象中，法租界似乎更加繁荣一些，但米东杰最终还是选择了公共租界，因为相对于法语盛行的区域来说，英语只有在公共租界才更有用武之地。

公共租界由英国和美国在上海的租界合并而成，统一由工部局管理，形成了一个真正意义上的、面积广达三万多亩的“国中之国”。淞沪会战后，情况更加复杂，日军在国军撤走以后以海军陆战队代替租界巡捕，公共租界又被分割成两部分，苏州河以北地区成为日军控制的势力范围，成为事实上的“日租界”。好在租界的主体部分由英国、美国和意大利守军防护，日军不敢轻举妄动，中外机构照常运行，只是一下子挤进了上百万的中国难民，真是不折不扣的人满为患。

难民一多，房子就紧张，非但“顶费”高得惊人，租金也贵得令人咋舌。据报纸上的报道说，一百万难民中，能找到房子安顿的只有三十万人，其余七十万人只能露宿街头。

米东杰找了许久，在较为偏僻的虹口、杨树浦一带的三不管地带转悠，最后在舟山路上租到一小间阁楼，总算暂时安下身来——就那么一小方鸽子笼，好说歹说还得每月五块钱。

米东杰成天上街游荡，想物色一小间铺面来开办小押店，但找了一个礼拜都不能如愿。眼下房荒严重，稍微热闹点的地段，一小间铺面都要几根金条的顶费，租金更是高不可攀，如果开设小押店，盈利估计只够支付水电费。

一个阴沉、湿冷的黄昏，米东杰懒懒地穿过杨树浦一带的棚户区准备回家，经过一处高桥时，一眼看到桥下的荒地上站着一个人，正在用绳子捆扎一块石头——这是玩什么名堂？

米东杰站住脚步，随即猛地惊醒过来。

看来，这又是一个对前途彻底失去信心的可怜人，准备在此了结自己的生命。

那人似乎喝了不少酒，脚步摇摇晃晃站立不稳，但并不妨碍他准确无误地将绳子的另一头牢牢地系在自己的腰上。暮色中，米东杰看不清那人的脸，大致觉得年龄应该和自己差不多，不由得心生同情，扯起嗓门对着桥下猛地大叫：

“嗨，等等！”

那人正准备抱起石头往河里扔，听到喊声一怔。

米东杰快步走到桥下，准备动用三寸不烂之舌像在当铺磨生意一样苦口婆心地说上一番大道理，但走近一看，竟然又是一个惊讶。

“洪云甫，怎么是你？”米东杰脱口而出。

没错，准备投水自尽的人正是五年不见的洪云甫！

“米东杰，真的是你？”洪云甫手里的石头落了地，嘴一咧，像个受了委屈的孩子一样大哭起来。

米东杰又喜、又悲、又惊、又奇，脸上的表情如大百科全书一般包罗万象。

“五年不见，你怎么会在这里呢？”米东杰忙不迭地动手解开洪云甫腰间的绳子。“我看你脸色不对，是不是病了？”

这架势，肯定是一言难尽啊。米东杰拉着老朋友走上桥头，一路行至汇山路口，找到一家俄国犹太人开设的西餐厅，要了两份牛排套餐慢慢地边吃边聊。

虹口地区处于公共租界和华界、日界的交叉地带，战乱后市面萧条，物价要比繁华的法租界低三分之一，房租更是低了将近一半。这里居住着一批零零散散的白俄和欧洲犹太人，很多依靠开设餐厅、咖啡馆为生。

洪云甫吃得很急，看来已经饿极，应该是多日未曾进食，难怪刚才米东杰见其脚步蹒跚，还误认为是刚喝过酒。

好在餐厅里的面包和黄油不要钱、不限量，洪云甫放开肚皮往死里吃，转眼之间就吃掉了一大摞切片面包。

“实不相瞒，我已经两天没吃东西了。”洪云甫被面包堵得几乎断气。

“老兄何至于此呢？”米东杰有点奇怪。

与米东杰原先猜测的基本相同，洪云甫回家以后就被父母看住了，说什么也不让儿子再出门。过了些日子，又开始不停地托人说亲，指望能马上抱上孙子。洪云甫不想这辈子窝在老家过那娶妻生子的平庸生活，还是念念不忘要去江南闯荡，看看家里实在不答应，最终只能偷偷跑了出来。

三年前，洪云甫一口气跑到上海，凭着从家里带来的二、三千元，在租界上开设了一家主要面向外国顾客的干洗店——之所以没去苏州，是因为考虑到上海的发展程度和速度已将苏州远远地抛在了后头，只有立足于上海滩头，才可能有更大的出息。再说与米东杰的约定已过去了那么久，也许要找都找不到了。

干洗店在上海还不算多，技术、设备都相对落后，一切都在摸索中成长，但生意却相当不错。可是，去年店里发生了一场意外，彻底粉碎了洪云甫的发财梦。干洗行业主要以三氯乙烯作为干洗溶剂，作为可燃液体具有易燃易爆的问题，一天，洪云甫外出办事，店里雇用的伙计使用明火不慎，引发了一场毁灭性的火灾，甚至还差点导致爆炸。

两手空空的洪云甫连吃饭、睡觉都成了问题，最后只能在杨树浦的棚户区中暂时栖身。这一片荒地上，居住着大量的苏北难民，许多人直接从家乡摇船来到这里，在河岸边搭建草棚居住，有的连草棚都造不起，只好拿芦席卷成一个半圆形，再用捡来的毛竹当支柱，人要跪爬着才能进出，名为“滚地龙”，四周到处是积水、垃圾、粪便，长年臭气冲天。

在上海，只要你操着一口苏北话，这就是一个问题。但是谁都说不清楚，江北人到底踩疼了谁的尾巴？

江南人同仇敌忾般看不起江北人，殊不知如今贫穷、落后的江北，其实自古便是商旅的枢纽，淮扬一带的繁华犹如今日的苏沪，单以唐宋来说，税收竟占全国的一半。那时候的江北人，实际上是看不大起江南人的。苏北的富庶，孕育了丰厚的文化，这里直接催生出中国的四大才子书，也是晋商和徽商的发迹地……然而，这样的辉煌延绵至晚清便迅速衰落了，慈禧与八国联军签下赔款条约，毫不客气地转嫁到苏北人的头上，酷吏们严刑催逼捐税，山包一般的白银堆在码头上竟然连绵数里，源源不断地被运往海外……历经一次次的磨难，再加上自然灾害连绵不断，经常不是旱灾便是水灾，特别是经过一九三一年那一场空前绝后的大水，苏北终于彻底陨落。

那场绵延一个多月的大面积梅雨加暴雨，形成了江淮并涨的大洪水，灾后饿殍盈途，瘟疫肆虐，近十万灾民流落到江南。灾民们在荒僻处搭建棚户聚居，平时靠做最下等的苦力为生，以至于“江北人”成为贫穷、野蛮、低贱的代名词，甚至逐渐演变为一句骂人的话，而最最歧视江北人的人，往往又是那些自身也属社会底层的小市民们——小市民没有财富、没有地位，要想堆建自己的尊严，最经济的做法就是津津有味地咀嚼仅有的优越，通过对更加弱小的群体进行丑化和贬低来达到目的。这个时候，江北人来得正好，恰好充当了垫背的角色。

“这些日子，你又是怎么熬过来的呢？”米东杰问。

“唉，过着像蟑螂一样的日子，熬呗。”洪云甫答道。“晚上在滚地龙里睡觉，白天去花会跑航船”。

“什么是花会？”米东杰不明白了。“啥叫跑航船？”

洪云甫解释说，花会乃一种起源于广东潮汕赌博形式，组织异常严密，由名声显达、财力雄厚、在市面上十分玩得转的大流氓挂名开办，名曰“大筒”，手下约有百余人围着其转，如“护筒”、“开筒”、“核算”、“快马”、“巡风”、“稽查”等等，而“航船”的职责乃是四出诱人参赌及收送赌资。花会的赌博形式看上去十分公正，一赔三十的厚利更是令人疯迷，所以极得社会底层民众的青睐，那些店主、学徒、娘姨、车夫、妓女、苦力们狂热参与，前赴后继地将血汗钱送入花会。由于这些人白天都需劳作，无暇时刻盯住花会，“航船”的作用便是天天串家走户，将各人所押的赌资和门色收上来，一百、二百不嫌多，一角、二角不嫌少，然后按规矩在赌资的总数上扣除百分之五作为提成后交给“大筒”参赌。花会每天开出一次门色，结果公布后，“航船”便将押中的三十倍赢利送交幸运赌客之手，此时又可得到一笔酬劳。

“呵呵，以一百块钱参赌，押中后便可得三千块赢利，对梦想一夜暴富的人来说，确实很有吸引力啊。”米东杰感叹道。“可是，人道是十赌九诈，世上哪有这么轻易让你赢钱的道理。”

“这个你就不知道了，花会的吸引力就在于严密、公正，绝无舞弊的可能，”洪云甫立即否定，“要是没有卓著的信誉，也没有那么多人趋之若鹜了。”

洪云甫继续解释道，花会的会所大都设在祠堂、庙宇之类的地方，共设三十六个花神名，比方说：“太平为皇帝为龙、坤山为宰相为虎、火官为将军为鸭、逢春为状元为孔雀、吉品为乞丐为白羊、日山为和尚为鸡、井利为樵夫为甲鱼、上招为美女为猫”等等。花会每日出一签，即挑选一个神名，由专司其职、独居于阁楼之中的“老师父”写好后藏在竹筒中，高悬于会所的高梁上，周围防范森严、众目睽睽，谁也不许与其说话，也就是说，开筒之前绝对无人知晓筒中到底是三十六门中的哪一门。这种神秘的方式直接导致迷信盛行，好些人求梦祷告，露宿坟庙，希望得到鬼神的指点，最令人发指的是，有一穷家小户的女人，竟将亲生的幼子杀死后藏在床底，以求鬼魂能够托梦给自己。

“这种害人的玩意儿，租界当局为什么不管？”米东杰愤愤地嚷道。

“唉，大筒们与巡捕房合穿一条裤子，地面上的巡捕每月都拿‘份头’、吃‘福禄’。”洪云甫不以为然地说。“再说外面战乱又起，工部局哪有心思关心这些？”

“就算赌博的形式公正、严密，可押中的概率毕竟只有三十六分之一，大部分人不是还得倾家荡产？”米东杰高叫道。

“是啊，我本人不就是一个最好的例子？”洪云甫的声音低了下来。“我自己也抵不住诱惑，一次次地参与其中，你瞧，最终落得个一败涂地的下场。今天转来转去实在无计可施，身上发着高烧，肚子又饿得连路都走不动了，脑子一昏就想轻生。也算是天意，要紧当口遇见了老兄，否则的话，明天河里肯定多了具浮尸。”

“再怎么说也不该轻生，你就不能回老家？”米东杰问道。

“唉，混到这般地步，还有什么脸面回家去见爹娘？”洪云甫的声音已近乎嘟囔。

“呵呵，当年你救过我一次，今天咱俩正好扯平。”米东杰笑呵呵地说道。

“救是救上来了，可以后的日子怎么办呢？”洪云甫的脸色更加沉重了。

“这怕什么，眼下我已有了落脚的地方，吃饭睡觉都不是问题，你跟我一起住吧，就是地方小点，一个屁大的小阁楼。”米东杰连忙安慰道，“老兄又不是草包，还怕日后没有翻身的日子？”

洪云甫慢慢抬起头来，眼中终于有了点生气。

吃饱喝足，顺便又在西药房里买了一些退烧的药片，米东杰带着洪云甫回到住处，用洋风炉烧些开水，在温暖的灯光下席地而坐，开始了面向未来的长谈。

阁楼上有扇老虎天窗，能够看到外面的夜空。眼下虽然战乱依旧，被日军包围着的租界如同孤岛，但头顶的星空依然美丽，深邃的蓝黑色天幕中，点点星光竟如钻石般耀眼。

战前，一幢石库门房屋的月租金不过三十元，一开战，马上便翻到了八十元以上。工部局本有规定，每幢房屋的住户不得超过三户，晒台、厨房不得改作住舍，更不许添盖阁楼，但现在这些规定已成一纸空文，二房东们大肆搭建，千方百计扩大居住面积出租给房客，原来只供三户人家至多八、九口人居住的房屋，竟然可以分租给近十户人家蜗居，连楼梯下的角落都算是“房间”。相比之下，米东杰的这间阁楼，还算是相当高级的。

“咱俩以后干点啥呢？”洪云甫再次雄心勃勃起来。

“问题就在这里，干啥好呢？”米东杰倒是犯起了愁。

“按理说，眼下的局势这么糟糕，有钱也不应该轻举妄动，”洪云甫瞪着夜空喃喃地说道。“可什么都不干的话，吃啥喝啥呢？”

“要不这样！”米东杰来了主意。“你开过干洗店，有经验，咱们不如重操旧业。”

“还弄这玩意儿？”洪云甫像被烫着了一样。

“只要自己当心，事故还是可以避免的，”米东杰似乎已经下定了决心，“我就不信了，一个人还能被雷劈中二次？”

“原以为上海滩上遍地是黄金，现在看来，大错特错啊。”洪云甫依旧信心不足。

这话米东杰也深有体会，比方说，原以为自己可以以英语的特长来闯天下，现在看来这一设想就很难实现。租界内洋人是多，但懂英语的中国人也多，连马路上拉黄包车的车夫都会几句洋泾浜英语，知道“来是康姆去是狗，一块洋钿叫淘萝”、“雪堂雪堂请侬坐，烘山芋叫扑铁秃”等等。更滑稽的是，街头到处可见所谓的“英文补习班”、“英语夜馆”之类的滑头机构，聘用在校大学生教习日常会话，虽错误百出，比洋泾浜好不到哪里去，但总算还有点用处。最可恨的是一些逃难来此的三家村冬烘先生，看这一行骗钱容易，竟也异想天开，想分一杯羹贴补家用，就地买来一本带有汉字注音的速成教材，以浓重的乡音摇头晃脑地教习“爱皮西地”。

“先干起来再说，咱们骑着驴找马，慢慢再找机会，”米东杰重重地一拍老朋友的肩膀，“现在有了你，我胆子也大多了。”

二个人做事确实可以互相壮胆，米东杰很快在公共租界与法租界接壤的地方找到一间门面，虽然一次性付出二千块钱的顶费，但地段十分理想——干洗主要面对洋人及西化了的华人，中国人向来不相信干洗，而且也无这个消费能力——洗衣店前店后坊，招来几名男女小工便可开业，反正所谓的干洗就是以三氯乙烯溶液手工擦洗，最后熨烫一番完事。

由于洪云甫具有实战经验，小店一开张便马上步入正轨，生意很快一天多似一天，只是手工洗涤效率不高，忙死忙活赚不到几个钱。

“老米，咱们要不要也学人家的样出租衣服？”洪云甫提出了一条建议。

“不行，不能学那种下三滥的手段。”米东杰一口回绝。

上海的部分洗衣店有种恶习，为了盈利，常将客人的挺括衣服偷偷出租给别人，那些囊中羞涩但又爱充面子的小市民，通常花点小钱就能经常换行头、出风头。

“可是，你看咱俩忙死忙活的，硬是看不到钱啊。”洪云甫感叹道。

“老洪啊，脑筋得往正道上想。”米东杰一本正经地说。“最近，我老在琢磨机器干洗，等有了空，我多出去走走。”

米东杰跑了趟上海首家使用机器干洗的“正章洗衣洋行”，摸清楚该店用的是一套从日本进口的开放式汽油干洗机，生意异常红火，回来后马上跟洪云甫商量，是不是也上马机洗？随即与一家洋行联系，订购了一套美国“玛依塔格公司”的搅拌式洗衣机。这种洗衣机是在巨大的洗衣筒内装上一根立轴，下端配有搅拌翼，靠电动机带动立轴后进行周期性的正反转动，以此涤荡污垢。

有了机器，提升了档次和效率，不到一年功夫，全部的投资差不多已经得到回收。

米东杰笑逐颜开，得意地对洪云甫说，怎么样，这一步走对了吧？

生意的路子是走对了，但局势却越来越坏。

国内依然是一团糟，国外也闹得不可开交。

自打一九三八年的年底起，欧洲的犹太人开始大规模地涌入上海，米东杰住在舟山路上，这一点是“春暖鸭先知”。

米东杰经常看报、听收音机，知道希特勒政府在德国掀起排犹浪潮，大批犹太人被迫出走，只是这一时期人数不多，来上海的不会超过二千人，而且大都为知识分子和富裕阶层，如商人、医生、律师、教授等，严格地说，应该算作侨民。现在不对了，纳粹德国对犹太人的迫害变本加厉，尤其是“碎玻璃之夜[1]”之后，西欧、东欧、中欧的犹太人纷纷外逃，上海迎来了二、三万人接踵而至的难民潮。由于种种原因，世界上所有的国家都对犹太人实行严格的入境限制，唯有处于无政府状态的上海依然大门洞开，成为无须入境签证，不必经济担保和健康验证就能登岸定居的“诺亚方舟”。

犹太难民的境遇十分悲惨，大部分人都是身无分文，上海的犹太人社团和

[1] 1938年11月9日，纳粹袭击犹太人住所、商店、教堂，打碎窗户并纵火，被认为是大屠杀的开始。

国际救援组织着手安置救济，犹太富豪塞法迪在金钱和房屋方面提供援助，为难民设立收容中心和诊所、食堂、学校；亚伯拉罕家族和依托格家族开设“公共厨房”，每天向难民供应伙食；沙逊家族捐出大楼作为接待站……虹口及提篮桥一带房租低廉的区域，尤其是舟山路和汇山路，顿时成了犹太人的聚居地。

三千多年前，摩西带领族人们走出埃及、穿过红海，现在的中国东海，海水再次徐徐分开，上海虽然不是流着奶与蜜的迦南“应许之地”，但却是全世界最后的一处庇护所。

这就是说，米东杰现在和犹太人成了朝夕相处的邻居。

米东杰和洪云甫都十分同情犹太人，对这个历经苦难、到处漂泊的民族也稍有了解，好在这些来自欧洲的难民中很多人能说英语，一般的交流根本不成问题。大家客客气气地友好相处在同一片屋檐下，特别是一些聪明伶俐的犹太小孩，与本地孩童天天在一起玩耍，居然很快就学会了简单的上海话，成天阿拉、阿拉的，连米东杰和洪云甫都自叹不如。

米东杰和洪云甫商量，是不是乘热打铁，再添一套洗衣机，争取经营规模超过“正章洗衣洋行”，成为行业中的老大。

“下午我们一起去一趟洋行吧，看看美国和欧洲那边是不是又有什么新产品问世了。”洪云甫当然没意见。

下午，米东杰和洪云甫坐电车来到亚尔培路，准备花上半天的时间跟那些买办们好好聊聊。

可是，还没走到洋行，半路上却遇到了一件令人气愤的事情。

一个洋人，正揪着一个中国人的胸脯连连地扇耳光。

那是一家专营五洋杂货[1]的批发商行，看上去规模挺大，名曰“宏源昌批发商行”，被打者年纪五十来岁，看模样像是商行的老板，而施暴者是一个四十来岁的英国人，虽然穿得衣冠楚楚，但下起手来又凶又狠。

商行外面的人行道上挤满了看热闹的人，但看那洋人气势汹汹，谁都不敢上前解劝。米东杰挤上前去，很快便打听到冲突的原因，原来是商行老板欠款不还，洋人上门逼债。

米东杰平生最恨逼债二字，马上想起了自己当年被脱底棺材们团团围住的那

[1] 进口的日用商品，如洋油、洋火、洋碱、洋蜡之类，亦泛指各种舶来的日用杂货。

一幕，当即心底火起，踏上一步用英语大喝一声：

“住手！”

洋人一楞，果真停下手来。

“真正的绅士，应该爱护和尊重任何人的人格，为弱小者和被压迫者提供尽可能的帮助，乃至于为公平和正义而勇敢、慷慨地牺牲自己的生命！”米东杰仰脸朗声高叫，一口流畅而纯正的苏格兰英语，“请不要忘记绅士的八大美德：谦恭、正直、怜悯、勇敢、公正、牺牲、荣誉、胸襟！如果大不列颠仍然还是一个崇尚费厄泼赖[1]精神的国度，那就请您马上向对方道歉！”

这一长串铿锵有力的词句犹如莎士比亚笔下的华丽台词，惊得洋人目瞪口呆，抓住中国老板衣襟的手不知不觉地松了开来。米东杰没有想到，隔了那么多年，马丁牧师教导自己的那些话语，现在依然还能清晰地记得，像朗诵那样信口而出，居然一个磕巴都不打，而且最终还相当有效。

洪云甫走上一步高声叫好，周围的看客本就愤懑在胸，现在一看有人出头，马上紧跟着一片附和，几个壮汉开始叫嚷要“揍死这洋瘪三”，洋人见了随即像泄气的皮球一样再也威风不起来。

看客们的包围圈越缩越紧，洋人自然也懂众怒难犯的道理，一下子着了慌，连忙低头用生硬的上海话对上海老板说了声“对不起”，拨开人群溜之大吉，但走出几步后又转过脸来补上一句：“过几天我还会来的。”

人们纷纷赞扬米东杰“结棍[2]”，议论了一阵四散而去，商行老板先向米东杰和洪云甫鞠躬致谢，一把拉住请进店堂，边吩咐伙计泡茶，边说起了事情的原委。

老板自称姓汤，名伯卿，开设的商行代理英商“大旗肥皂公司”的产品，分管苏、锡、常三地的“人字牌肥皂”的批发业务，属于英商认可的“A级经理”。刚才那洋人，便是大旗公司属下分管销售的“段长”，手中握有相当大的权力。

汤伯卿年近六十，矮矮胖胖，腰背佝偻，再加上鼻梁上架着一副沉甸甸的眼

[1] Fair Play，原意为光明正大的比赛，不可使用不正当手段，对失败者应宽大，不得穷追猛打。
[2] 上海俚语：厉害、能干的意思。

镜，似乎永远是在地上找什么东西，但又找了近六十年没有找到，总之，一看便是那种胆小怕事、和气生财的好好先生。

“这么说来，你们应该属于合作伙伴吧？”米东杰问道。

“没错，我每年包销二十万箱人字牌肥皂，以前和大旗公司的关系一直很好，”汤伯卿沮丧地说，“今年不同了，我的仓库在华德路上，东洋赤佬一来，又是飞机又是大炮，我的仓库被炸了个稀烂，所有存货全部报销，货款哪里还付得出来？”

“这个属于天灾人祸，怎么能让销货商完全承担呢？”洪云甫插嘴道。

“就是，再说我已经赔了他们好几万元了，”汤伯卿一拍大腿，“现在仅仅还剩一万来箱的钱没结清，向他们申请减免，根本不答应啊，连宽限还款期都不答应，这不是逼人上吊吗？”

“呵呵，在金钱和利益面前，绅士精神也得让路啊。”米东杰苦笑道。

“其实，只要他们答应宽限还款期，我就一定有办法缓过神来，”汤伯卿咬牙切齿地说道，“我每年都能批出去近十万箱货，单单苏州一地，每年就能销出去五万箱。今后，我看十万箱全给苏州，恐怕也喂不饱……”

“慢点，出货量这么大？”米东杰连忙不解地问道。“仗打得这么厉害，怎么生意反倒好做呢？”

“就因为仗打得厉害，大部分中国厂商关的关、停的停，大一点的厂家又响应政府的号召迁往内地，即使是英美厂商，在原料、运输方面也同样大受影响，比方说这家大旗公司，仓库也被炸掉了一半。”汤伯卿解释道。“这么一来，市场不就造成了空缺？”

米东杰心里一跳。

汤伯卿越说越起劲，仔细说开了上海的，乃至于是中国的肥皂市场。

20世纪初，“造胰公司”在天津创立，“裕茂皂厂”在上海建立，这是中国开办的最早两家肥皂厂。此后大大小小的厂家和手工式作坊层出不穷，著名的品牌就有祥茂皂、北忌皂、固本皂、戏法皂、伞牌皂等等。不到二十年的功夫，单是上海一地，市场上各种牌号的洗衣皂已出现了几十种之多。

但是，随着几家财大气粗的英资公司进入上海后，格局就起了变化。为了垄断中国皂业，英商不惜花费巨资将各厂各牌一一吞并，从此唯我独尊、独步沪上，其中，大旗公司的表现最为积极。八一三事变之后，情况更加糟糕，地处南市、闸北的大部分华商皂厂毁于炮火，市场上洗衣皂愈加紧俏。

“难怪大旗公司的人这么牛气冲天啊。”米东杰感慨道。

“肥皂这玩意儿啊，原料的成本不高，技术门槛不高，再加上咱们中国劳力低廉，洋人只是运来机器，便能大规模生产，”汤伯卿说到了要点上，“你看，用咱们的原料，用咱们的人力，在咱们的地盘上生产肥皂，反过来又全部卖给咱们用，可气焰还是这么嚣张。”

米东杰目光发直，心里却开始狂跳不已。

“走，回去。”走出商行的时候，米东杰已经作出了决定。

“不去订洗衣机了？”洪云甫不解地问。

“订什么洗衣机，回去就把洗衣店盘掉，”米东杰没头没脑地甩出来这么一句，又学着生硬的上海话嘀咕道：“改行，阿拉要开一家肥皂厂！”

第六章　初生牛犊不怕虎

洗衣店出盘的招贴刚贴出去一天，马上就有人上门来洽谈接盘事宜了。

当初顶费、房租和添置洗衣机的投资，包括一些零零碎碎的费用，加起来总共不到六千元，这次开价八千元，人家眼都不眨就应承下来。

汤伯卿跟米东杰商量，想一起合伙开厂，但现在被大旗公司逼走了大部分的财产，手头实在拮据，只能以华德路上被炸的仓库地皮作为投资，不知是否接纳？

这一建议深得米东杰的欢迎：有了现成的地皮，只需联系营造公司重造新房即可，而且汤伯卿本来就属行内的前辈，手上掌握着成熟的分销渠道，网络遍布苏锡常三地，以后产品的出路都不用担心了。

洪云甫找营造公司的“打样鬼[1]”了解了一下行情，当场支付定金，一周以后便在仓库的废墟上破土动工。

洪云甫对米东杰说，自己虽然算是学化学出身，但在学堂里学到的只是一些基本的理论知识，毫无产品生产的实战经验，马上开工实在没有把握，真要赶鸭子上架的话，恐怕先得去图书馆好好泡一泡，将肚皮里的知识回一下炉。

“没事，咱们边学边干，大不了全部亏掉，重新去开洗衣店，”米东杰倒是满不在乎，不停地为洪云甫鼓气，“咱俩一起学，你去图书馆查资料，我去找个夜校补习化学！我就不信了，当铺里的鬼名堂那么繁杂，老子不也学通了？”

[1] 建筑公司绘制图纸的建筑设计师。

可是，现在这种兵荒马乱的年头，要找一处真能学到专业知识的夜校，还真不是一件容易事。

米东杰天天看报纸，终于找到一则广告，说是东亚同文书院正在开设“平民夜校”，其中就有化学基础研习班，当下没有多想便去报了名。

“老兄啊，你这次有点糊涂啊，”洪云甫知道了埋怨道，“东亚同文书院是日本人办的，你难道不知道？”

“我报的是平民夜校，校址借用虹路小学的几间教室，任课老师也不是日本人，大部分是中华学生部的中国学生，”米东杰分辨道，“这些学生也是因为爱国，差不多都是义务教学，你想，一学期才二块钱学费。”

“这倒也是，再说知识不分国界，”洪云甫仔细想想也无反对的理由，“只有先学好本事，才有资格说爱国、救国嘛。”

“我现在还是彻头彻尾的门外汉，一切都得从头学起，眼下的事情你可得多上点心，”米东杰再三关照，“原料和设备的事情也得抓紧点。”

“行，明天开始，我就去跑设备和原料，”洪云甫痛快地答应道，“原料主要是油脂和火碱，再加上一点松香、水玻璃、食盐什么的，都好解决。问题是设备，如果咱们要走因陋就简的路子，那么目前就别买成套设备，完全靠手工来做。”

“赤手空拳也能做？”米东杰问道。

“能，做最基本的洗衣皂的话，买几口大锅和铁箱就行，”洪云甫哈哈大笑，“还得请一批木匠，打制一排工作台，再做些晾肥皂的木架和装成品的木箱就可以了。”

“呵呵，还真花不了几个钱。”米东杰笑着点点头。“到时候工人也不成问题，在杨树浦棚户区喊一嗓子就行。”

“我说，咱们的肥皂厂总得有个厂名吧？”洪云甫提醒道，“起个响亮的好名吧。”

“叫振兴吧，”米东杰想了一会儿，沉吟着说道，“上海振兴化学工业社。”

“嗯，不错，很有气派，也很有意义，振兴国货，抵御外侮，”洪云甫点点头，又提议道，“产品出来了，还得起个响亮好记的牌号。”

“叫敌牌怎么样？”米东杰飞快地转动眼珠，隔了半分钟，脑中灵光一现。

“敌牌？”洪云甫嘀咕道。“什么意思？”

“首先，咱们做的是洗衣皂，敌，污垢之敌也。其二，中国市场上英美势力横行，咱们的产品就是要初生牛犊不怕虎，与帝国主义为敌，”一时间，米东杰文思泉涌，“其三，与大旗公司的人牌肥皂为敌。其四，眼下日军欺我中华，这个国产的敌牌横空出世，定能迎合国人心理……”

“妙！”洪云甫还没听完便猛地一拳擂在桌上，但仍有一些担心：“只是这个名字有些张扬，就怕商标注册时会遇到麻烦。”

“先办起来再说吧。”米东杰道。

米东杰白天跟着洪云甫到东到西地联系原料，晚上则到虹路小学去上课，天天忙得马不停蹄，两个月不到，人都瘦了一大圈。好在“上海振兴化学工业社”顺利通过工部局“工务处”的工商登记，“敌牌”也成功地通过商标注册，并未遇到任何麻烦，令人放下了一桩心事。

洪云甫买来一些烧锅、量杯、温度计之类的工具，以及油脂、火碱、松香等少量所需原料，捧着一大摞从图书馆抄来的资料，笑言自己是现炒现卖，卷起袖子开始试制。

试制一次性成功！

米东杰兴冲冲地拿了一坨还不成模样的半成品，亲自动手到自来水龙头下去洗一条脏兮兮的毛巾，一涂一擦再使劲揉搓，眼看着皂沫四起，毛巾马上露出了本色。

洪云甫见了得意地说，瞧见没有，这土皂的去污能力还是十分强悍的，唯一的不足是泡沫还不够丰富，看上去不那么“热闹”，以后还得设法增加发泡，因为在外行的眼里，往往认为肥皂的泡沫越多越好。

华德路上的厂房、库房，以及炉灶和进水、排水系统很快便建造完工，由于结构简单，只求实用，最终算下来共花费五千多元。接下来“生产设备”，也就是那些大锅、木架、铁箱、工作台，以及铁勺、切割刀之类的工具等等，总共不到一千元。米东杰在厂门口贴出招工启事，一下子招来十名工人，很幸运，其中有二名工人以前在外商的肥皂厂里干过活，对生产中的具体环节非常熟悉，正式上班后反倒帮老板们出了不少主意。这下，米东杰的信心更足了。

正式开工，批量试制。

首先是制作“皂基”。

第一步皂化：在大锅内加入十五公斤清水，再加五公斤火碱，加热至化开后，再加入油泥五十公斤并不断搅拌——火碱也即俗称的“烧碱”，学名为氢氧化钠，很容易在化学品商行买到；油泥也叫油脚，是从汤伯卿介绍的一家榨油厂里买到的，实际上就是榨油的下脚料——半小时后，改用小火，使油泥充分皂化，生成高级脂肪酸钠，也就是肥皂的主要成份。

第二步盐析：为使皂液中的杂质和污水分离出来，需放入食盐二公斤，继续加热、搅拌后进行保温，静置五小时后出锅…… 成品生产阶段稍微复杂些。先在锅内加入清水二十公斤，火碱四公斤，化开后再加入皂基四十公斤，以及动物油脂八公斤——到屠宰场去买来的，从牛羊身上熬炼出来的油脂——最后加入松香二公斤，并继续加热、搅拌，待锅内物料全部化开且皂化以后，察看是否已经“分水”，也即皂液与水是否分离。“分水”后，静置十小时后出锅，先将上层的皂沫取出，再将皂液掏出放在铁箱中，同时加入水玻璃，也就是俗称的“泡花碱”，边加边搅拌，直至混匀为止，最后等待其冷却凝固…… 提心吊胆地一步步做下来，情况一切正常，米东杰眼看着盛皂铁箱里的糊状物慢慢地形成固体肥皂的雏形，心里激动得像喝了酒一样痛快，一高兴，当着工人们的面大声宣布：“晚上请客，大伙儿一起喝酒庆功。”隔了一夜，米东杰天一亮便拉着洪云甫早早地来到工厂，兴奋地着手最后一道工序：切块装箱。

两名熟练工从铁箱中倒出已经完全冷却的皂坯，放在工作台上用细钢丝锯小心翼翼地割成片，再放到另外一张特制的工作台上——台面上按间距固定着一排排钢丝，看起来有点像一张巨大的古琴——肥皂片置于钢丝上面，用木板往下一按，皂体立即被纵向割成长条的肥皂条，割下来的边脚料全部收集在空余的大铁盘中，下次可以回锅再用。

肥皂条被放到了晾皂架上，等到不粘手的时候便可进行印模。

皂条半干，米东杰亲自动手将其放在打字模具内，盖上凹版字模板，转动夹具上的转轮施加压力，五个小方框和五个足有鸡蛋那么大的凸状“敌”字，十分清晰地出现在皂条的表面——每条肥皂可以切成五小块，每箱则是二十条，共计一百块。

印后的肥皂还得放回晾皂架上晾干，等彻底干硬后，就可装箱出货，连外包装都不用。上海卖洗衣皂的店家喜欢将赤身裸体的肥皂条挂在柜台前卖，而顾客也习惯像买火腿和香肠那样一串串地拎回家去自己随用随切。当然，如果你只买一块，店家也会用刀切下来给你。

好，大功告成，接下来就看汤伯卿的了。米东杰原以为汤老板出马，销售方面肯定如水银泻地，一下子便可推广到市场的每个角落，全上海的老百姓立即可以用上自己生产的肥皂。

谁知道，大错特错！

几家大批发商一看是闻所未闻的“敌牌”，全都不那么买账，都说肥皂的品相倒没什么问题，估计洗涤能力也不会差到哪里去，至于价格方面，确实也有一定的吸引力——市面上一般的洗衣皂，零售价是每块五分钱，敌牌的定价则是每块四分——问题的关键在于，大家都在卖英商、美商的产品，生意做得好好的，为什么要改做牌子？对最终面向顾客的烟纸店、糖果店、杂货店小老板们来说，每个月的洗衣皂销量总归是那么多，换来换去并不会扩大销售。

“咱们再跌一分钱！”洪云甫咬着牙说。

“这不是办法，”米东杰马上否定，“这么做等于自杀。”

“是啊，降价是最笨的办法了，”汤伯卿也赞同米东杰的观点，“你降，他也会降，要是洋人也降到四分钱，难道我们降到三分钱？”

“对，绝对不能降，”米东杰马上又有了新的主意，“非但不降，还要升，洋人卖五分钱，我们也卖五分钱！凭什么我们就该卖得比他们贱？”

“老兄，做生意可不能意气用事哪。”洪云甫苦笑道。

“不是意气用事，我另有办法，可以调动批发商的积极性，”米东杰提高了些声音，“对批发商来说，他们的利润其实很薄。洋商的洗衣皂的行盘是每箱五块钱，批出去一般是九折九五扣，合为百分之八十五点五，而批发商到手的佣金更少，只有区区百分之三，如果算上仓储、运输和人工，有时候差不多是白忙乎。”

“没错，这个我最清楚了。”汤伯卿连连点头。“要是跑不出量来，基本上赚不到钱。”

“所以我在想，咱们不如把利益让给各大批发商，除了正常的佣金，年底的时候再每箱返还一块钱，”米东杰看上去一付胸有成竹的样子，“这样算下来，我们还是卖四分钱一块，但批发商的兴头就吊起来了。”

“嗯，大手笔，确实很有吸引力。”汤伯卿翘起了大拇指。

“他们不是嫌新牌子名头不响，怕烂在自己手上吗？”米东杰大有破釜沉舟的勇气。“好，咱们一律赊货！洋商是现款现结，咱们来个一月一结。”

“这个更是杀手锏了。”汤伯卿赞叹道。“批发商一个月之内可以随时退货，一点风险都没有了。”“明天开始，咱们仨一起上阵，分头出击，动用三寸不烂之舌，去跟各大批发商软磨硬泡，给他们上足发条。”米东杰一锤定音。

正所谓重赏之下必有勇夫，各大批发商一听每箱返利一块钱，马上便来了兴趣，再说万一销不出去还可以退货，简直毫无后顾之忧。

米东杰再次招来五十名工人，而且专挑棚户区的苏北人，又添置了好几辆“塌车[1]”，一部分负责运输原料，一部分用于送货，车间里全线开工，所有的大锅全都冒开了热气。

负责送货的工人回来后汇报说，批发商开始铺货，大街小巷的烟纸店柜台前已能见到敌牌肥皂的身影，据说，批发商们采取的也是赊货方式，只不过账期缩短为二十五天。

但是啊但是，最终的销售状况还是干打雷不下雨。

烟纸店老板们都说，敌牌销不动！

米东杰着了慌，车间里马不停蹄地一箱箱生产出来，可柜台前却销不出去，这样下去批发商很快就会失去积极性。货虽然是赊来的，但占用仓库和运输成本，算下来还是蚀本生意。

“走，上街去，看看毛病到底在哪里。”米东杰建议道。

烟纸店老板们给出的答案很简单：平时使用洗衣皂最多的人，大部分是家庭妇女，或者是有钱人家的娘姨，尤其是华界，许多妇女目不识丁，买东西只认熟悉的牌子及商品上的图案标识，也就是说，不肯轻易改变习惯。

“看来，只能试试笨办法了。”米东杰想了很久，终于想到一个办法。“新牌子上市，就像一辆满载重物的塌车，起步时是最费劲的，一旦车轮滚动起来，马上就会轻松许多。”

“什么笨办法，说说看。”洪云甫催促道。

“是不是起篷头，弄点浪花出来？”汤伯卿毕竟经验丰富，马上猜到了答案。

上海人管虚张声势、吸引注意，人为地造成轰动效应的做法为“起篷头”，也即无风三尺浪之意，那么落实到肥皂的推销一头，无非是派人冒充顾客，去烟纸店柜台前将肥皂买回来，甚至造成供不应求的假象。

“这个只能死马当成活马医了，”洪云甫不太相信这一办法的有效性，“人

[1] 人力运货车，平板车配以充气轮胎。

倒有的是，厂里现在共有六十名工人，让大家分批、分片上街去，点名要买敌牌肥皂就是了。”

“试了再说吧。”米东杰其实也不抱太大的希望。“老汤，给每人发二块钱，五天之内，每人给我买回八条肥皂来，反正装一下箱还能出货。”

现在，米东杰、汤伯卿、洪云甫这三位合伙人，相互之间的称呼一概打破年龄的限制而改成“老米、老汤、老洪”。

工人们十分配合，都知道要是厂子开不下去，大家一齐丢饭碗，所以回家以后还主动支使老娘、老婆、孩子上街去买肥皂，同时逢人便大造舆论，大夸敌牌去污力强、耐用、洗衣服不掉色等等。同时，米东杰让手艺精湛的浙江木匠赶制出新版的压模板，缩小敌字的尺寸，在中心位置加上一只拳头的图案作标识。

大家都说，这只拳头加得太好了，一目了然，便于口头传播，而且意义十分明确：抗击——民族工业对西方经济势力的抗争，也隐喻着中国人民对日本军帝国主义的抗争。

自拉自唱的笨办法还真管用。

一个礼拜之后，沉重的“塌车”终于缓缓起步。各个烟纸店老板们反馈说，上海人就喜欢一窝蜂，要么看都不看，要么一传十、十传百，生意就像滚雪球一样，人人都知道新出来了一个“拳头牌”。

“乘热打铁，”米东杰兴奋地叫道，“车间日夜开工，炉火二十四小时不熄。”

销售形势无可置疑地出现了转机，首批试制品，包括回笼的那些肥皂全部销售一空。烟纸店小老板们纷纷要货，批发商们按时结清货款，米东杰一高兴马上向美商上海电话公司申请安装电话，这样与各大批发商沟通信息方便了许多。

电话很快便装好了，“营业性电话”的月租是十块钱，可以免费通话一百次，跟公用电话的每次一角相比价格完全一样，但是公司有了自己的电话号码，档次就不一样了。

可是万万没有想到，第一个打进电话来的人，并不是批发商来订货，而是大旗公司的不速之客。

那人用一口还算流利的中国话自称是爱德华，乃大旗公司的法务代表，不过现在充任的角色则是“谈判代表”。米东杰吃不透此人是干什么吃的，约自己去咖啡馆见面又算是哪一出，更关键的一点是，我自己究竟想谈什么？

米东杰换上一身整洁的西服，准时来到邓脱路上的一家咖啡馆——这条路的路名是为了“纪念”一名臭名昭著的鸦片商人，也就是中国人常说的颠地——这让米东杰觉得心里很不舒服：不知道那个爱德华是不是故意选择这个令中国人感到屈辱的地方。

咖啡馆里的男侍带着米东杰走到一张靠窗的桌前，一个衣冠楚楚的英国男子站起身来，礼貌但高傲地与米东杰握手，掏出一张印有大旗公司标记的精美名片，用两个手指夹着递过来。

男子金发碧眼，年约四十来岁，目光阴沉、挑剔，满面都是对这个世界的不可饶恕的倨傲。

“爱德华先生，我现在很忙，有什么事请直言相告。”米东杰用中国话开门见山，名片看都不看就放进口袋。

“好吧，那我们就开门见山。”爱德华一看气势上压不倒对方，神情不再那么居高临下。

“请讲。”米东杰喝了一口侍者端上来的咖啡。

“我们公司想收购你们的振兴化学工业社，”爱德华一句话便点明了主题，想了想又补充一句：“包括所有的厂房、设备、人员和敌牌商标。”

来此之前，米东杰和洪云甫、汤伯卿已经猜测过大旗公司的用意，一致认为大旗公司可能是想建立价格同盟，生怕敌牌首先打响降价战将其拖下水。万万没有想到，英国人的手段更加干脆，利用财大气粗的优势，意欲将仍处于襁褓之中的对手彻底消灭。

“对不起，我们没有这样的打算，”米东杰虽然十分惊讶，但脸上尽可能地不动声色，“而且今后也不会做这样的打算。”

“在合理的范围内，你可以随便开价，”爱德华压低声音，做出十分体己的样子，“兴办工厂无非是为了赚钱，既然现在就能提前赚到这笔钱，为什么不考虑一下呢？”

“可惜我并不完全这么想。”米东杰冷冷地说。

“老实说，你们的厂房、设备和人员，对我们来说毫无意义，如果收购成功，那些破烂甚至不排除一夜之间被夷为平地的可能。”爱德华有点恼火，话里开始带刺。“我们唯一需要的是敌牌这个商标。”

“什么意思？”米东杰强忍着火气问道。

“我们需要敌牌这个商标在中国的土地上永远消失。”倨傲的神情重新回到爱德华的脸上。

米东杰又是愤怒又是骄傲：愤怒的是没想到资本霸权的面目竟然这般凶悍，骄傲的是敌牌初出茅庐，居然已经具有那么大的影响，甚至造成了洋商某种程度上的恐惧。

“有一点我倒不明白了，”米东杰平静了一下心情继续问道，“即使我们同意收购又有什么用呢，我拿了你们的钱，马上又可以建造厂房、购买设备、招收工人，二个月内又将出现一个新的品牌，难道你们再次收购？”

“收购以后，振兴的合伙人将作为高级员工进入大旗公司，而且必须签署禁止同业竞争协议，自身及亲友均不得从事相同或近似行业，不得构成直接或间接的竞争关系，具体细则我会慢慢向你介绍，”爱德华以为米东杰有点动心，“而且受让金将分为三十六个月按批给付，也就是说，三年付清。”

“如果我开出的价钱很高呢？”米东杰冷笑着问。

“我已经说过，只要是在合理范围之内，我们照单全收，”爱德华上当了，说出了实话，“只要消灭了竞争对手，定价权就掌握在我们手里了，这部分成本完全可以均摊在最终产品的身上，也就是你们中国人所说的，羊毛出在羊身上。”

“好吧，那我的正式回复是，拒绝！”米东杰脸一沉，已生离开之意。

“我有一个忠告，或者说是一个警告。”爱德华的脸也拉了下来，看来并不见得涵养和耐心有多好，似乎并不胜任“谈判专家”的头衔。

“请讲。”米东杰腾地站起身来。

“用你们中国人的话来说，就是不要敬酒不喝喝罚酒！”爱德华皱着眉头说道，最后几个字几乎是一字一顿。

“谢谢你的咖啡，再见。”米东杰突然改用英语说道，头也不回地离去。

英国人最后的那句威胁，米东杰根本就没放在心上，最让人牵挂的，倒是敌牌肥皂的发泡能力问题。

如果产品长期口牌不佳，那么路子必将越走越窄。

洪云甫去图书馆找了许多书，但都找不到解决办法，米东杰自己的化学知识虽然已经打下了一定的基础，但还远远不够真刀真枪上阵对战的程度，这可怎么办呢？

米东杰突然想到了一个人，自己的老师柴田光一。

上了这么久的夜校，米东杰终于慢慢弄清，东亚同文书院的幕后老板大得吓人，竟然是日本外务省！

书院设有政治、商业、工业三科，以招收日本学生为主，但也附设中华学生部，招收有志于赴日留学的学生。“东亚同文”，表示中日同文、同种、同处东亚，听上去虽然冠冕堂皇，但最近名声并不太好，常有租界上的报纸揭露其表面上为“亲善提携”的教育机构，实际上是培养侵华人才的摇篮。淞沪会战期间，位于虹桥路的书院本部曾被愤怒的中国民众付之一炬，但在日军站稳脚跟之后，书院死而复生，马上强占华山路交通大学的校址，规模反比以前更大。

中日建交以来，早期来沪的日本人聚集在虹口吴淞路、武昌路一带经营照相馆、妓院等小本生意，第一次世界大战以后，日本纺织业大规模投资上海，日侨迅速突破二万人，超过了外国侨民的半数，连工部局董事会中，也得为日籍董事留一到二个席位。现在军队明火执仗打上门来，日人的气焰嚣张到何种程度，也就可想而知了。

米东杰搞清楚了书院的面目，正在考虑是不是应该停止上学，但是，自己班上的任课老师柴田光一，确实是个相当不错的人。

柴田光一的年纪比米东杰稍大一点，毕业后留校任教，是个谦逊、厚道、热诚，还有点木讷的瘦削青年。平民夜校原本由中华学生部的中国学生任教，但随着日军在中国内地的推进，夜校的教员开始悄悄更换——洪云甫跟米东杰一针见血地开玩笑说：当心啊，平民夜校快要变成培养汉奸的地方了！

米东杰向柴田光一请教肥皂发泡的问题，对方相当热心，接过配方一看，马上就发现了毛病在什么地方。

“一般人认为肥皂的泡沫越多，洗涤效果就越好，这种认识完全错误，”柴田光一的北平官话说得比米东杰都好，“肥皂的主要成份是脂肪酸钠，既可以与水结合，也可以与油结合，在不添加发泡剂的情况下，脂肪酸钠含量高，泡沫的产生就多。所以，要提高发泡力，还得回到脂肪酸的层面上来寻找答案。”

“您有具体的建议吗？”米东杰恭恭敬敬地问。

“通过配方来看，你们的问题在于油脂的选择，”柴田光一认真地说道，“我建议你们添加椰子油和棕榈核油试试，但是这两种油都含饱和脂肪酸，添加太多会掩盖住主油的性质，所以应该控制好添加的比例。”

“哦，我明天就试试椰子油。”米东杰大喜过望。

“此外，松香是以钠盐的形式而加入的，其目的是增加肥皂的溶解度，但同样能起到增强泡沫的作用，况且作为填充剂来说，松香也比较便宜。”柴田光一微笑着说道，又爽快地补上一句：“再遇到什么问题的话，尽管来问我。”

米东杰暗想，人跟人不一样，就是日本人和日本人，同样也有天壤之别。像柴田光一这种斯文、礼貌、热诚的人，就很难将其跟南京大屠杀中那些作恶的禽兽联系在一起。

第七章　逆流而上

一九三九年，早已不是什么“黑云压城城欲摧”，而是地地道道的“甲光向日金鳞开”。

报纸上和无线电中天天都在说着一件事：德、意、日三国轴心已经形成，连伪满洲国也放屁添风般跟在后面瞎起哄，第二次世界大战一触即发。

德国继吞并奥地利之后，挺兵控制捷克斯洛伐克；意大利入侵阿尔巴尼亚；日军攻陷汕头、南昌等内地城市并大肆轰炸重庆；汪精卫通电投敌……坏消息成群结队而来，上海滩上胆小一些的华商接二连三地停工歇业，但对洋商来说，却不失为千载难逢、独霸市场的好机会。

米东杰得到消息，华界有一家规模中等的制皂厂，因为未及内迁，股东们又意见分散，经长期歇业后已决定正式关门，鉴于局势险恶，愿将厂内整套的进口制皂设备低价转让，要价仅仅只有二万法币。

“书本上常讲，危机中往往蕴藏着巨大的机遇，”米东杰一得到消息马上兴奋起来，“我们不妨逆流而上，除了更新设备，还要进一步扩大生产规模。”

“现在日本人不敢进入租界，咱们还能混混日子，”汤伯卿没那么乐观，“一旦日本人跟西洋各国拉破面皮，一夜之间就能摆平租界，到那时就砸锅啦。”

“如果眼下是清平世界的话，咱们这样的小本经营，又哪有出头的机会呢？”米东杰将盘桓在心头多日的设想完全吐露出来。“咱们现在采用油脂直接皂化的工艺，虽然生产简便，但产品还是显得比较粗糙，充其量只能算是土皂。再看进口设备的沸煮法，工艺和效率无不先进，岂是几口锅、几根棍的半手工方式能匹敌的？”

“没错，除非永远只做洗衣皂，还能勉强混口饭吃，要做细皂、香皂的话，靠咱们这样鼓捣法是永远没有出路的。”这一点，洪云甫完全认同。

“你看，这套设备将碱析水和经过处理的油脂由输送泵送入皂锅，皂化反应是直接在蒸汽的翻动沸煮下进行的，盐析以后再进行洗涤、碱析、翻煮，除皂基以外，在废液中还能回收副产品，可以用来提炼甘油。”米东杰振振有词地高叫道。“我已经请教过柴田光一，他的目光似乎比我们看得更远。”

“他怎么说？”汤伯卿忙问。

“甘油本身就是个宝，用途非常广泛，”米东杰回答道，“这些姑且不论，单单对咱们这种日用化工制造厂家来说，同样意义非凡。比方说，下一步可以开发新产品，制造牙膏之类的产品！”

“嗯，要想真正和洋商一决高下，光靠小打小闹的土法确实打不开局面啊。”汤伯卿也被说服了。“不过，我说老米，牙膏什么的，还是以后再说吧，饭得一口一口吃。”

设备的接洽十分顺利，对方甚至还答应，可以一并提供熟练的技术工人。

但是，米东杰看看账上的钱，又犯开了愁。

账上资金连一万元都不到，怎么办呢？要是动作慢慢吞吞的，被大旗公司这样的洋商抢了先就糟糕了。米东杰当机立断，马上通过电话向各大批发商宣布，从即日开始，凡是提前结账的，扣率可在原来的基础上再低百分之五，而提货时现款现结的话，一律再低百分之十。

消息放出去后，马上起到了很好的效果，资金一下子回笼了二万余元。

振兴化学工业社的名声越来越大，连一直很难打进去的法租界也有了松动。

法租界上，不管是洋人还是华人，历来都比较崇尚洋品洋货，所以敌牌肥皂很难登堂入室。这次，法租界上赫赫有名的黄梦熊亲自来访，米东杰还真有点受宠若惊之感。

黄梦熊生就一张沾沾自喜的肥脸，笑起来满面油光，让你觉得大可毫不费力地用刀刮下二两油来。这种样貌平庸的中年男人，如果扔到人山人海的南京路上去的话，根本不会引人注目，但是谁都不会想到，要论法租界上最大的五洋杂货批发商，此公竟是数一数二的脚色。众所周知，黄梦熊手上握有多家欧美名牌的代理权，生意一向是日进斗金，自身又与公董局及青红帮来往甚密，颇属黑白两道全都兜得转的人物。所以，今天黄梦熊打电话来说要亲自到访，多少还有点降尊纡贵之感。

一辆别尔克轿车"嘎"一声停在车间一角的办公室门前，黄梦熊带着一名司机兼保镖，身后另跟着一名跟班账房慢慢走下车来。

"小阿弟，生意做得不错啊，"黄梦熊一进办公室的门便高声大气地与米东杰开玩笑，"咔咔，敲你一记竹杠，晚上请我喝老酒啊。"

米东杰一边笑着敷衍，一般亲手泡茶、敬烟，心里十分惊奇，没想到名气那么大的黄老板竟如此平易近人，一点大人物的架子都没有。

"请问黄老板有何见教？"米东杰试着问道。"难道真是要进我们的敌牌肥皂？"

"咔咔，难不成我还开你的玩笑？"黄梦熊仰天大笑。

黄梦熊嗓子粗哑，有事没事总爱大笑，而且笑起来颇像鱼刺卡在喉咙口，形成一连串舒筋活血的"咔咔咔"。

"黄老板想要多少？"米东杰忙问。"我马上安排人送货。"

"先来个一千箱试试吧，全部现款现结。"黄梦熊轻描淡写地说道。"我也不知道你们的货好不好销，但不管怎么说，大家都是中国人，总得支持一下国货吧，咔咔。"

"呵呵，有黄老板的支持，我们的信心就更足了。"米东杰免不得说几句套话。

"行，回头送到我仓库里去吧，"黄梦熊爽快地说道，又对跟班账房一扭脖子，"付款，开票。"

一千箱！这是米东杰开业以来，单笔交易中最大的一笔生意了，而且还是现款。

黄梦熊的出货不是一般的快，送货以后只隔一天，法租界的大街小巷之中，已经可以见到敌牌肥皂被摆上柜台。

米东杰三天两头派人去法租界打听销售情况，得到的消息是销路相当不错，主要是现在避居在法租界内的中国人及难民极多，这些人大都爱用国货，再加上敌牌解决了发泡能力的问题以后，与洋货比起来更显价廉物美，简直挑不出一点毛病。

可是，还没来得及高兴多久，出大事了！

一天，米东杰正在车间里看工人调试新设备，突然接到了黄梦熊打来的电话。

“黄老板，请问什么事。”米东杰奔到隔壁的办公室，抓起电话便问，以为黄梦熊又要添货。

“什么事？”黄梦熊的口气不对，冷冷地反问道。“我还要问你呢，你小子是存心给老子吃药还是怎么的？”

“啥……啥事？”米东杰瞬间被砸懵了。

“你的肥皂质量有问题！”黄梦熊语出惊人。

“质量？”米东杰一惊。

敌牌的质量虽然不算出色，但也从来没发生过问题，这话从何说起？

“你的肥皂全都变了颜色、变了气味！”黄梦熊怒气冲冲地吼道。“你自己去各个小店看看，颜色全泛了黄，烂糟糟的发出一股臭味，我看应该叫臭肥皂了！”

米东杰放下电话便去仓库，找出与那天发给黄梦熊的货同一批次的肥皂，撬开木箱仔细检查——奇怪，一切正常，皂体呈正常的象牙色，软硬适中，散发着谈谈的香味。

米东杰带着汤伯卿连忙出门，跳上电车直奔法租界，去那些烟纸店、糖果店、杂货店察看究竟。

一看吓一跳，黄梦熊的话并未夸张失实。

接连跑了几家店面，家家如此，敌牌肥皂无不颜色发黄，皂体变软，有的散发出一股刺鼻的硫磺味来，有的则是更加恶心的臭鸡蛋味。一名杂货店老板向米东杰抱怨道，这些该死的肥皂可害苦了人，顾客买回去后全都跑来退货，顺带着还把自己骂了一顿。

“赶紧把这批货拦住！”米东杰当机立断，朝汤伯卿吩咐道。“老汤，马上把厂里的工人全都派出来，为所有的小店免费换货，不拘多少，另外加送百分之二十作为补偿。”

奇怪，为什么这样的现象仅仅出现在法租界上呢？

“会不会是黄梦熊有意害我们？”汤伯卿猜测道。“搞得不好是受了大旗公司的指使。”

这是目前唯一的解释了。

“先联系他们，余货作退货处理。”米东杰咬着牙决定道。“咱惹不起，躲得起。”

一千箱货，直接损失三、四千元，但事情明摆在那里，不退又如何解决？

可是，电话打过去，黄梦熊毫无退货的意思。

“退货？”黄梦熊直接发出了第二招。“没那么便当！我的损失谁来负？”

“那黄老板的意思……”米东杰试探着问道。

“我这边的货大部分都发出去了，商誉已经受到损害，叫我以后还怎么做生意？”黄梦熊阴阳怪气地说道，再也没有咔咔的笑声。“这样吧，你老弟拿出三万块钱来，这事到此为止。”

这不是赤裸裸的敲诈？

汤伯卿首先着了慌，要知道，黄梦熊可不是一般的商人，这厮要是撕下面皮来，跟青红帮的流氓可没什么两样。

“先等几天看看，”米东杰虽然还没领教过上海滩上流氓的厉害，但也开始觉得头晕，“用上海话来说，轧轧苗头吧。”

问题是黄梦熊有没有那么多的耐心让你去“轧”，只过了一天，来事情了。

一大清早，洪云甫拿着那些遭到暗算的肥皂分析来分析去，但始终找不出具体的原因，米东杰一拍脑袋，突然想起了柴田——凭他的学识和经验，也许不难发现蛛丝马迹吧。

“老米，老洪，我去一趟书院。”米东杰包起几块烂糟糟的废皂准备出门。

还没走出办公室门，只听门外一阵汽车发动机响，探头一看，原来是院子里驶来了一辆道奇大卡车，十几名恶形恶状的汉子正在噼里啪啦往下跳。米东杰心里一沉，知道麻烦找上门来了。

“谁是老板？”为首的汉子身形粗壮，面目奇丑，闯进办公室后大声嚷道。

“我。”米东杰鼓足勇气站上一步。

“好，那就来道小点心请你尝尝。”那汉的小眼睛里顿时凶光四射。

米东杰还没搞清楚是什么意思，眼前一黑，左脸一麻，已经挨到了一个结结实实的耳刮子。

洪云甫和汤伯卿连忙上前拦住那汉，此起彼伏地说着诸如“有话好说”、“先别动手”之类的话，防止那厮再下狠手。

米东杰被打得晕晕乎乎的，反倒不再觉得害怕，心里一横，当年米呆子那不管山高水长的脾气蹿了出来，当下抄起一张椅子准备拼命。

汤伯卿一看要闯大祸，连忙死命抱住米东杰，扭来扭去地夺下那张椅子，洪云甫则赶紧跳上一步，伸开双臂拦住意欲再度行凶的恶棍。

“喝，还有点胆色。”那汉一边冷笑，一边扭头朝手下的虾兵蟹将下达命令：“砸！”

十几名汉子一拥而上，抄起椅子像疯了一样到处乱砸，同时推翻桌子、踢倒面盆架子，将洪云甫用来做实验的烧瓶、烧杯、酒精灯等等全都砸个粉碎，连屋子里最值钱的电话机也被摔成了两半。

“停！”汉子一声大叫，扭头走出一片狼藉的办公室，同时扔下最后一句话：“记住，今天只是请你们吃点心，下次就是法国大餐了。”

“米桑，你的脸怎么回事？”柴田一见到米东杰便惊奇地问。

“没什么，遇到了一个流氓。”米东杰的口气虽然轻描淡写，但依然难掩悲愤之情。

“如果你还把我当作朋友的话，请把实情告诉我。”柴田当即怒目圆睁。

米东杰知道心性正直的柴田也是好意，但暗想即使把事情告诉他又有何用，柴田不过是一介文人，对付流氓，能帮什么忙？

“先生，我是来求你帮忙的，不过是因为另一个流氓的事。”米东杰勉强一笑，打开手里的纸包，露出里面的废皂。

米东杰一直管柴田叫先生，但用的是日语中的发音“森塞”，正好吻合柴田乃自己老师的身份。

“这是什么意思？”柴田嗅着废皂散发出的气味问道。

米东杰将事情的前后经过说了一遍，听得柴田拍着桌子大骂“巴嘎”，说这些奸商简直是狗胆包天，竟在正当的商业竞争中使用这种下三滥的手段。

先生就是先生，将废皂仔细察看一遍之后，马上分析出了“病因”。

柴田认为，肥皂上是被人熏过了硫磺，也可能浇过了加热的硫磺水悬液或亚硫酸溶液！

“硫磺不是难溶于水吗？”米东杰不解地问。

柴田猜测道：硫磺难溶于水，但不是绝对不溶，在加热的状态下，特别是先溶于乙醇、二硫化碳、醚类等溶液中时，应该不难配置成硫磺水悬液。还有一种可能是将硫磺燃烧所产生的气体与水融合，也就是硫磺加氧气等于二氧化硫，然后二氧化硫加水等于亚硫酸……肥皂是碱性的，而悬液或亚硫酸呈酸性，与碱反应便会生成多硫化物……

事情已经很清楚了，单凭黄梦熊那熊样，哪有本事搞出这些鬼名堂来？那么幕后的始作俑者，肯定就是当初扬言要请自己“喝罚酒”的大旗公司了。

“明治维新之前的日本，与中国一样，时时面对欧美的掠夺和征服，”柴田神情凝重地感叹道，“西洋殖民势力使用一切残酷而卑鄙的手段压榨和欺凌我们亚洲的有色人种，所以说，我们一定要抗争，一定要富国强兵、殖产兴业、文明开化。”

与柴田相识的这段日子里，类似的感慨米东杰已经听得很多，只是米东杰现在只关心自己的事情，对国事，乃至于整个东亚的形势，还分不心思来干预。

“唉，在租界上，有理也没处说啊。”米东杰摇头叹息道。

现在找到了毛病，但不等于能治好毛病，先不说那些废皂怎么办，单说黄梦熊那头，就不知道该如何收场。

“黄梦熊那边我来处理。”柴田的话出人意外。

“你？”米东杰以为自己听错了。

柴田只是一个普通的教员，虽然日本人的身份在眼下的局势里有点特殊，但是在法租界的地盘上，不见得真有办法和能力对付黄梦熊。

事实证明，柴田确实轻而易举地摆平了黄梦熊。

流氓们再也没来厂里闹过事，黄梦熊很快便主动派人来接洽，说大家都是中国人，低头不见抬头见，以后可能还要合作云云，三万块钱的赔偿再也不提，只要求将仓库里剩余的废皂作退货处理。

米东杰实在搞不明白，柴田究竟是用什么办法压服黄梦熊这条恶棍的，但不管怎么说，虽然受了些损失，这场噩梦终于过去了。

退回来的废皂足有六、七百箱，怎样处理，无疑令人头疼，而如何消除臭肥皂在市场上造成的恶劣影响，则又是一桩更让人烦心的事——口碑这东西，建立起来不轻松，损毁起来则非常容易，要是再想不出有效的补救措施，敌牌的牌子就算完蛋了。

米东杰成天发愁，连晚上做梦都会梦见这些臭哄哄的、堆积如山的肥皂。

一天早上，米东杰觉得有点头疼，只得让洪云甫先去厂里上班，自己多睡了个把钟头后，这才慢慢地起床，漱洗完毕后走出门去，准备到豆浆摊上去吃早点。

天气很好，头顶上的蓝天蓝得纯净、深远，轻薄的白云缓缓漂荡，优雅得如天鹅徜徉在湖中。太阳光浓重而不热辣，像丝绸般柔滑地笼罩着街道和房屋，将舟山路上那一幢幢维多利亚风格的尖顶红砖房映衬得格外亮丽。

这样的天气，几乎使人忘记了战争、忘记了饥饿、忘记了租界的铁丝网之外，遍地都是虎视眈眈的日军士兵。

舟山路还算宽敞，路上到处可见信步游荡的犹太人和奔跑玩耍的犹太儿童，人行道上，每隔几步路远，便可见到一处小摊或地摊——善于经营的犹太人们将随身带来的衣物、日用品摆得整整齐齐地待价而沽，诸如皮鞋、首饰、口红、玻璃丝袜之类的物品尤其受到上海女人们的青睐。

上海人对犹太人并不陌生，早在十九世纪，已有少量世居巴格达的犹太富商在印度立足后前来上海，比如赫赫有名的沙逊家族和嘉道理家族，还有富可敌国的哈同等等。当然，这部分犹太人经营大宗贸易，特别是在房地产业举足轻重，属于上海的豪门望族，与现在穷困潦倒的难民们完全不是一个概念。所以，游荡在街头巷尾的巡捕们，不管有事没事，总爱去找一找摊主们的麻烦，寻摸一些小小的好处。

米东杰走到舟山路与汇山路交汇处的时候，就遇到了这么一位贪图小便宜的巡捕。

人行道旁的树荫下，站着一位长发飘逸、衣着朴素的犹太姑娘，看上去年约二十三、四岁，白皙的瓜子脸上镶嵌着一对如同宝石般晶莹美丽的大眼睛，鼻梁高挺仿佛由大理石雕就，嘴唇柔软如玫瑰花瓣，再加上身材高挑、轻盈，一眼望去苗条而又不显单薄，大概这就是人们常说的“地中海型身材”了，绝对不负“美艳绝顶”这四个字。

一眼，仅仅是一眼，米东杰觉得自己已经魂飞魄散。

姑娘的面前摊放着一块薄毯，上面摆放着一些淡黄色和奶白色的肥皂，毫无疑问正准备出售——如此精细光洁的肥皂，又是米东杰极感兴趣的东西——但是，眼下一名路过的“红头阿三”却在找那姑娘的麻烦，扯大了嗓门用极难听懂的英语哇啦哇啦地吼叫。

围观的人越来越多，米东杰凑近去听了一下，马上了解了事情的原委：原来是那姑娘在此出售自制的肥皂，路过的巡捕以维护秩序为由，敲竹杠逼要一些小小的贿赂。姑娘生意还没开张，身上并无分文，只得央告是否能送两块肥皂了事，没想到那巡捕不依不饶，也可能是觉得欺负一个美丽姑娘十分有趣，非要没收所有的肥皂并扬言要将人带回捕房去。

公共租界上的印籍巡捕全都来自印度的旁遮普邦，由于殖民地的原因会说一些英语，但在说中文时总爱先来一句“I say……”，由于发音和沪语中的“阿三”接近，久而久之便有了“阿三”的称呼。当然，印捕的地位处在西捕和华捕之下，论排行也正好是老三。

姑娘那深陷的双目中已经饱含委屈的泪水，在米东杰看来，简直如同美丽的地中海一般深邃而神秘，令人深刻地体会到，什么叫做勾人心魄。

“先生，这条街上有那么多人设摊，你为何仅仅为难这个女孩？”米东杰站上一步，用英语大声质问印捕。

“你是什么人？”印捕将米东杰上下打量，虽然一口英语，但发音远远不如米东杰纯正。

“警务处印捕股和汇山捕房都有我的朋友，我们可以一起去论理，”米东杰壮着胆子扯虎皮拉大旗，“两个地方随你选！”

米东杰一身体面的西装，看上去颇有绅士风度，而且一口英语又那么棒，印捕有点吃不透了，想想还是不要引火烧身，咕哝了几句只得灰溜溜地“滑脚”，临走前一边挥舞短棍，一边吼叫着“看什么看”之类的话驱散围观的人，多少挣回了一点面子。

“先生，谢谢您的帮助。”犹太姑娘感激地对米东杰柔声说道，顺手抓起两块肥皂递过来。“请允许我送您两块肥皂表达谢意。”

不得不说，这两块肥皂对米东杰的吸引力同样巨大.

白色的一块，皂体异常细腻，散发着一股优雅诱人的花香，比洋商们出产的高价香皂更胜一筹；淡黄色的一块，闻起来带有一股淡淡的硫磺味，但又毫不刺鼻，甚至也有一些异常特殊的香味——这样的肥皂，上海市场上还从未出现过，不知道是什么来头——反观自己厂里生产的土皂，实在令人自惭形秽。

“这是哪里来的？”米东杰用英语问道。

“是我自己做的手工肥皂。”姑娘的回答也用英语，但带有明显的德国口音。

“你会做肥皂？”米东杰大吃一惊，又指着那块淡黄色的肥皂问道：“这是什么肥皂？”

“这是硫磺皂，属于药皂的一种。”姑娘答道。

米东杰觉得自己的面前悄悄打开了一扇窗户。

交谈越来越热烈，米东杰介绍了自己的身份，姑娘听了十分高兴，干脆向新朋友详细介绍起硫磺皂的功用和制作方法来。

姑娘说，硫磺皂可以杀灭细菌、霉菌、疥疮、螨虫，对皮肤病有辅助治疗作用，数百年前，欧洲曾爆发过鼠疫和天花，当时一个名叫卢布朗的法国化学家发明了药皂，染病死亡的人数一下子降到了十分之一。这一次，犹太难民逃亡来到上海，长时间被闷在船舱里，毫无卫生条件可言，许多人都染上了皮肤病，由于上海买不到药皂，所以大家只能自制，多余下来的便拿上街来出售了。

姑娘告诉米东杰，自己的名字叫海伦，来上海前一直居住在德国，原来是一位小提琴手，这次跟随父亲一同逃出德国，可惜半途中饥病交加，父亲不幸死于海上——老人以前是一家日用化工厂的工程师，所以女儿会做肥皂一点也不奇怪。

米东杰暗暗喝彩，海伦，希腊神话里倾国倾城的美女，这样的名字用在眼前这样的美女身上真是太贴切了——而且还是一位会做肥皂的美女。

“海伦，愿意到我厂里来工作吗？”米东杰试探着问道。

凭良心说，这一邀请不光是为了美女，也是为了肥皂，严格点说，是为了仓库里那些臭烘烘的废皂。

刚才，海伦在介绍药皂的由来之时，一个大胆的念头，或者说是一个神奇的灵感，已经像火花一样在米东杰的心中骤然绽放。

假如，将那些废皂重新提炼、加工，正大光明地加入硫磺，正式命名为硫磺皂，然后专打药皂的牌子，何患不能反败为胜呢？上海穷人扎堆的地方，比如说肮脏不堪的棚户区，有皮肤病的人比比皆是，而开战以来连租界上都到处是难民，卫生条件自然极差，这不是对症下药、起死回生的重大商机？

第八章　起死回生

海伦到底是化工工程师的女儿，平时看得多、听得多，化学方面的基础理论甚至比米东杰和洪云甫还要全面、扎实，再加上长期身处化工技术最前沿的欧洲，自然见多识广，视域开阔，对肥皂的认识比上海的一般业内人士还要深刻、卓越。

海伦向米东杰建议，应该逐步减少利润微薄的洗衣皂产量，加大利润相对丰厚的精细肥皂，如香皂和药皂的产量，否则将永远只能在行业的底层徘徊。香皂和药皂的制造流程并不复杂到哪里去，只要解决了配方和原料，只需稍微提高一点香精、精油、添加剂之类的成本，利润却可增长数倍——米东杰现在终于明白，为什么自己当初仅仅生产出一些最初级的洗衣皂，大旗公司马上如临大敌，意欲收购，其实就是预计到自己早晚会向高端的香皂进军，所以不惜巨资先行扼杀。

米东杰不得不叹服，犹太人确实是世界上最聪明的民族，长于谋略和经营的特点真是名不虚传，大有“君子爱财，取之有道”之风，就连柔弱女孩都显得那么出类拔萃，现在振兴化学工业社有了海伦的加盟，何异于如虎添翼？

但是，香皂市场历来受欧美公司重视，要想杀开一条血路，难度非常之大，唯有从侧面包抄，才有可能谋求自己的立足之地。

药皂，只有药皂才是制胜的法宝。

黄梦熊那里的存货全部收了回来，海伦试验了几次，很快便确定下新的硫磺皂配方。废皂经回炉后去除杂质，再进行一系列具有针对性的精炼，最后加入配方中的特殊成份，成功制造出了细腻光洁的硫磺皂。

米东杰本想立即将新产品推向市场，但转念一想，还是不能操之过急。

如果匆匆忙忙就上市，大旗公司会不会又使坏呢?

这次的暗算及攻击虽然被化解了，但一味防守，只会被当成是软弱和无能，所以现在应该主动还击，至少要给大旗公司一个警告，让他们吃点苦头并明白这样一个道理：任何争斗都将付出一定的代价!

“我的建议是干脆放弃粗皂市场，全面转产细皂。”海伦语出惊人。

“放弃?”洪云甫叫了起来。

“这样正好可以利用粗皂市场去打一场破坏性的价格战。”海伦提出了具体的思路。

米东杰怔了一秒钟，一个大胆的设想猛地露出头来。

“对，以退为进，诱敌深入!”米东杰兴奋地一拍桌子，先用中国话说一遍，再用英语说一遍。“我们可以完全放弃洗衣皂，大张旗鼓地打响价格战，逐步跌到成本价，不，一直跌进成本价，把大旗公司拖下水去。”

四个人在一起交谈确实比较麻烦，洪云甫的英语水平不如米东杰高，但基本上能听能说，但汤伯卿却啥都听不懂，米东杰必须居中翻译，或将同一句话连说两遍。

“要这么做的话，现在硫磺皂还不能马上上市。”海伦提醒道。

“对，避免打草惊蛇，”米东杰兴冲冲地嚷道，“等他们疲于奔命并大受损失的时候，我们再突然投入硫磺皂。”

“那我马上吩咐下去，敌牌洗衣皂全面降价，”汤伯卿依然有点忧心忡忡。“老米，降到什么价钱呢?”

“这样，一步步来，每箱先降一块钱，”米东杰想了想作出了决定，“我已经核算过了，洗衣皂的成本每箱不会超过一块五角，算上人工、电费、运输也不会超过二块钱，就是这样的搞法，我们还有得赚。”

“行，我马上通知各大批发商。”汤伯卿点点头。

“咱们得让大旗公司明白，振兴社不怕打架，”米东杰笑呵呵地说，“其实商战就跟打架一样，个子小也有个子小的好处，你个头越大，暴露的地方越多，只要我出其不意，并且角度刁钻，虽然打不倒你，但一样可以打疼你。”

说打就打。

大旗公司果然上当，非但立即应战，而且一下子把价格拉到了每箱三块五角。

海伦建议说，现在应该缓一缓速度，不要马上再降，让他们在这个价位上保持一段时间，以便市场充分吸收——这就跟音乐中的节奏一样，应该有一个巧妙的停顿。

价格初降，销售顿时火爆。洪云甫上街观察，回来后笑称，市面上买肥皂的人是“扶老携幼、不绝于途”，许多人家像买咸肉那样一串串抢购，挂在屋檐下风干备用。

一周以后，米东杰吩咐“接着打”，每箱降到三块。

又经过一周的时间，大旗公司看看水越捣越混，自家的销路大受影响，顿时火冒三丈，再也不屑于五角、五角地降，干脆把价格猛地拉到了每箱二块。

一块五角——米东杰又喊出了极限价。

以单价来说，米东杰确实已经亏损，但细算下来实际损失却没有多少。很简单的道理，米东杰的人工、水电、运输成本要比大旗低得多。前一阶段老百姓见洗衣皂降得这么便宜，全都一窝蜂地购买，甚至是大量囤积，市场已经接近饱和，现在敌牌虽然卖得极低，但实际出货量却并不高，这就是海伦所说的“节奏”的妙用了。

大旗公司也许是醒悟过来了，也许是再也无法下跌，这次把价格同样降到了一块五角。汤伯卿估计，以大旗公司这样的规模，算上人工、水电、仓储和运输成本，每块洗衣皂起码得亏掉七到八角。

现在的形势是：卖得越多，亏得越多。

双放僵持在一块五角的价位上不动，但后果已经十分明显：洗衣皂市场走进了死胡同，而且必将很长一段时间无法苏醒！

“老米，差不多可以开足马力生产硫磺皂了。”海伦提议道。

最近，海伦也跟着大家学用中国话的口音把米东杰唤作老米。

前些日子，米东杰给海伦换了个新住处，不用再像以前那样跟一对老夫妻合住在一间房里。新住处同样位于舟山路的中段，离米东杰和洪云甫居住的地方相隔不远，是一家面包店在后院新搭建出来的二层小楼，虽然租金较贵，但生活起居十分便利，甚至还可以在面包店里搭伙，海伦再也不用每天到难民接待站去排队领取食物了——那些一成不变的菜饭及少量的中国式白脱：乳腐。

“老米，你小子在海伦身上挺舍得花钱啊，”洪云甫常跟米东杰开玩笑说，

“什么时候把咱俩住的狗窝也换换？”

“呵呵，咱们两个大男人，好对付，”米东杰总是这么笑着回答，“等有了钱，也别租那阁楼了，干脆买一套石库门房子下来。”

“我提个醒啊，”洪云甫有时也会小心翼翼地说道，“据我所知，犹太人的规矩挺大，而且一般不跟异族通婚……”

“我知道，我知道。”米东杰总是这么不耐烦地打断话头。

米东杰当然知道犹太人规矩大，前一阵，特地去图书馆找来几本介绍犹太历史和传统的书籍，了解到犹太民族自有一系列独特的圣日、仪规和宗教习俗，制约着人们的日常行为，形成了与众不同、独具特色的生活方式。

犹太民族虽有五千多年的历史，但却屡遭屠戮，流散于全球各地，始终穿行在炼狱的窄道上，尤其是今年希特勒向东欧挺进，成百万犹太人落入魔掌，整个民族遭遇灭顶之灾。难民们初到上海时大多身无分文，但是凭着求生的信念和热爱生活的天性，竟在短时间内重又绽放出强韧的生命力来：来自德、奥、波兰等国的难民中颇多知识阶层，很快便建立起难民医院和难民学校，甚至还创办报纸和杂志；艺术家们更是组成艺术团体，经常举行露天音乐会、上演意第绪戏剧；建筑师们在虹口、提篮桥一带被炸成废墟的地段重建房屋，开办了许多餐馆、理发店、杂货店、面包店等等，马路上处处可见德文店招；奥式露天咖啡馆也出现在街头巷尾，昔日破旧的街区变成了闻名遐迩的“小维也纳”。

上海成了犹太民族的诺亚方舟，但每个犹太人心里都清楚，这里不是自己的故园，寄人篱下的日子总会过去，来日必将远走高飞。

这一点，米东杰心里也很清楚，但现在的问题是：自己已经无法摆脱海伦那强大的吸引力了！

每天傍晚，米东杰总是陪伴着海伦慢慢地走回住处——此时，洪云甫总是很识趣地避开——俩人边走边聊，各自谈起酸痛的往事，但又觉得这无疑是一天里最享受的时刻！聪明的海伦很快便学会了一些简单的中国话，俩人经常会去犹太人开设的餐馆共进晚餐，或者在露天咖啡馆里享受一壶香浓的咖啡，有时候，还会去犹太聚居区内大名鼎鼎的棕榈树花园跳舞。米东杰的手脚不算太笨，经海伦耐心教了几次，居然也学会了好几种舞步。

十月份，天气不冷不热，海伦迎来了到上海以后的第一个生日。

米东杰打听到汇山路上的百老汇戏院的屋顶，现在被犹太难民租下来开了一家极具欧陆风情的咖啡馆，配上凉亭、花草和灯光，取名为“麦司考脱屋顶花园”，天天举办各种聚会和演出活动，每到节假日总是热闹非凡，稍微富裕点的犹太人都会换上最好的衣服去出席派对。所以米东杰向海伦提议，生日那天是不是就去麦司考脱屋顶花园庆祝，痛快淋漓地跳一晚舞。

海伦当然十分高兴，在办公室隔壁简陋的实验室里一整天都不停地哼歌。

到了那一天，海伦换上一身从德国带来的漂亮衣裙，脸上稍微化了点妆，美丽得如同从画报上走下来的电影明星，米东杰见了，几乎惊得半天合不拢嘴。傍晚时分，俩人先去舟山路上一家名叫“Sidas”的饭店品尝原汁原味的维也纳牛排，享用一种据说是从欧洲带来的，名叫“dieFeinkost”的调料，并慢慢地喝掉一瓶红酒，随后迈着轻松的步伐前往麦司考脱屋顶花园。

屋顶花园的凉亭下灯火摇曳，乐声轻柔，由于时间尚早，舞客还寥寥无几。米东杰要了咖啡后落座，凝视着彩灯下海伦那半暗半明的脸庞，听着乐队演奏着一曲柔情似水的“永在我心”，一瞬间觉得灵魂都似乎出了窍。

八人乐队演奏完一支曲子后稍作休息，米东杰一时兴起觉得手痒，再加上喝了点酒又十分壮胆，站起身来说要为海伦演奏一曲作庆贺——米东杰竟然忘了海伦原是专业管弦乐团内的职业小提琴手——要是现在想起这一点来，那就无论如何不敢班门弄斧了。

乐队只有大提琴、小提琴和一架风琴，米东杰虽然会弹管风琴，但还从来没有接触过风琴，但想上去二者差不多属于是表弟兄关系，应该不难驾驭。

米东杰跟乐手们打了个招呼，坐下身来凭记忆弹起了一首巴洛克风格的“卡农”。

还好，虽然多年未碰琴键，难免有点生疏和僵硬，但大体上还算说得过去。感谢马丁牧师，这一手当年看来稍显多余的洋本事，现在恰好派上了用场，而且不多不少刚刚够用。

卡农并非曲名，而是一种曲式，意为“轮唱”，是复调音乐的一种技法，由一个声部追随另一个声部，相同旋律依次出现，交叉进行。米东杰弹奏的是帕赫贝尔的“D大调卡农”，前后仅三段旋律，虽不断回旋往复，但旋律优美并无单调之感。

海伦像是受到了鼓动，突然站起身来，从乐手手中接过一把小提琴，站在米东杰的对面娴熟地演奏起来。米东杰越弹越顺手，如有神助一般无比流畅自如，除了速度稍显不稳，竟然没有弹错一个音符。小提琴奏出与风琴完全相同的旋律，似亲密的情侣互相追逐、缠绕，交相共鸣出各种带有即兴风格的色彩变化，使平凡的韵律脉动起瞬息万变的生命力。

重复共达二十八次，在这个令人迷醉的夜晚，微风吹拂下的屋顶平台远离战乱的恐怖和尘世的污浊，也使两颗年轻的心彻底靠在一起。米东杰的手指还未离开琴键，只觉得脸颊上一阵温热，抬头一看，原来是海伦正俯下身来，用那花朵般的嘴唇在久久地亲吻自己。

听得兴致勃勃的舞客们和乐手们友善地鼓起掌来。

伟大的音乐打破了俩人间最后的距离，接近半夜的时候，米东杰送海伦回家，俩人已经紧紧地依偎而行，若非夜色已深路上不太安全，还真是不愿分离。

一路来到面包店后面那幢新搭建出来的二层小楼的楼下，米东杰一眼看到路灯下站着一位身材高大的犹太青年，手里捧着一束鲜花，似乎正在等什么人。

“海伦。”那人突然用意第绪语[1]呼叫着朝海伦走来。

“雅各布？”海伦瞪圆双眼，也用意第绪语表示惊讶。

名叫雅各布的青年显然目睹了米东杰和海伦依偎而行的那份亲密，不知何故脸色不悦，甚至还有点小小的恼怒，走近来朝米东杰长时间地瞪了一眼，将鲜花朝海伦的手中重重地一塞，头也不回地转身离去。

“他是谁？”米东杰不得不承认，自己的语气里满含醋意。

“他叫雅各布，来自奥地利，我们同船来到上海。”海伦轻声解释道，随即又补上一句：“雅各布知道我今天生日。”

米东杰明白了，那个雅各布，也在吃自己的醋，而且很可能吃得更加厉害。

大旗公司憋不住气了。

还是那个神气活现的爱德华，还是那家邓脱路上的咖啡馆，但米东杰却反过来摆了点架子。

首先是不多不少故意迟到二十分钟，而且是带着海伦同去，看上去像是情侣约会再顺便聊一下生意而已。米东杰的目的就是要显出浪荡公子没心没肺的作派来，让爱德华误认为自己确实就是那种会把傻事干到底的楞小子。

爱德华的傲气收敛了许多，稍事寒暄便摆明用意：希望与米东杰握手言和，共同将价格恢复到原来的水平。

“我们的肥皂都是废品，只能卖这个价。”米东杰用中国话爱理不理地答道。

[1] 属于日耳曼语族，德系犹太人使用最多，现代以色列已由希伯来语所取代。

"为示诚意，这次振兴社受到的损失，可以由我们公司来承担。"爱德华明显一顿，试着加上一点砝码。

"不必了，这点损失不在话下。"米东杰一口回绝，心里却在暗骂：蜡烛，不点不亮。

"这样的状况如果持久下去，唯一的后果就是两败俱伤，请米先生考虑后果。"爱德华加重了一点语气。"我们都应该明白一个道理，争斗只是手段，而不是目的。"

"哈哈，我的理解正好相反，"米东杰故意哈哈大笑，"我现在的目的就是要为争而争，除非你们公司彻底让出洗衣皂市场。"

"为争而争？"爱德华一楞。

"没错，《天演论》中强调过这个争字的意义，"米东杰一本正经地说道，"中国目前虽然很弱，但并不是每一个中国人都是盲目悲观、无所作为的可怜虫，我本人就坚信，只要通过努力和竞争，最后一定能够变为强者。"

"冒昧地问一句，你们有这个争的实力吗？"爱德华语带讥讽。

"这个不用你担心，"米东杰依然笑着回答，"用我们中国话来说，这叫没有金刚钻，不揽瓷器活。"

"难道是哪家大公司在做你们的后盾……"爱德华自作聪明地试探了半句，顺便仔细打量海伦的面部反应。

"无可奉告。"米东杰两手一摊，来了个虚虚实实。

话说到这个地步，爱德华再也无计可施。

大旗公司与多家英美制皂厂长期明争暗斗，既然自己会用借刀杀人之计，人家又何尝不会将振兴社作为武器？

米东杰看看目的已经达到，站起身来客客气气地与爱德华告别，但又并不马上离开咖啡馆，而是跟海伦换了一张离得最远的桌子，坐下来继续喝咖啡，留下爱德华一个人坐在原处疑神疑鬼。米东杰要的就是这样一种效果：今天要不是为了和美女卿卿我我，老子还不一定肯来这里进行所谓的谈判呢。

乘着现在气氛适宜，米东杰试着聊到了这几天里一直惦记着的雅各布，当然，用的是一种极其随便的口吻。

"雅各布原来是一家机械厂的技工，同船来上海的那段日子里，对我父亲非常照顾，"海伦知道米东杰的心思，微笑着介绍道，"刚到上海的时候，我们都寄居在难民接待站中，五十个人挤一间屋子，后来还是雅各布帮我找到了住房。”

“这位朋友很热心啊。”米东杰酸溜溜地说道。

“雅各布现在加入了贝塔，我也搬了住处，已经很久没有来往了。”海伦又是浅浅一笑。

“什么是贝塔？”米东杰问道。

海伦介绍道，“贝塔”是一个宣传犹太复国主义、保护在沪犹太人的准军事组织，重要骨干和成员持有枪支，总部就设在华德路上的摩西会堂。这么一说，米东杰想起来了，那天见到的雅各布确实穿着一身类似军装那样的制服，头戴船形帽，肩膀上有软肩章，臂章上则是一个代表胜利的字母“V”。

海伦回忆说，当初自己和父亲是先逃到意大利后再坐船离开欧洲的，满载着犹太难民的远洋轮漂泊在茫茫大海上，沿途经过的所有国家全都关闭国门不愿接纳，船上的高音喇叭里一次次传来“无法靠岸”的通知。由于绝望和伤心，父亲一病不起，最后终于终止生命并被海葬，当时要是没有雅各布的照顾和安慰，自己也很有可能纵身于大海……说到这里，海伦的眼中已经热泪滚滚。

米东杰长吁短叹，摸出干净的手帕递了过去。

海伦擦了擦双眼又说，雅各布到沪后还参加了JRC拳击队——上海“犹侨体育俱乐部”，简称JRC，下设拳击、足球、网球、曲棍球、田径等小组，号召难民们积极参加体育活动——只是自己不太喜欢这些激烈的对抗运动，所以对雅各布除了感激，向来没有太多的好感。

这么一说，米东杰稍稍放下心来。

“有那么多的话题好谈，为什么老是提雅各布？”海伦早已看穿米东杰的那点小心眼，立即打断了这一话头。

“那我们聊什么呢？”米东杰有点不好意思。“聊聊硫磺皂？”

“对，商量一下硫磺皂的事吧，”海伦扭脸一看，原来靠窗坐着的爱德华不知道什么时候已经离去，“差不多到了该出击的时候啦。”

“嗯，这几天我也一直在考虑时机的问题，”米东杰点点头，“我想请几个中医和西医，写几篇介绍硫磺皂功效的文章，找人登报或在杂志上发表，老百姓一般都相信医生的话，这一招应该管用。”

“再印制一些海报，派人去四处张贴。”海伦补充道。“我建议将售价定得高一些，但不能像洗衣皂那样直接销售，而应加上一层包装以提升档次。”

“对，卖得太便宜，人家反倒不相信效果了。”米东杰完全同意。“这样，先定为每块二角，先看看销路怎么样再说。”

“硫磺皂只是一个开路的产品，”海伦得意地说道，“我们以后还可以制造石碳酸皂、硼酸皂、来苏尔皂等一系列药皂，让别的公司应接不暇。”

回到厂里以后，米东杰马上跟洪云甫和汤伯卿商量，从明天开始，停止生产洗衣皂，将仓库里的废皂全部拉进车间进行回炉处理，然后全线生产硫磺皂。

前期的脱硫试验洪云甫已经在海伦的协助下做过几次，效果相当理想，其他所需的原料也早已采办回来，一旦正式开工，最多十天半月，敌牌硫磺皂就能出现在上海滩的每一个角落。

乘海伦忙着在实验室里配制石碳酸皂方的当口，米东杰拉着洪云甫和汤伯卿在办公室里开始商量下一步棋子的走法。

“老米，大旗公司大概做梦都没有想到，我们会利用废品来借尸还魂。”汤伯卿笑言道，但多少还有一些疑虑。“我就担心一点，就是敌牌被黄梦熊那瘪三搞臭了名气，人家是不是还买我们的账？”

“这个我也想到了，硫磺皂的事情拖到今天，主要就是这个原因，”米东杰洋洋得意地说道，“既然有了这个臭字，要避也避不掉，所以我想，倒不如干脆将错就错，在这个臭字上大做文章。”

“怎么做法？”洪云甫和汤伯卿异口同声地问道。

“硫磺皂这个名字比较专业，一般不识字的人恐怕都记不住、叫不出，”米东杰一本正经地说道，“我们干脆给它取个俗名，就叫臭肥皂！”

“这可有点惊世骇俗。”汤伯卿沉吟道。“一般人的印象中，肥皂总归是越香越好。”

“我倒觉得是个好主意，”洪云甫稍微一想，马上大加赞同，“突出一个臭字，一是显得与众不同，二是更能吸引大家的注意力。”

“这倒也是，确实十分有趣。”汤伯卿再一细想，也点头表示赞同。“有点大俗即大雅之感。”

“是啊，既然是药皂嘛，就得有点特别，不然怎么起到杀菌作用？”米东杰开心地笑了起来。“就像买药一样，没人会抱怨药是苦的。”

“好，那就定下来，就叫臭肥皂。”洪云甫跃跃欲试起来。“我马上去找印刷厂设计包装纸，上面标上一个大大的臭字。”

“我还有个想法，”米东杰继续说道，“第一批产品出来以后，不要马上忙着往外发货，而是派人向各大难民所和贫民区免费赠送，同时联系几家报纸的记者，花点交际费，让他们在报上帮我们振兴社造造声势。”

开战以来，租界和华界里的中国难民一天比一天多，许多戏院、学校、教堂都改成了临时收容所，由于人满为患，卫生条件可想而知，而穷人聚居的棚户区中情况也好不到哪里去，类似皮炎、疥疮、螨虫之类的病害横行，要是硫磺皂能起到有效控制的作用，再通过西医和记者们的生花妙笔大肆渲染，那可是再好不过的活广告了。

洪云甫的办事能力还是十分出色的，一面跑印刷厂定制包装纸和大幅招贴，一面三天两头地请客吃饭，拜托租界里较有名气的西医撰写那种二、三千字的科普文章，热情洋溢地讴歌、颂扬硫磺皂的种种好处。报馆一头，也与好些主笔、记者交上了朋友，除了吃吃喝喝，零零散散还塞掉不少现金作孝敬。

硫磺皂生产出来后质量十分过硬，米东杰按计划行事，首先造声势向各大临时收容所和棚户区免费赠送，记者们天天报道，甚至还炮制出一篇对米东杰的专访，取名为“位卑不敢忘国忧”刊登在头版位置，甚至还配上了一张米东杰亲手向难民发放药皂的照片。同时，西医们的豆腐干文章也陆续粉墨登场，海伦联系的犹太西医又用英文写了几篇介绍性文章发表在英文报纸上，汤伯卿则天天催着工人到处张贴大幅招贴……

一时间，上海滩上几乎人人皆知敌牌“臭肥皂”的厉害，等到首批产品正式上市，仅仅一天时间便被争购一空。

零售价二角一块，而成本仅仅二、三分钱，这么大的利润，原来的洗衣皂根本无法比拟，而且还是一枝独秀，暂时没有竞争。

“现在属于黄金期，应该抓紧时间。”海伦提醒道。

没错，眼下各家制皂厂都未醒悟过来，应该乘这段时间把生意做足，等到各路人马一涌而上，纷纷推出药皂的时候，势必重蹈洗衣皂的覆辙。

“日夜开工，”米东杰吩咐道，“取消放账期，一律现款现结。”

生意确实做得异常顺手，可是，令人恼火的是，还没来得及享受胜利的喜悦，坏消息已经接踵而至。

首先是大旗公司展开了第二轮攻势，正式追讨与汤伯卿之间那笔未曾了结的债务——总金额将近五万元——连带着把振兴社也卷了进去。

振兴社的性质属于“普通合伙企业”，其中米东杰出资最多，所以占有六成；汤伯卿以地皮折价和销货渠道入伙，占有三成；洪云甫则以技术入伙，占有一成。大旗公司的诉讼请求十分明确：除了查封汤伯卿的个人资产以外，其作为

“普通合伙人”在振兴社的那三成财产份额也必须用来清偿，或者由大旗公司享有优先购买权，受让汤伯卿的那三成股权。

这就是说，最坏的结果，大旗公司从此将成为振兴社的合伙人。

更让人头疼的是一波未平，一波又起。

那天下午，米东杰正在实验室里陪着海伦修改皂方，俩人一边以手工方式小范围试制石碳酸皂，一边嘻嘻哈哈地开着玩笑——现在，海伦已经开始改用中国话，虽然发音还稍显僵硬——毫无疑问，海伦显然很乐意融入中国人的生活，前一阵特意去一所中文补习班报了名，一本正经地日夜攻读，平时没事时总是手捧教材朗声阅读，就是与米东杰和洪云甫交谈时也尽量使用中国话，虽然磕磕巴巴，但进步异常神速，仅仅二、三个月下来，居然已能畅通无阻地表达、交流，甚至还时不时地冒出一、二句让人笑疼肚皮的上海土话来。

俩人正聊得高兴，虚掩着的房门被“砰”一声重重地推了开来。

段红莲!

米东杰几乎不敢相信自己的眼睛，站在自己面前的人，竟然是多年不见的段红莲!

怎么可能呢？段红莲不是一直呆在响水老家，怎么突然跑到上海滩上来了？而且横刀立马，满脸都是兴师问罪的怒色。

“米呆子，别来无恙啊！”段红莲的问候中充满了火药味，就差奉送两个耳刮子当见面礼了。

第九章　较　量

段红莲其实一直在上海。

当年，段红莲一到苏州便去山塘街上询问米东杰的下落，很快就问到了义福当的门前。安徽朝奉答曰：米东杰发了点财，早就不在当铺干了，这会儿可能已经去了上海，不过有一点可以肯定，什么做了人家的女婿并生儿育女之类，纯属子虚乌有。一名与米东杰比较要好的小伙计出主意说，米东杰跟金家弄里一家蜜饯作坊的李老板来往密切，现在那老头虽然已经过世，但去金家弄多问问的话，兴许能够问出点蛛丝马迹来。

段红莲无奈，只得在山塘街上找客栈住下，然后天天上街到处寻问，把金家弄里的蜜饯作坊全都问了个遍，最终得出的结论是：米东杰确实已经去了上海，而且是刚走不久。

这下段红莲傻了眼，既不甘心回响水老家，又没胆量再去上海追寻——上海比苏州大得多不说，眼下连一点线索都没有，去哪里找、去哪里问？

正在去留两难之际，段令康匆匆赶到苏州，把山塘街上的客栈一家家问过来，没费多大功夫便找到了妹子。段红莲知道老父已经过世，痛哭一场之后更加不愿回家，当时正是十一月的下旬，淞沪会战结束，政府迁都重庆，段令康说，现在去哪儿都不如去上海租界保险，别举棋不定了，去上海吧！

此言正合段红莲的心意。

兄妹俩来到上海，在法租界内赁房安居，过上了百无聊赖的公寓生活。

段令康手上虽然有点钱，但也害怕坐吃山空，要是做生意吧，实在过不惯那种营营苟苟、成天算计的日子，要是干实业吧，这点本钱又挡不住折腾。最后不免志大才疏，有前途，没出路，只能过一天是一天，拿“等机会”这句话来安慰自己。

段红莲只要有吃有住，生意不生意的并不关心，一开始有事没事总是成天上街乱转，寄希望于能在街头巷尾与米东杰邂逅。但是，上海实在是大得漫无边际，人又多得毫无章法，眼看着冬去春来，硬是连个大概方向都没有。

段红莲终于失去了信心，不得不承认，这辈子大概真是再也无法见到米东杰了。

巧就巧在正当心灰意冷之时，报纸上突然出现了连篇累牍关于振兴社、硫磺皂与米东杰的文章，再看照片，丝毫不差，不正是当年仓皇出走的米呆子？

米呆子仍是孤身一人，以前的传闻基本失实，段红莲的火气马上消去了一半。

可是，这么多年了，这小子竟然不回一次老家，也无只言片语寄回，实在是有点说不过去——想到这里，火气又反弹了一些。

米东杰的心情则完全是一笔糊涂账，此外还有点小小的心虚。

两个人要是在厂子里吵吵嚷嚷、哭哭啼啼，未免有点不像话，米东杰赶紧拉着段红莲出门，在马路的拐角处找了家名叫“雨果”的露天咖啡馆，坐下来慢慢地细说缘由。

面面相觑，满肚子都是话，可真正说出口时，又得精打细算，以免尺寸不符。

身边的行人不停地来来往往，天气又不凑巧，竟然淅淅沥沥下起了小雨。咖啡馆老板为客人支起大伞，耳边马上响起了凌乱的沙沙声。没有久别重逢的激动，更无破镜重圆的亲密，此情此景，只能令人心绪翻滚，比那雨声还要凌乱百倍，大有说不出来的酸楚和悲凉。

“都怪那挨千刀的田秋根，”米东杰双眉紧皱，语声黯淡，“咱们俩都被他骗了。”

这一点，段红莲完全相信，因为米呆子打小就不会说谎。在马丁牧师眼里，说谎跟偷窃一样可耻，要是一个人被骂作骗子，那就什么都完蛋了。

“可这个该死的王八蛋为什么要这么两头骗呢？”段红莲的怒气差不多已经漏尽。

“我看是有人在里面做了手脚，”米东杰开始有点醒悟，“会不会是你哥搞的鬼……”

“我哥？”段红莲差点跳起来。

“只要仔细想想，田秋根跟咱俩无怨无仇，为什么要去做那两头行骗、两头都不讨好的事情呢？”米东杰越想越有把握。“除了你哥，不会有别人，我寄了那么多的信，肯定也被他拦了下来。”

“我回去后一定要问个明白！”段红莲咬牙切齿地叫道。

“我看，也不必问了……”米东杰吞吞吐吐地说道。“时过境迁，问清楚了又能怎样？”

“什么叫时过境迁？”段红莲辨出味道有点不对。

“我的意思是……”米东杰无力地分辨道。

“我知道你的意思，是不是现在发了大财，翻脸不认人了？”段红莲又拿出了以前惯有的霸道劲。

刚说到这里，街角边出现了海伦的身影，手上打着一把伞，腋下夹着另一把伞，正东张西望着快步朝露天咖啡馆走来。看样子，是给米东杰送伞来了。

海伦吃不透段红莲到底是什么人，但看到米东杰那躲躲闪闪的神情，心里还是有了一些小小的猜测，现在乘着天上下雨，正好借送伞的机会过来探个虚实。

“你先回去吧，我呆会儿再走。”米东杰接过雨伞对海伦用英语说道。

“没什么事吧？”海伦瞟了一眼脸色不悦的段红莲。

“没什么事，”米东杰故作轻松地笑笑，“我的一个同乡，也是童年的伙伴，正好也在上海。”

“这洋婆子是什么人？”段红莲的火气又浮了起来，挑衅意味十足地瞪着海伦。

“厂、厂里的技师……”米东杰多少有点慌乱。

“哼，我看不见得吧！”段红莲话对着米东杰说，目光依然咬着海伦。

“我先回去吧。”海伦自然也觉出了浓重的敌意。

米东杰灵机一动，想到继续坐在这里谈下去只会越说越僵，不如也来个以退为进，先让段红莲冷静一下，慢慢地琢磨、适应、接受眼前的事实，然后再心平气和地坐下来谈，这样也许反能达到事半功倍的效果。这里，又要用到海伦所说的“节奏”了。

“今天天不凑巧，咱俩还是改天见面再聊吧。”米东杰向段红莲建议道，把海伦送来的那把伞递了过去。

“我看是人不凑巧吧？”段红莲冷冷地刺了一句。

“我先回去，改天我像模像样摆一桌，给你们兄妹俩接、接风……”米东杰虚晃一枪准备撤退，自己都觉得“接风”的说法实在有点好笑。“你们住的地方很好找，我明天派人去送请帖。”

“哼，还下请帖呢，挺会摆谱啊。”段红莲冷笑道，又扫了一眼海伦，话里有话地说道：“我看你是成了香饽饽了。”

米东杰装作没听懂，接过海伦手里的伞，跟段红莲告别一声后像逃跑一样走入雨中。

海伦紧贴着米东杰躲在伞下，一只手自然而然地勾住香饽饽的胳膊，一路快步地离去。

米东杰觉得当着段红莲的面这样亲密似有不妥，但转念一想，这样的效果其实相当不错，可以既直接又婉转地告诉段红莲，现在的米呆子是什么原因、什么现状、什么态度……至少也能让段红莲明白，人在变化、事在变化、整个世界都在变化，有些人与事就如流淌的河水，一旦流走就无法挽回。

段红莲脸色气得铁青，真想一把掀翻面前的咖啡桌。

雨越下越大，段红莲呆坐了一会儿准备回家，但拿起海伦送来的那把雨伞后，却又不愿使用，狠狠地朝地上一摔，昂首挺胸地走进雨中，留下咖啡馆老板目送着她那气冲冲的背影，只觉得完全摸不着头脑。

段家兄妹来上海后一直居住在莫利哀路中段一幢名叫“埃德罗”的中档公寓里。

公寓是一位比利时富商的产业，但现在由二房东在管理，对住户包水电、包三餐，折算下来总开销并不算高。段令康当时运气很好，正巧遇到几名法国前房客要回国，一下子空出来十几间房间，段令康颇有眼光，觉得这是个能赚点小钱的机会，于是将那十几间房间全部租了下来，除去自己占用二间之外，其余再行转租，顺手当上了三房东。事实证明这步棋走对了，随着避难的人越来越多，房屋变得日渐抢手，所有的空房全部加价租出，自己白吃白住不算，每个月居然还能多出一小笔钱来。

回到公寓里时，段红莲早已淋得浑身精湿，但顾不得先回自己房间换衣服，而是马上敲开段令康的房门兴师问罪。

“找到米呆子了？”段令康情知不妙。

“我问你，当年那个田秋根，是不是你搞的鬼？”段红莲大声喝问。

段令康本能地想否定，但转念一想，妹子既然已经与米呆子见了面，继续扯谎也没什么意义了，于是既不肯定也不否定，来了个避实就虚，让段红莲快去换衣服，有什么话慢慢再说。

“哼，果然是你。”段红莲怒目圆睁。

“我这不是为了你好？”段令康忍不住叫了起来。

“为了我好？”段红莲冷笑道。“我这一辈子全毁在你的手里了！”

“你自己死心眼，怎么能怪到别人头上来？”段令康的脾气也没那么好。

“我再问你，所有的信是不是被你拦掉了？”段红莲咄咄逼人地问道。

“是又怎么样？”段令康恼火地吼道。“你瞧瞧你自己，跟疯婆子有什么两样？”

“你个混蛋！”段红莲抓起沙发上的一只靠垫朝兄长扔去。

“告诉你吧，我就是看不上米呆子，怎么样？而且，这也是咱爹的意思，”段令康躲过靠垫，恶狠狠地嚷道，“今天老实告诉你吧，当初米呆子的那座磨坊，也是我让人去烧的。”

段红莲一怔，呆了半晌，终于坐在沙发上哇一声痛哭起来。

“唉，我又怎么想得到，米呆子能有今天……”段令康看着妹子的样子，心里有点不忍，口气马上软了下来。“可要不是我当年的那把火，米呆子至今还是个乡下佬呢，撑死了就是再开一家磨坊。”

“住嘴！”段红莲尖叫道。

“我说，你没把米呆子的来历说出来吧？”段令康看着妹子手腕上的手镯问道。

段红莲的手腕上，戴着一只油光铮亮的黑褐色手镯，看上去形状十分别致，甚至还略有几分古怪——由两条小蛇绞盘而成，蛇头微微翘起成交颈状——而且不是金银、不是宝玉，居然是用整块墨黑的乌木雕琢而成的，雕工异常精美，看得出应该花费了无数的时间和精力。

米东杰现在还不知道，就是这只手镯，竟然就是开启自己那谜一般身世的钥匙。

也就是说，段红莲现在已经知晓了米东杰的来历和底细：打哪儿而来、父母是谁、为什么被抛弃……

“没说，好几次话到嘴边，还是缩了回去。”段红莲摇摇头。“他那个死样子，我为什么要告诉他？”

“其实，就是告诉他也没什么大不了的，时过境迁，早就无所谓啦。”段令康道。

“不能这么说，既然我当时答应过老道要保守秘密，现在就不能轻易食言，”段红莲一本正经地说，“这是人家的临终遗言，不能不当回事。”

“行啦，这些陈芝麻烂谷子的事，跟咱们也没多大的关系，”段令康拍拍妹子的肩膀，“今天见到米呆子，不也挺好？”

“好什么好，晚啦，”段红莲气急败坏地叫道，“什么都晚了！”

“请帖由我去送吧。”洪云甫自告奋勇地说。“看在老同学的面子上，段令康至少不会把我赶出来吧？”

“嗯，段令康跟你总归算是老朋友了，这点面子不会不给。”米东杰相当高兴。

洪云甫找到莫利哀路上的埃德罗公寓，段令康开门见是多年不见的老同学，真是又惊又喜又奇怪，直叹造化弄人，怎么各自兜了一大圈，最后会在上海滩上碰头？段红莲在旁边叹道：真叫不是冤家不聚首哪，居然还是跟米呆子在一起。

老朋友兴高采烈地叙了半天旧，这才说到了正题。

米东杰的请帖上，明明白白地写明同时邀请段家兄妹。

段红莲有些小小的高兴：难道米呆子回心转意了？

段令康犯了难：以自己这样的角色，双方见了面实在有些尴尬，不过想想米呆子的确颇有不计前嫌的大将风度，再说此一时彼一时，人家已经不放在心上了，自己又撑个什么劲呢？既然做人必须通达、圆融，那么借机与米老板套套近乎，至少不会有什么坏处吧？

“去，一块去。”段令康对妹子说。

米东杰的宴席设在派克路上的功德林素菜馆。

之所以选中这样一个地方吃素斋，其实还是煞费苦心的结果：米东杰决定带着海伦一同出席，以便继续旗帜鲜明地摆明态度，让段红莲慢慢接受现实，但犹太民族的饮食禁忌颇多，一般的餐馆不太方便，想来想去只有吃素菜最合适。此外，为了营造自然、融洽的气氛，今天的陪客还有洪云甫和汤伯卿，万一段红莲到时候出言不逊，二人还可以在旁边打打圆场。

功德林菜馆规模宏大，三层楼面、十二开间门面，许多名人都是这里的常客。米东杰定了一桌价值不菲的“罗汉斋”，小包厢内的陈设无不古色古香，雅致得令人瞠目，令海伦大开眼界。

段家兄妹准时赴宴。

段令康见了米东杰极其客气，双方说些不咸不淡的场面话，只字不提以前响水的旧事；段红莲本来面色还算轻松，但是一见到海伦在场，马上刷一下拉下脸来，此后一直横眉冷对，始终没有吭过声。

洪云甫靠着段红莲坐，菜一上来马上找到了话题，滔滔不绝地介绍起罗汉斋的好处来，说别看菜式林林总总十分丰富，其实只用到香菇、蘑菇、冬笋、木耳、面筋、腐竹等十八种原料，而滋味却又与山珍海味无异……段红莲第一次吃素斋，见了那些看上去与鸡鸭鱼肉毫无二致的菜品十分惊奇，品尝之余又觉香鲜异常，这才慢慢高兴起来，与洪云甫的话也越来越多。

米东杰病急乱投医，见了心里一动：洪云甫的年纪也老大不小了，要是日后跟段红莲配对成双，倒是相当合适。

可惜段红莲并不这么想，饭吃到一半，看到米东杰总是用英语在跟海伦交头接耳时，憋了半天的恼怒终于爆发出来。

“嘀嘀咕咕干什么？”段红莲开始发难，“说出来让大家听听啊。”

“呵呵，海伦听不懂我们的话嘛……”米东杰只得强作笑颜。

“我听得懂，你咋不跟我讲呢？”段红莲将筷子往地上一扔。“什么海伦、海伦，有了洋婆子啥都忘了是不是？”

米东杰一时语塞，汤伯卿见了连忙和稀泥，一边吩咐伙计再拿一双筷子来，一边连说一些“好了好了”、“算了算了”之类的劝解话。

可惜段红莲的小姐脾气注定了不会见好就收，最擅长的倒是乘胜追击，新筷子到手，马上腾地站起身来，用筷子指着米东杰的鼻子，面孔一下子涨得通红，段令康拉了几次都没拉住。

“告诉你，米呆子，不要发了点财就神气活现，像你这种忘恩负义的东西，姑奶奶不稀罕！”段红莲提高嗓门大吼大叫。

“我怎么忘恩负义了？”被当众唤作“米呆子”，米东杰的脸上有点挂不住了。

海伦一脸惊恐，脸色刷白，但看上去倒是别有一番楚楚动人的韵致——段令康近乎目不转睛地看着这张精美绝伦的脸，要不是身边的妹子正在捣蛋，实在不想把目光移开。

米呆子好福气啊——段令康暗叹不已——既发了不小的财，身边又有这么漂亮的洋妞陪伴，真他娘的不枉此生！

“买东西也有个先来后到，何况……”段红莲既绝望，又愤愤不平。

“何况什么？”米东杰的耐心已经磨尽，没好气地反击道。“问题就在于这不是买东西！”

“我看就你这样的人不是东西！”段红莲现在的态度就像小孩子斗嘴。

“行啦，吵吵嚷嚷像什么样子。”段令康朝妹子呵斥道。

“你也不是什么好东西，”段红莲本就不满段令康的态度，干脆来个破罐子破摔，“瞧你那没出息的样，见了这洋婆子像丢了魂似的……”

“我看你是疯了，”段令康被点破心事，脸上一阵发烧，“我看咱俩还是先走吧，别在这里丢人现眼了。”

“走就走！”段红莲将手里的筷子再次往地上一摔，高昂着头走出包厢。

段令康没办法，只得先行告辞，一边连连致歉，一边追了出去，但临走时仍不忘盯着海伦饱看了几眼。

米东杰没想到好端端的宴请竟会搞成这样一团糟，海伦虽然只字未问，但看得出也是满腹狐疑。米东杰只得苦笑着把段家兄妹到底是什么人、与自己是什么关系等等简单解释了一遍，海伦这才恍然大悟。

“老米，其实这样闹一闹也好，大丈夫当断则断嘛，”汤伯卿安慰米东杰道，“与其后患无穷，还不如就此了结。”

这么一说，米东杰陷入了沉思。

汤伯卿的话确有道理，长痛不如短痛。

那么，怎样才能让段红莲彻底死心呢？

米东杰虽然两只手同时能打算盘，但眼下这笔糊涂账，却怎么也算不明白了。想了大半夜，第二天勉为其难地写成一封词不达意的长信，先是重复说明了之前的原因，继而强调现在的处境，最后晓以大义，劝段红莲眼光放长，另觅高枝云云。信的最后，米东杰不忘提供担保：如果段家兄妹想要在上海做生意的话，自己一定尽最大的努力给予帮助。

写完以后通读了一遍，自己都觉得不太满意，也不太妥当，但还是找信封装起来交给洪云甫，请其再辛苦一趟，当一回邮差直接交到段红莲的手中。

“反正下午没什么事，我现在就去。”洪云甫一口答应。

“慢。”米东杰想了想又拦住。

米东杰迟疑着从贴胸口袋里摸出一件东西——那只陪伴了自己多年的绣囊——依依不舍地一同装入信封。

洪云甫第二次来到埃德罗公寓时，段家兄妹正好都在家。

段令康陪着洪云甫喝茶、闲聊，段红莲站在窗前，迫不及待地拆开信封准备读信。

信封里的绣囊掉落在地，段红莲心里一沉，情知一切的一切已是覆水难收。展开来信，越往下读，面色就越难看，匆匆看毕最后一个字，基本上已经属于勃然大怒。

段令康和洪云甫冷眼里观察，只见段红莲紧咬着牙，将信纸狠狠地撕成碎片，连同地上的那只绣囊，一扬手撒向了窗外，与此同时，两行泪水无声地滑落，掉落下来竟将地板砸得“啪嗒啪嗒”响。

段令康长叹一声，心里也有点心疼妹子，但嘴上什么都不好说。

洪云甫什么都看在眼里，只觉得面前这个无声痛哭的女子，以前在自己眼里总显得那么刚强、泼辣、麻利，唯有此时此刻，才露出了小女人柔弱无助的一面。

“哼，还假惺惺要帮我们做生意呢，”段红莲的柔弱只是昙花一现，“姑奶奶要做生意的话，还要你帮？”

“人家也是好意……”段令康接了一句。

“不用他的好意。”段红莲冷笑一声。“好，姑奶奶就把生意做给你看！”

“唉，疯了。”段令康朝洪云甫说道。

“我没开玩笑，”段红莲脱口而出，又朝着洪云甫一字一顿地说道，“回去告诉米呆子，就说我段红莲是准备做生意，而且是做跟他米呆子一模一样的生意！哼，从今天起，姑奶奶就是要跟他对着干，他做肥皂，行，我也做肥皂，打明儿起，我也去开一家肥皂厂。”

“你以为开厂那么容易？”段令康苦笑道。

“我不管，我不打算赚一分钱，只要能把米呆子挤下水去就成，”段红莲尖叫道，“到时候米呆子成了穷光蛋，看那洋婆子还跟不跟他？”

“瞧瞧，这就是女人家心性，把生意当成了儿戏。”段令康对着洪云甫连连摇头。

开肥皂厂，说简单也简单，说难也难。

洪云甫走后，段令康倒是陷入了沉思。

段红莲刚才那一句“开厂”的赌气话，如一声惊雷般惊醒了段令康的发财梦。

段令康自忖，自己既然是学化学出身，肥皂制造的难易度当然一清二楚，细想想，连米呆子这样的外行都能做到，难道自己还不如他？真是想想都不服气，就这么一个傻小子，如今一帆风顺发了不小的财，身边还有如花似玉的海伦……想到海伦，段令康马上走了神，眼前随即浮现出海伦那美艳的面容和玲珑的体态来。

“想什么呢？”段红莲没好气地抢白道。“是不是在想米呆子身边的那个洋婆子？”

一声吆喝把段令康惊醒过来。

段令康一边笑着呵斥“不要胡说”，一边拉着妹子坐下，一本正经地分析起眼下的处境来：

现在手上虽然还有点家底——总共约有近万元——居家过日子自然是没问题，但不思奋进的话，充其量就是当个无所事事的寓公，而且难保日后会不会山穷水尽。兄妹俩都未成家，真正花钱的时候还没到，而且在上海这种非但认钱，还特别认人的势利地方，土财主不办点实业的话，人家背地里全都瞧不上你。要是老这么浑浑噩噩地混日子，最终只能在社会中下层瞎混，绝对不可能跻身于上流社会，也永远与海伦那样的优质美女无缘……

当然，最后一句没敢说出口。

“哥，那你说怎么办？”段红莲忙问。

“怎么办？明天我先出去看房子。”段令康翘着大拇指说道。

“住得好好的，看什么房子？”段红莲没明白。

“呵呵，你不是要开厂吗？”段令康得意地反问道。“难道开在家里不成？”

“开什么厂？”这回轮到段红莲吃惊了。

“肥皂厂啊，”段令康答道，“你不是要跟米呆子对着干吗？你哥我成全你！”

“可咱们总共只有那么多钱，算起来连一万块都不满，怎么开得起厂来？”段红莲依然不敢相信。

“这个得再想法子了。”段令康似乎挺有信心。“我就不信米呆子刚起步的时候能有多大的实力，再说了，制皂业我虽然没具体干过，但大体情况还是有所了解的。这玩意儿，投资可大可小，说白了，你就是在家里弄几口锅也能干起来。刚开始的时候，我们如果以半手工的方式干，投资大不到哪里去。”

“那还等什么，干呗！”段红莲跳了起来。

第十章　敌人的敌人是朋友

官司的前景不容乐观。

租界本来就是中国大地上社会状况最复杂的区域，由于政治地位的暧昧、含糊，法权更加复杂难辨。上海自开埠以来，公共租界实行“会审公廨[1]”制度，清廷毫无司法主权可言。北伐胜利以后，国人终于逐步收回司法权，先是设立上海临时法院，自一九三零年起，正式改为“江苏上海第一特区地方法院”。

从名义上来讲，法权是收了回来，可洋人的势力还在。举例来说，法院的司法警察长惠丁，就是地道的英国人，此人兼任租界总巡捕房的总警长，拥有指挥公共租界内所有巡捕的权力。

大旗公司的诉讼请求十分简单，要求汤伯卿清偿欠款四万八千元，否则查封所有个人财产及其振兴工业社内的三成财产份额。

当时华德路仓库中被炸毁的肥皂约为一万余箱，本属战争导致的“不可抗力”，汤伯卿可以“免除履行合同的责任或者推迟履行合同”，大旗公司如无胜算的把握，根本不会去走司法途径。

大旗公司财力雄厚，英籍大班级的高级职员，月薪竟达五千元以上，也就是说，汤伯卿的这笔钱还不够给十个大班发一个月的薪水。汤伯卿了解到，特区法院受理的民刑诉讼案数量十分庞大，民庭推事只有十几个人，每人每月平均要办

[1] 简单来说就是：外国人犯法，由外国领事主持审判；华人犯法，由中国官员主持审判；若涉及中外双方，则由中外官员合审，乃领事裁判权在华的延伸。

案二百多件，要是大旗公司不走门路的话，排队不知道要排到猴年马月。

综上所述，大旗公司完全是醉翁之意不在酒，目的只有二个：击垮振兴社，或者是入主振兴社！

按照法律法规，汤伯卿的那三成股权，作为合伙人的米东杰和洪云甫享有优先购买权，但是，这个优先期限只有二十天，也就是说，如果二十天里拿不出钱来，大旗公司就要一屁股坐进来了。

“唉，都是我拖累了你们二位。”汤伯卿总是这么垂头丧气地说，对官司的前景一筹莫展。

“不要这么说，多想想办法，天无绝人之路。”米东杰嘴上这么安慰，其实心里同样悲观。

“在租界的地盘上，中国人永远只有受欺负的份。”洪云甫愤愤地嚷道。

“有什么办法呢？”汤伯卿哭丧着脸说道。“特区法院在人屋檐下，哪有公正可言啊。除非这场官司到苏州的江苏高等法院去打，可能还有点希望。”

这句话猛地提醒了米东杰。

“老汤，你的家庭住址是不是在天后宫？”米东杰一把拉住汤伯卿的胳膊，又强调了一句：“我是问你户籍卡上的住址。”

“没错，现在人虽然住在杨树浦，户籍卡上的住址还是天后宫。”汤伯卿有点莫名其妙。

“好，这就有空子好钻了。”米东杰一下子高兴起来。

“老米，快说说看。”洪云甫连忙催促。

“那天我们到特区法院去时，一进门就看到玻璃镜框里挂着一张公共租界的地图，不知道你们注意到没有？”米东杰的眼珠骨碌碌乱转。“地图上详细标明租界的边界，精确到路名和门牌号数，同时还列载了十五个有领事裁判权国家的名称，也就是说，特区法院的执法权只限于这一范围之内。”

“没错，管不到法租界和华界上去。”洪云甫点点头，但没明白是什么意思。

“可是你们注意到没有，那张地图上有两处地方被红颜色圈出来了。”米东杰得意地微微一笑。

“没注意。”汤伯卿老老实实地回答。

“圈出来的是黄浦江和非租界，那都是公共租界管不到的地方，”米东杰捅破了谜底，“先说黄浦江吧，根据协议，当年的租界是租给外国人造屋居住的，当然只限陆地，不包括水域在内，所以黄浦江不属租界范围，用他们的话来说，就是‘租界里的非租界’。”

“这跟我有什么关系，我的住址又不在黄浦江的船上。”汤伯卿有点失望，但随即顿悟。“哦，我明白了，天后宫是第二个租界里的非租界。”

“对啦，这样我们就有理由顶住这场官司了，当然，还得请个好律师。”米东杰的神情随即转为凝重。“就是不知道法院讲不讲道理了。”

上海是外使出洋的集中地，但是根据大清惯例，官吏住进租界又有辱国格，于是自欺欺人地在苏州河边辟出一块广达十二亩的官地，分别建立供奉“妈祖”的天后宫和专供出使暂居的“出使行辕”，从此官吏到沪后就入住此地，祭拜天后之后再登船出国。于是上海出现了一种奇怪现象：租界是列强在中国土地上建立的殖民地，而天后宫又是在殖民地中的一块“飞地”，被追捕的中国人只要逃进天后宫，租界巡捕就奈何不得。

辛亥革命之后，原出使行辕被重建为上海总商会及旅沪福州人同乡会馆，由于汤伯卿的祖上来自福州，当年在会馆边购有一小块地皮，所以汤家户籍上的住址一直都是天后宫。

“我马上去请律师。”汤伯卿当即跃跃欲试。

正说到这里，办公室门外的院子里一阵汽车引擎声响。

米东杰走出办公室一看，原来是久未见面的柴田光一。

今天的柴田身穿挺括的西服，皮鞋擦得雪亮，头发也收拾得油光可鉴，看上去少了许多以前的书生意气，多了一份商人或政客惯有的沉稳风度，尤其是坐着一辆崭新的小汽车而来，难免更让人刮目相看了。

“森塞，久违了，最近去了哪里？”米东杰惊奇地招呼道。

“米桑，多日不见。”柴田毕恭毕敬地鞠了个躬。

柴田已在夜校消失了近一个月，而且是突然消失，谁也不知道究竟是干什么去了。

自打去年英国和法国对德宣战以后，第二次世界大战全面爆发，德军入侵北欧和法国，苏德战争随即展开。国内方面，汪精卫“中华民国国民政府”在南京成立，日本正式提出所谓的“大东亚共荣圈” 构想，同时先后占领越南和法属印度支那……

全世界都乱成了一锅粥，谁还有求学的心思？平民夜校里的学生越来越少，搞到最后基本上没人再来听课，米东杰看看自己的化学基本知识也已半瓶子晃荡，柴田光一又不见了踪影，再在夜校里呆下去似乎意思不大，于是也不再上学，改为自己买书自学，不懂的地方找洪云甫和海伦请教。

“森塞是回国去了？”米东杰探问道。

“非也，非也，”柴田摇头晃脑地笑着否定，“去了一趟中国内地，做一些考察和调研。”

米东杰心里顿时一个咯噔。

租界孤岛上具有欧美背景的几家报纸虽然身处日军的重围之中，但仍然隔三岔五地刊登一些胆子极大的文章和报道，具有浓重的反日倾向。其中，就有文章揭露东亚同文书院的真正面目，说其乃培养侵华干部，尤其是政治及经济方面人才的大本营。据说，学生们全是由日本各县择优保送而来的，被称为“报国团”，宗旨就是“灭华报国”。学生们的生活完全军事化，课程分政治、商业、工业三科，举凡中国的政治、历史、地理、经济、文化，包括水利、矿藏、人口、物产等等，无一不是其研究的对象，甚至各地的方言也有专人教授。用一句话来说，目的就是使学生成为真正的中国通。报纸上还说，书院的历届毕业生不下千人，一部分人被派往各领事馆、工商机构、及培养汉奸的“维新学院”，为“战时经济统制”服务，另一部分人则直接被派往军队，充任翻译或伪组织中的联络官……一言蔽之，不是战争帮凶就是工商间谍。

看来，这些传闻不像是空穴来风，否则像柴田这样的一介书生，怎会有那么体面的座驾？

以后该和柴田保持一定的距离了。

“森塞大驾光临，有何指教？”米东杰客气地问道。

“来看看米桑的工厂，看看以后有无合作的可能。”柴田笑容可掬。

米东杰心里又是一个咯噔。

柴田步入车间，将大小设备一一细看，并估算了一下工人的数量，看得出同时还在心中默记。米东杰一时吃不透对方的身份是什么、真正的用意又是什么，但隐隐地预感到某种不祥，态度不免客气中稍加冷淡。

“森塞现在在何处效力呢？”米东杰试探了一句。

“米桑，你的设备相当不错，”柴田并不回答问题，“呵呵，今后我们可以很好地合作一下。”

这句结论性的概括令米东杰一阵心慌——不管柴田现在到底是什么身份，他首先是个日本人，眼下离其越远越好才是上策——所谓的合作，会不会是黄鼠狼给鸡拜年呢？

“唉，设备好有什么用呢？”米东杰急中生智，想起了装傻充愣这一招。“工厂现在被人告上了法庭，恐怕没几天就要被人夺走啦。”

“哦，这是怎么回事？”柴田显然一惊。

米东杰简略说了下与大旗公司的官司，话语中极尽夸大事态的严重，但隐瞒了大部分的实情，更不提只要再凑到四千元，就可平安度过危机。

“森塞下一次再来，也许这里的主人就是大旗公司啦。”米东杰装出依依不舍的样子感叹道。

“唉，租界之内，我们暂时还鞭长莫及啊。”这一招果然有效，柴田完全相信了。“非常抱歉，我也帮不上什么忙。”

四处看了一圈，柴田非常遗憾地告辞，米东杰终于松了口气。

“老汤，先别管他柴田打什么主意，咱们的事赶紧抓紧时间去办。”米东杰对汤伯卿说道。

“嗯，我这就去物色律师。”汤伯卿答应道。

汤伯卿依计而行，很快请来一位留洋归来的青年律师，说好“公费”为一百块钱，但不包本案的结果是否“上风”。

律师按米东杰的思路抗辩，果然起到了一点作用。

严格点说，是成功了一半，就像“法律是公正的”这句话，本身就只对了一半。

法庭要看洋人的面色，这一点乃不争的事实。开庭时，大旗公司的法务代表爱德华亲自到场，首先认定淞沪会战“不属于战争状态”，理由是中日双方均未正式宣战，所以仓库被炸就不在“不可抗力”的范围之内。汤伯卿请来的律师与之唇枪舌剑地激辩多时，但被认定为反驳无效，只得退而求其次，拿出第二条“非租界”的理由。

看来大旗公司的准备工作做得十分充分，这一说法又被当堂驳回。

爱德华振振有词地说，天后宫那十二亩地皮，包括出使行辕在内，均属前清的官办机构，中华民国成立后已自动失去效用。汤伯卿所请的律师虽然刚出道不久，可也不是吃素的，前期准备得也很充分，当庭指出目前天后宫的土地和房产由民国政府农商部接管，而政府已与各国公使团签订过协议，区域之内仍然不受租界司法行政管理。

比赛一比一持平，民庭的推事老爷一脸的爱莫能助，建议汤伯卿接受调解，并且暗示：目前情况下，只有尽量减少损失才是最聪明的办法。

讨价还价的结果，各打五十大板，汤伯卿应该清偿二万四千元，不足部分以振兴社的三成股权充抵，但振兴社的合伙人，也就是米东杰和洪云甫，具有优先受让的权利——优先的期限为二十天。

可怜汤伯卿前期已经赔得差不多见了底，现在搜尽家底，最多只拿得出五千多元。米东杰安慰说，不要急，既然大旗公司是冲着振兴社来的，那就由大家一起来还。

清点账面，可以动用的现款只有几千，算上近期即将收上来的账款也只有一万来元，也就是说，二十天之内，必须再筹到万把块钱，才能把大旗公司这条恶狼挡在墙外。

时间一天一天地过去，账款也在滴滴答答地回笼，米东杰吩咐，最近发出去的货里边，只要是现款现结，佣金一律加倍。

这一招起了作用，一下子又回收了近六千元。

但是，最后空缺的那四千块钱怎么解决呢？

汤伯卿到处找人借钱，但以前为了还债，能借的人全都借遍了，现在谁都知道其最近惹上了官司，竟然没有一个人再肯借出。米东杰在上海没什么熟人，也没办法可想。洪云甫虽然认识的人很多，但全都是学徒、娘姨、车夫之类的穷人，根本派不上用场。

半个月的时间一晃而过，看看实在无计可施，米东杰想到了段家兄妹。

想是想到了，但实在没有脸面上门，洪云甫自告奋勇说，要不由他出面去找段令康试试，到时候利息给得高一点就是了。

“嗯，看在老同学的面上，也许肯帮这个忙。”米东杰想想确实是洪云甫去最合适。

洪云甫换了身新做的西装，又去理发店剃了个头，坐上电车直奔法租界。拐进莫利哀路的时候，看到路旁有家花店，还特地买了一束玫瑰花，捧在手上兴冲冲地走入埃德罗公寓。

按新派时髦人士的说法，送花颇有些讲究，什么玫瑰代表爱情、郁金香代表友谊、康乃馨代表祝福等等，洪云甫现在还吃不大透，今天公私兼顾地用这束红玫瑰来传情达意、抒发胸臆，段红莲究竟能否心领神会——想上去问题应该不大，段家兄妹虽然来自苏北乡下，但毕竟已寓居上海多年，这点小小的洋腔调、洋趣味，想来看也应该看会了。

洪云甫至今只见过三次段红莲，而且这三次里边，段家千金全是以风风火火、泼辣强悍的姿态出现的，可是一点办法也没有，洪云甫就是喜欢上了这个有点呛人的小女子，用洋腔洋调的话来说就是：暗恋。洪云甫近二年一想到自己的年纪便有点心慌，老大不小的人了，再不留意找老婆，老婆是不会从天上掉下来的，自己跟段令康又是同学加朋友，要是真成就了这门亲事，倒也是皆大欢喜的结局。

敲门，段家兄妹正好都在。

“红莲，送给你的。”洪云甫热情洋溢地献上红玫瑰。

这句话是精打细算斟酌出来的，称呼上先去掉姓氏，然后再强调一下送花的对象。

“云甫哥，你太客气啦。”段红莲一见玫瑰，当即笑靥如花，

哎呦喂，有戏，姓氏也去掉了，看来是识货朋友，在上海的那几年咖啡没白喝。洪云甫心里暗暗叫好。

“云甫啊，坐，”段令康见了老同学也很高兴，“今天怎么想到来看我们了？”

态度非常热情，但接下来一谈到借钱，情况就不一样了。

段令康还没开口表态，段红莲已经抢着一口回绝：钱没问题，如果借给你云甫哥个人，马上就开支票，可要是借给米呆子，休想！说句老实话，我还巴不得米呆子早点垮台呢。

“这不也是救急……”洪云甫有点尴尬。

“云甫哥，你在振兴只有一成股份吧，干好也罢，干坏也罢，你着什么急呢？”段红莲口气缓和了一点。

“我当初也是两手空空加入进去的，一成，不错了……”洪云甫说道。

“没有你，他一个外行干得起来吗？”段红莲冷笑道，话锋突然一转：“要是我们兄妹俩也开肥皂厂，你到我们这里来干怎么样？我作主，给二成！”

“红莲，别胡说。”段令康连忙喝住。

这句话，洪云甫并没往心里去，以为又是那小姑奶奶信口开河的赌气话。

钱没借成，但总的来说不虚此行。

段家兄妹拉着洪云甫去餐馆吃了顿饭，三个人喝掉一瓶白酒，段令康借机问了许多振兴社当初创业的事情，比如如何办理注册、如何选择原料、如何购买设

备等等，洪云甫喝了点酒兴致极高，知无不言，言无不尽，一顿饭吃了近三个钟头，这才意兴阑珊地打道回府。

段令康问得那么详细，当然不是为了满足好奇心，而是有着明确的目的性。

段令康已决定办厂，连名字都起好了，叫做“艾斯特”，洋里洋气的十分顺口。

按照从洪云甫口中套来的话分析，租房子、买设备、招工人、购原料等等，再加上流动资金及各种各样的交际费用，启动资本至少要准备好二万元才不算冒失。可是，现在手上的资本撑死只够一半，还有一半去哪里寻觅呢？

要不要去跟大旗公司联络一下？

段红莲的提议貌似荒唐无稽，但细想想却很有道理，西谚云：敌人的敌人是朋友！为什么不去试试呢？

第二天，段家兄妹来到大旗公司的总办事处，请求与总经理见面。

大公司就是大公司，首先架子就特别大。门房接待员回应道，没有预约，总经理概不接见。

“你去跟他说，我们是为了帮他打败振兴社的米东杰而来的。”段红莲急了，一急把大实话都说了出来。

这一招果然有效，不到五分钟，门房接待员把客人请进了一间会客室，不过出面接待的人不是总经理，而是法务代表爱德华。

会客室宽大气派，空空荡荡什么摆设都没有，听差端上咖啡，爱德华依然一脸倨傲，像国王那样坐在厚实的沙发上一言不发，只是用手一摆，做了个“请讲”的动作。

段令康简略地说明来意，爱德华皱着眉头细听，但听完以后马上毫不犹豫地拒绝，看上去态度坚决，丝毫没有合作的意向。

“难道先生一点兴趣都没有？”段令康不解地问。

“我怎么确定这不是一个圈套呢？”爱德华反问道。“退一步来说，我们为什么要再增加一个对手呢？”

“爱德华先生，您应该知道敌人的敌人是朋友这句话吧？”段红莲忍不住嚷了起来。“我们创办制皂厂，根本目的不是为了钱，而是为了报复，为了报复米东杰这个混蛋，这个道理您还不明白吗？”

“请问小姐，您和米东杰到底是什么关系？”爱德华明显来了兴趣。

这么一问，段红莲的眼中马上沁出了泪花，其中一半是伤心和委屈，一半是懊恼和愤恨。段令康见了忙把爱德华拉到靠近窗口的位置，压低声音介绍起米东杰和段红莲的往事来，包括米东杰现在的状况和态度，以及出现在身边的犹太姑娘……

爱德华像听故事一样听得入迷，最终态度来了个一百八十度的大转弯，答应将此事向总经理汇报，具体结果两天后再定。

段家兄妹眼巴巴地等了两天，再去听回音时，没想到一切都顺利得出奇，大旗公司一口答应：提供为期一年的免息贷款，还可以帮助订购生产设备，条件是未来的“艾斯特公司”所生产的产品品种，必须事先经过大旗公司的同意，而且在定价上也必须与大旗公司协调一致，尤其是销售区域，应尽量发展边远省份，避免覆盖大旗公司的销售范围，至于专门针对米东杰的“特殊品种”则不在此例。

大旗公司想来想去自己没吃什么亏，无非就是提供一万元的贷款，但得到了一件压制米东杰的武器。艾斯特听话好好干，对自己影响不大，对米东杰的干扰可就大了；段家兄妹万一干砸，也没关系，最后打起官司来设备、原料、库存上多少也能回收一点……仔细算账，也就是几千块钱的风险罢了。

段令康想得也挺美：厂子开起来后，定价一致就一致，即使销售上有点困难，时间长了总会好起来，只要多招募点得力的推销员，撒向各地拼命跑，不怕打不开局面来，难道大旗公司会眼睁睁看着艾斯特活不下去？艾斯特翘了辫子，大旗公司作出的努力不就有违初衷了？

段红莲更没异议，本来就是为了捣蛋，干好干坏都一样，有什么好顾虑的？

段令康开始天天上街物色房子，段红莲则在家翻阅报纸，专挑广告栏仔细研究。

这边忙着找房子大展宏图，那边却在动脑筋修补漏洞。

米东杰接连接洽了几家银行，但对方一问没有担保，无不摇头拒绝。眼看着离二十天的期限只剩下最后二天，米东杰一跺脚做出了一个破釜沉舟的决定：联系一家最有实力的大批发商，将仓库里价值一万多元的库存，作价四千元一次性抛售出去。

这么大的利润，批发商自然动心，但是一时间钱不凑手，头寸轧不过来，至少要三天，也就是星期一才能付款。

怎么办呢？明天，也就是星期六，已经是二十天期限的最后一天，星期一到款岂不是成了马后炮？

米东杰呆在办公室里急得团团转，一向足智多谋的海伦同样一筹莫展，站在窗前眼望着外面院子里的一棵树发呆。

“老汤，看来只能认命了。”米东杰垂头丧气地对汤伯卿嘟囔道。

“慢！”海伦突然转过脸来。“还可以试试最后一个办法。”

“什么办法？”米东杰和汤伯卿同时叫了起来。

“借别人的鞋子，总比自己赤脚走得快！”海伦像朗诵一样说出一句莫名其妙的话来。

“什么意思？”米东杰和洪云甫面面相觑。

“这是《塔木德》中的一句名言。”海伦莞尔一笑。

米东杰看过不少关于犹太人的书籍，知道《塔木德》是一部流传了三千多年，相当于口传律法的重要典籍，在希伯来语中意为“伟大的研究”，地位仅次于《圣经》，乃犹太民族为人处世的智慧结晶。

看大家全没明白，海伦连忙解释道，犹太人认为，在生意场上，借来的钱也是资产的一部分，拥有借贷的能力并善于运用，可以说是经营者的一项重要才能。米东杰听后叹曰，这个道理和中国人所说的“他山之石可以攻玉”是一个道理，但具体怎么做才是关键，落实到自己头上就是“去哪里借”的问题。

“去银行。”海伦点明了方向。

“银行早打了回票，知道我们正在打官司，全都不敢冒风险。”米东杰疲惫地说道。

“我们可以打一个巧妙的时间差，让银行不知不觉中把钱借给我们。”海伦调皮地眨了一下眼。

“这怎么可能，银行的人全都精得跟鬼一样。”洪云甫嚷嚷道。

“银行星期天是不是休息一天？”海伦问米东杰。

“没错，我们开户的信诚银行是星期六休息半天、星期天休息一天。”洪云甫抢着答道。

“那好，我们完全可以在明天签发支票，当庭交付给大旗公司，当然，最好在时间上稍微拖一下，在上午十一点以后才把支票拿出来，这样持票人就来不及当天支取了。”海伦详细解释道。“也就是说，持票人必须等到下星期一才能支取。”

“空头支票？”米东杰和洪云甫惊叫道。

“只要我们星期一的上午能及时将四千元的货款提前入账，这么做并不违反法律和商业道德。”海伦重点强调道。“当然，也不会招致银行方面的处罚。”

“对啊，”米东杰欣喜地一拍桌子，“只要在星期天的晚上，或者星期一的上午将四千元凑齐，然后马上赶到银行入账，完全可以做到滴水不漏。”

“嗯，我看那个爱德华，总不至于一大清早就守在银行门口等着开门取钱吧。”洪云甫马上喜笑颜开。“这办法好，既合理又合法。老米，没说的，就这么干吧！”

第十一章　商不厌诈

大旗公司的这一拳算是扑了个空。

当然也不能说毫无成效，至少成功收回二万四千元的呆账，令振兴社受到了一次重创。更有趣的是，只需在这笔钱中拿出一万元来，就能扶植起段家兄妹的"艾斯特"来，由其在制皂市场上异军突起、兴风作浪，像尖刀一样顶在米东杰的后腰上。

段令康在药水弄一带租到两间近乎于废弃的厂房，租金低得令人吃惊，稍加翻修后即可投入使用。大旗公司派来一名宁波籍的技术员，一边张罗着四处定购生产设备，一边帮着联系原材料供货商，不到一个月的时间，已是万事齐备只欠东风。

药水弄南近长寿路，北靠苏州河，也是上海赫赫有名的一处棚户区。这一带的河边有着好几家生产酸碱产品的化工厂，空中整天弥漫着呛人的黄烟，而上海人历来将化工厂称作药水厂，药水弄的称呼大概由此而来。

粗皂市场显然已经陷入绝境，段令康的设想是干脆专门生产细皂，比方说在市场上已经颇有口碑的硫磺皂，借着"敌牌臭肥皂"这股东风迅速打开局面。

"对，米呆子现在就指着臭肥皂赚钱，这个局开得好，"段红莲完全赞同，"他不是卖二角吗？咱们就卖一角五分，这样既赚了钱，又搅了局，真是一举两得。"

"咱们的产品就叫艾斯特牌硫磺皂。"段令康的脸上明明白白写着"踌躇满志”四个字。

艾斯特牌硫磺皂很快便顺利面市，段令康天天拉着批发商吃饭、喝茶，零零散散也有了一些销路，要不是米东杰那边反应迅速，马上将价格拉到一角五分，说不定销售形势还要好。

米东杰犯了难。

按汤伯卿的意思，眼下应该来个先发制人，将价格猛降到一角以下，将艾斯特牌硫磺皂一下子挤死，以免将来养虎成患。洪云甫也说，确实应该露头便打，否则振兴社必将处处被动。

“不能光靠降价的笨办法，”米东杰连连摇头，“原本卖二角，降掉一半的话，老百姓会觉得以前的价格太坑人，最坏的结果可能会从此再也不信振兴社的产品。”

“那怎么办？”汤伯卿问道。“总不能眼睁睁看着被他们挤死吧？”

“是啊，”洪云甫附和道，“最麻烦的是你不降也没用，下一轮他先降怎么办？”

“怕的就是这个。”米东杰点点头。

“老米，我看你是投鼠忌器啊。”洪云甫一语道破米东杰的心事。

洪云甫说得一点都没错，米东杰的确不忍心马上下死手去整垮段红莲。那么，有没有什么好办法，既能发出一点小小的警告，又不使其遭受灭顶之灾呢？

“老汤，你赶紧去发两个电报，让常州的梁老板和苏州的罗老板明天来一趟上海。”想了好半天，米东杰总算有了主意。

“叫他们俩来干什么？”汤伯卿不解地问。

梁老板和罗老板分别是常州和苏州地面上最大的五洋杂货批发商，特别是肥皂销售一头，在沪宁线上颇有点名气。这二人以前与汤伯卿交情极好，现在振兴社的敌牌硫磺皂也由其在常州和苏州两地总经销。

“常州和苏州乃沪宁线上的重镇，万万不可失守，”米东杰开始一一解释，“段家兄妹在上海将水搞混以后，必将往外突击，我们应该抢先一步，巩固好下一道防线。此外，还要请他们俩帮忙，在段家兄妹面前唱一出戏。”

“唱什么戏？”洪云甫忙问。

“让他们俩去向段家兄妹订货。”米东杰答道。

米东杰的设想十分简单，就是让梁老板和罗老板装出慕名而来的样子找到段家兄妹，分别签下常州和苏州二地的总经销合同，这样，段家兄妹必将分散注意力，将大部分产品运出上海，从而缓解目前针锋相对的局面。

当然，这可不是将沪宁线上的市场拱手相让，而是一个小小的陷阱。

第二天下午，梁老板和罗老板坐火车先后赶到，米东杰设宴款待，详细陈述目前的境况，鉴于商人们无利不起早的习性，再三承诺日后定当以最优的价格向二位老朋友供货。梁老板当场表态，没问题，这个忙一定帮，罗老板也笑着说，段家兄妹早晚会被挤死，这个顺水人情不做白不做。

按米东杰的意思，签合同时可以先付百分之五的定金——当然，这笔钱将由振兴来承担——但是账期一定要久，不是行内惯常的三个月，而是半年。由于段家兄妹刚刚入行，基本上没有任何经商的经验，再加上急于求成，必定看不出其中猫腻。好了，等到货物运到常州和苏州以后，梁老板和罗老板来个引而不发，将货物全部锁在仓库里睡大觉，也就是说，可以将这批货足足耽搁半年。至于半年期满，随便找个理由，比如质量问题、包装问题等等，再来个全部退货。

试想，振兴社赢得了这半年的太平，先将硫磺皂的得失放在一边，按计划加紧生产其它药皂和香皂，而蒙在鼓里的段家兄妹却不会再乱打价格战，也腾不出手来针锋相对，只顾得上生产那些注定了不会卖出去的硫磺皂，犹如一条狗对着影子狂吠。

二位老板粉墨登场，段家兄妹果然上当。

段令康得意洋洋，颇自豪于自己旗开得胜，刚栽下梧桐树，便引来了金凤凰。

产品源源不断地发往常州和苏州，看上去一切都很正常。

但是，一个多月后，段令康看出了毛病：货物一批批地如约发出，但推销员回来后却报告说，常州和苏州的大街小巷中，始终不见艾斯特牌硫磺皂上柜售卖。

段令康亲自跑了趟常州和苏州，向梁老板和罗老板追问缘由，二位老板的回答相当一致，都说现在仓库里还有以前二角的价格时进的敌牌，要是一角五分的艾斯特牌一上柜，还没销完的敌牌岂不是烂在手上了？段令康想想也有道理，只得继续按合同分批发货——要是中止发货，反倒是自己违反合同，打起官司来将面临高额的罚金。

“哥，别光顾着硫磺皂，米呆子那边也得盯着点。”段红莲提醒道。

“米呆子现在搞出了个什么石碳酸皂，听说销路非常好，”段令康忧心忡忡地说，“我总感觉到，他这是故意让出硫磺皂的市场，但似乎又憋着什么坏。”

“好啊，咱们也上石碳酸皂呗。”段红莲叫道。

“你说得倒容易，”段令康鼻子里哼了一声，“皂方呢？”

大旗公司派来的那个宁波籍技术员早就回去了，段令康自己的业务水平又不堪重用，要想开发新品，谈何容易。

“要是走个捷径把皂方弄到手呢？”段红莲十分奇怪地一笑。

“怎么走法？”段令康一脸迷惑。“你还能让米呆子乖乖地交出来？”

“米呆子当然不肯，可其他人呢？”段红莲提醒道。

“你是说洪云甫？”段令康豁然开朗。

“没错，明天我请洪云甫吃饭。”段红莲又是一笑，但笑意更加捉摸不透。

第二天的下午，段红莲打扮得漂漂亮亮地出门，一路来到离振兴社不远的那条马路上，踏进了拐角处那家名叫“雨果”的咖啡馆——这次并不是坐在露天的人行道边，而是进入店堂，在靠窗的一个位子上坐下，要了咖啡慢慢地细品，目光却紧盯着窗外的马路。

黄昏时分，路上行人渐多，其中夹杂着许多工人模样的男女，看来振兴社已经放工。段红莲瞪眼望着窗外，开始集中注意力。

十几分钟后，人行道上出现了米东杰和海伦的身影，俩人勾着胳膊一路说笑，步履轻松闲适，看上去显得十分快乐。

段红莲偏过头来，将脸隐入窗帘的后面。

不多时，人行道上出现了洪云甫匆匆而来的身影。

段红莲连忙吩咐站在店门口的侍者，去把那位“身穿法兰绒西装”的先生请进来。

“红莲，在这里等米东杰？”洪云甫走进咖啡馆后眼睛一亮。“米东杰和海伦刚刚走过去，你没看见？听他们说是一起去吃晚饭，然后去兰心大戏院听什么音乐会，要不要我帮你追上去把他给叫回来？”

“不用，不用，”段红莲连连摇头，“我今天找的是你。”

“找我？”洪云甫一楞。

“对，请你吃晚饭。”段红莲的眼神中满含笑意。

“请我吃晚饭？”洪云甫又惊又喜。

“走，我们去吃糟钵头。”段红莲站起身来。

所谓的“糟钵头”，乃是一道上海本地的土菜，将猪肺、猪肝、猪肠、猪肚、猪心等加香糟卤制，再加火腿、冬菇、冬笋等入砂锅炖制而成，此物虽难登大雅之堂，但滋味却无比鲜美，更有一份独特的家常情趣。

今天段红莲特地选取吃土菜，要的就是这份亲近感。

来到一家门脸不大但装潢相当精致的菜馆，段红莲点了一份浓香四溢的糟钵头，外加一些时令菜肴和一坛绍兴花雕，俩人边吃边聊，兴致十分高涨。洪云甫感叹道，本来只打算一个人孤零零地去小面馆吃一碗阳春面当晚饭，没想到居然有人上门请客，得以享用美味佳酿，而且还有美娇娘陪伴——说到这里，自己都觉得末一句颇见轻浮，连忙偷眼瞄了一眼段红莲的面色。

“云甫哥，瞧你说的，”段红莲娇羞地笑道，随即面色一转，“去小面馆吃阳春面，难道是囊中羞涩？”

“马马虎虎混日子呗。”洪云甫回答得语焉不详。

“你在振兴社不是有一成的股份吗？”段红莲连忙借题发挥。“我知道了，肯定是米呆子只顾自个儿不顾别人，哼，自己天天挎着个洋婆子吃喝玩乐……”

“不是，不是，”洪云甫连忙否定，“那一成的分红要到年终时才见分晓，不过平时也能按月领取一笔生活费，吃饭穿衣之类还没什么问题……”

“那笔生活费肯定也没多少，否则也不至于去吃阳春面了，”段红莲不由分说地打断道，“米呆子真不是东西，有了钱就忘记一块儿出道的弟兄了。”

“厂子虽然有些实力，可各方面的开销也大，眼下存不下钱来，老米确实有难处。”洪云甫无力地分辨道。“老米平时也挺节省，经常吃阳春面当晚饭。”

“那他怎么有钱和洋婆子去吃大餐、听音乐会，扔下弟兄去吃阳春面？”段红莲自己都觉得这番话已经相当于挑唆。“他也不想想，要不是你当初撑他一把，凭他米呆子的那点本事，去当铺当个小伙计混混还行，搞化学开工厂，能玩得转？”

“呵呵，这倒也是，老米当时连酸和碱都分不清。”洪云甫得意地咪了口酒。

“云甫哥，知道我今天为什么来找你吗？”看看火候正好，段红莲话锋一转。

“呵呵，大概不光是为了请我吃糟钵头吧？”洪云甫虽然喝下了近半斤花雕，但脑子并不糊涂。“难道是有什么话要对我讲？”

“聪明！”段红莲翘了翘大拇指，随即吞吞吐吐地试探道：“就是、就是、就是不知道这话当讲不当讲？”

“嗨，又不是外人，有什么话，只管直说。”洪云甫爽快地答道。

“那好，那我就直说了。”段红莲紧盯着洪云甫的双眼说道。“我想要一份石碳酸皂的配方！”

兰心大戏院可算是上海开埠以来历史最悠久的剧院了，楼高三层，一派欧洲文艺复兴时期的府邸式风貌，内部设施也极为完备，工部局乐队定期在此举办音乐会，可以说是各界名流的聚会场所，所以这次犹太难民能够租用剧院，绝对不是一件容易的事。

这一次，难民艺术家们上演的是一出具有维也纳风格的轻歌剧：《大利马》。

米东杰后来才了解到，操办这场活动的幕后老板原来是财大气粗的沙逊，除了演出轻歌剧，甚至还异想天开地成立了一个“京剧团”，全部由外籍人士穿着中国戏服出演，虽有锣鼓家什伴奏，但没有唱腔，只有像话剧一样的英语念白，甚至还考虑去请寓居沪上的梅兰芳友情客串。

粗劣的食物和住所，包括贫穷和疾病，全都无法泯灭犹太民族埋藏于心的艺术灵性，“巴比伦之囚”凭借超人的达观精神，一边消磨着艰难的时光，一边以艺术的方式增强自我信心。海伦本来就是小有名气的小提琴手，这样的活动，自然也在被邀之列。

连续几个夜晚，海伦都在米东杰的陪同下来到剧院参加排练。这样的日子，令米东杰觉得十分享受，看着乐池里拉琴拉得神采飞扬的海伦，心里总是浸满了说不出来的自豪和甜蜜。

不过，甜蜜之余，一股若隐若现的烦恼老是时不时地冒上心头。

烦恼来自于段家兄妹。

艾斯特公司的石碳酸皂上市了，虽然产量不大，但价格更加便宜，每块低至一角二分，令振兴社的产品再次受到挤压，在想不出什么高明的应对方案之前，米东杰只能消极抵抗，动用降价的手段来暂时维持——毫无疑问，这样的结果，正是大旗公司最希望看到的，同时也满足了段红莲的报复心理。

但是，段家兄妹这么快就研制出质量过硬的石碳酸皂来，这件事多少有点奇怪。

排练结束，海伦收拾东西准备回家，米东杰正准备起身相迎，突然看到前排座位上看热闹的人群里走出一位高大、矫健的年轻人，已经朝着海伦快步走去。

米东杰定睛一看，马上便认了出来，原来是那位海伦的爱慕者，以前的机械厂技工，现在的贝塔成员雅各布。

雅各布凑近海伦低声说着什么，大概是问要不要由其护送回家，海伦摇着头显然是在谢绝，随后便快步朝着米东杰走来。雅各布猛一抬头，这才看到原先处于黑暗中的米东杰，脸上的神情顿显恼怒，目光炯炯如舞台上的射灯一样追随着米东杰，眼中满布挑衅的意味。

海伦不由分说地挎住米东杰的胳膊，迅速走出剧场，留下雅各布站在原地干瞪眼。

“不用管他，也不必担心……”海伦还想解释几句。

“呵呵，完全理解。”米东杰抢着说道，继而话题猛地一转：“我现在担心的倒不是这位雅各布先生，而是难缠的段家兄妹。”

“不要紧，再加一把劲，我们的硼酸皂就能面世了。”海伦安慰道。“只要新产品上市，我们就能甩开他们了。”

“嗯，要想保持理想的高利润，加紧推出新产品，是目前的唯一办法。”米东杰点点头。“唉，我们现在只能避让，无法回击啊。”

“硼酸皂的配方还有一点小问题，主要是添加剂的比例还没确定，”海伦解释道，“不过这不是难题，只需多做几次实验就能解决。”

“是吗？那就抓紧时间，尽快确定配方，我马上派人去采购原料试产。”米东杰信口说道。

“现在时间还早，我们回厂里去吧。”听了这话，海伦突然停住脚步建议道。

“现在回厂？”米东杰一时没明白过来。

“回厂去做实验啊。”海伦答道。“既然那么紧迫，就不要再浪费时间了。”

“你不累？”米东杰关切地问。

“不累。”海伦兴致勃勃地答道。

“好，回厂。”米东杰高兴地叫道。

回到简陋的实验室里，真是名副其实的挑灯夜战，米东杰一边吩咐值班守门的工人去买夜宵，一边卷起衣袖给海伦当下手，明晃晃的电灯光下，忙碌的身影在墙上留下巨大的投影，空气中很快便弥漫起酸碱的刺激性气味。

这一忙就忙到了凌晨。

青灰色的晨光透过窗户映入空荡荡的办公室，再也支撑不住睡意侵袭的海伦依偎着米东杰小睡片刻，没想到一睡就睡了过去，顷刻间沉入了香甜的梦乡。米东杰轻轻脱下自己的外套，小心翼翼地披在海伦的身上，眼看着桌子上那份誊抄得干干净净的皂方，嘴角边露出了一丝笑意。

“老米，我说你怎么一夜未归，原来做了一夜的实验啊。”洪云甫来得比工人们都早，走进办公室嗅了嗅鼻子低声叫道。

“硼酸皂的皂方确定啦。”米东杰擦了擦发红的双眼，将桌上的皂方递给洪云甫。“你去安排吧，赶紧小批量试产。”

“你们俩都回去睡一觉吧，这里交给我就行了。” 洪云甫接过皂方飞速看了几眼后提议道。

“好吧，我先送海伦回去，然后回去补一觉。”米东杰疲倦地说道。

“快走吧，快走吧，别把身体给累垮了。”洪云甫一边催促，一边继续细看皂方。

“行，那你多上点心。”米东杰拉着海伦走出办公室。

“我办事，你放心。”洪云甫高声大气地嚷嚷道。

米东杰和海伦一走，洪云甫马上走到自己的办公桌前，翻着眼睛略思片刻，随即拉开抽屉拿出纸和笔，开始飞快地抄录这份新鲜出炉的皂方。

这就意味着，今天晚上，这份皂方就将落到段氏兄妹的手中。

上一次的石碳酸皂方，交出去时心里还有一些内疚和悔意，这次反倒觉得顺理顺章，甚至还大有天经地义之意。唉，说来说去，段氏兄妹承诺的那一成干股实在是太诱人了，再加上段红莲脸上那令人充满遐想的笑意，叫人如何抵抗得住？

当时，段红莲的话确实不无道理。她柔声细语地开导道：石碳酸皂目前固然很吃香，但这只是一个产品销售的思路问题，而不是单纯的技术问题，大旗公司养着那么多的化工专家，真要搞个类似的配方出来，简直易如反掌——的确，段红莲从自己手上直接得到，不过是稍微走几步捷径而已——所以，当段红莲最后貌似漫不经心地提及：“我哥的意思，我们厂也给你留出一成股份来”，自己就只有乖乖投降的份了。

洪云甫抄录完毕，轻轻拿起米东杰桌上的电话，压低声音要通了艾斯特公司的电话。

“我找段红莲。”洪云甫对接电话的人说道，声音压得更低了一些。

“喂，谁啊？”电话里传来了段红莲清脆的嗓音。

“是我，”洪云甫干咳了两声，“晚上我请你吃糟钵头，六点半，老地方。”

搁下电话，自己都觉得有些鬼鬼祟祟，重重地吐了口气，拿起皂方走向车间。

硼酸本为外用消毒剂，但药性比较温和，具有抑菌、消毒的功效，通常的药皂及香皂都是碱性的，而硼酸类药皂却呈中性或弱酸性，对皮肤的伤害较小，所以当作浴皂来用的话，一是香型怡人，二是消毒止痒，能够有效去除汗味和肌肤异味，与“凶猛”的硫磺皂比起来，似乎更加适宜长期使用，尤其适合肌肤娇嫩的妇女和儿童。

一周以后，产品上市。

这一次，尽管没有大张旗鼓地做广告和宣传，但由于敌牌产品已经深入人心，硼酸皂甫一面世便大受欢迎，振兴社定价二角，实实足足赚到了一笔。

米东杰终于舒了口气，心情一好，人也显得特别精神，连衣服、头发也考究起来，成天西装革履着走进走出，唇上甚至还留起了一缕好莱坞明星那样的小胡须，看上去顿时成熟了不少，也确实有了几分工业家的气派。

“海伦，你看这辆汽车怎么样？”

有一天，米东杰正在翻看报纸，突然看到一则汽车广告，细看价格，马上就动了心。

那是一款名为“佩佩奥斯汀”的小型汽车，价格仅为一千一百元，要是振兴社有了汽车，那形象就不一样了，马上就跟小作坊拉开了距离，再说出去办事的时候，确实也方便了不少。

“车价是不贵，可一加仑汽油得花四角八分，再雇一名司机，一个月起码又得二、三十块，加在一起，开销可不小。”洪云甫提醒道。

“雇什么司机，我自己去考张执照不就得了？”米东杰大笑道。“我先去考，过一阵你也去考。”

“嗯，该花的钱还是得花。”汤伯卿表示赞同。

“这几天里我就抽空去看看车，再找个内行参谋一下。”米东杰兴高采烈地说。

可是，还没来得及去看车，坏消息已经传到。

艾斯特公司亦步亦趋，同样推出了硼酸皂产品，而且还是老办法，一上市就将价格拉到了一角五分。

“这是怎么回事？”米东杰看着汤伯卿从外面买回来的样品傻了眼。“段令康能有这么大的本事，这么短的时间里就搞出了成品？”

“依我看，有点不对劲啊。”汤伯卿苦着脸说道。“难道是咱们的皂方泄露了？”

“不可能，工人们只知道干活，没有一个人看得懂皂方，”洪云甫虽然有些心虚，但口气十分坚决，“再说完整的皂方一直在我手里，连老汤都没见过。”

“是啊，我都没见过，再说我也看不懂。”汤伯卿咕哝道。“会不会真是他们依样画葫芦鼓捣出来的？”

“真是见鬼了！”米东杰将手里的肥皂重重地拍在桌上。“看来车是买不成了，先得想办法怎么甩开艾斯特。”

“那价格一头怎么办？”汤伯卿担忧地问。

“先降到一角五再说。”米东杰答道。

这个坏消息令米东杰一整天都打不起精神来，但海伦却说，不妨使用老办法再甩一次艾斯特，马上着手研制来苏皂，在品种上来个遍地开花。

“只能再辛苦你了，海伦。”米东杰无精打采地说道，但眼中全是感激之情。

随后的几天，海伦又是起早摸黑地在实验室中配制来苏皂，或是亲自外出采购化学原料，只用了两天时间，便制成了红颜色的来苏皂。

来苏皂中主要添加的成份是苯酚之类的酚类化合物，与医院中经常使用的来苏水相似，由于酚类化合物氧化后微微发红，所以最终的成品干脆制成了醒目的红色，米东杰甚至还给新产品起了个俗名叫“红肥皂”。

很不幸，艾斯特公司依然咬住不放，居然再一次如影相随，市场上“艾斯特牌红肥皂”立即铺天盖地。

“难道真是振兴社内部出了问题？”米东杰一遍遍地问自己。

“不能再用老办法无休止地纠缠下去。”海伦向米东杰建议道。“我们得考虑反击一次。”

“怎么反击？”米东杰问。

“吃晚饭的时候再说。”海伦神神秘秘地说。

晚上，俩人来到一家经常光顾的小餐厅共进晚餐，海伦这才详细说出了自己的计划。

按海伦的说法，这次实行的是一次“局部打击”，一可以证实振兴社内部是否泄密，二可以令段家受挫，因为，这次出炉的，将是一份“存在缺陷”的皂方。

“在皂方中故意设下陷阱，令艾斯特的产品成为废品？”米东杰马上明白过来。

“聪明，”海伦大笑起来，“要是他生产失败，那就证明确实是我们泄露了皂方，最重要的，是可以让他们遭受损失！”

“可是，我……不想……不想让他们经受毁灭性的打击……”米东杰吞吞吐吐地说道。

“我明白，我会留有余地，并且有办法不让事态失控。”海伦很清楚米东杰的心理状态，马上作出了保证。“所以我才说，这是一次起到警告和惩罚双重作用的局部打击，而且还有相应的补救措施。”

第十二章　另辟蹊径

艾斯特公司的厂房虽然经过全面翻修，但整体看来依然显得比较简陋，不过，办公室却装潢得十分考究，用段令康的话来说，这叫“好钢用在刀刃上”。

兄妹俩天天坐着黄包车去药水弄上班、下班，每天花在路上的时间倒要不少，而且还饱受风吹雨淋。段令康跟妹子商量说，这阵子托米呆子的福，在硫磺皂、硼酸皂和来苏皂上多少赚了些钱，是不是赶紧去买辆汽车，以后出去跑生意时也好显得体面些。

“好啊，要买就买辆气派的，”段红莲十分支持，“上海人都是势利眼，有了汽车可能生意更加好做。”

“我已经看上了一辆大奥斯汀，就是手头钱还不够，”段令康一谈到汽车马上眉飞色舞，“不是那种一千来块的佩佩奥斯汀，是三千多的大奥斯汀。”

“等车间里这批增白皂上市，钱就能凑足了吧？”段红莲问。

“对，我把所有的资金都押在增白皂上面了，不出半个月就能赚个盆满钵满啦。”段令康已经有点坐不住。“所以我在想，是不是先找银行借点钱，抓紧时间把汽车买回来。”

这一次，段红莲从洪云甫手上得到的是振兴社最新研制成功的增白皂配方。

增白皂的成份比较复杂，除了皂基以外，还须添加防腐剂、螯合剂、增白剂、香精和钛白粉等，与普通洗衣皂相比，脂肪酸钠含量较高，但并不添加泡花碱之类的助剂，日常使用时，可用来洗涤浅色和白色的衣物，令衬衣、汗衫常穿常新，更关键的是，还可供纺织工业生产使用，使白色织物呈现洁白如雪的光泽——试想，产品要是能购打入纺织业，那是一个何等辽阔的市场!

以后，推销的对象将不再是那些小商小贩，而是财大气粗的纺织厂家，没辆汽车撑门面怎么行，总不能老是夹着个皮包、坐着黄包车上门去兜售吧?

段令康也是个急性子，心里老装着那辆奥斯汀，晚上连睡觉都睡不踏实，一狠心，果然找银行贷了一笔款，两天之后便把汽车开了回来，顺便还雇了个司机，说好月薪为二十五块。

有了汽车，谈生意确实轻松许多，简直可以说是旗开得胜。

段令康选中一家规模中等，名叫“富成”的纺织厂去推销增白皂，对方十分客气，洽谈之后马上爽快地签约订货，甚至还主动支付了一笔定金。段令康回来后得意地跟妹子说，买汽车这步棋真是走对了，这辆奥斯汀，完全可以看成是生产设备的一部分。

“我已经关照下去，从今天开始，缩减硫磺皂、硼酸皂和来苏皂的产量，只要能够应付供货，不紧不慢地跟米呆子耗着就行，”段红莲高兴地说道，“此外就全力生产增白皂，开足马力，争取十天之内把第一批货赶出来。”

“对，往后我就专跑纺织厂，赶在米呆子之前先把这批大客户全部抢到手，”段令康兴奋地叫道，“呵呵，咱们把肉全吃了，米呆子就只能喝点剩汤，惨淡经营那零零碎碎的零售市场了。”

“挤死他！”段红莲从牙缝中蹦出这三个字来。

可惜，算盘并不如意。

第一批增白皂如期交货，但是，第二天段令康便接到了富成纺织厂打来的电话。

“你们在搞什么鬼？这批增白皂丝毫不起增白效果，还给我捅下了不小的篓子！”对方怒冲冲地嚷道。“真是成事不足，败事有余。”

“林经理，先别急，到底发生什么事了？”段令康陪着小心问道。

“我们用在白色坯布上时，非但没起到任何洗涤、增白作用，反倒使织物变得更加灰暗，试了几次全是这样，你说，这笔损失谁来负担？”林经理扯着嗓门叫道。

“会不会是工艺上……”段令康试图分辩。

“不可能！”林经理马上打断了段令康的话。“我们马上派人去市面上买来振兴社出产的敌牌增白皂，使用下来就一切正常，而且效果还非常好。”

"林经理，先别急，我马上过来看看。"段令康嘴里叫别人别急，其实自己已经急得头都大了一圈。

段令康马上赶到大旗公司，请出一位经验丰富的老工程师，一同前去富成纺织厂分析原因。

老工程师得出的结论十分简单：皂方有毛病！

老工程师说，肥皂有个特性，与金属盐作用之后，比方说硫酸钙、硫酸镁、优碘之类的物质，会生成不溶性脂肪酸盐类，此时肥皂就会失去洗涤能力。更糟糕的是，此时的钙皂或镁皂变成了一种黏性物质，与污垢混合后形成皂垢，沾在织物上将在纤维表面形成一层"薄膜"，你就是用再多的肥皂也无法洗去，最终使织物变得灰暗不堪，而且日子久了还会泛黄、发硬、发脆……

段令康彻底傻了眼。

羊肉没吃着，反惹了一身的骚气——赔偿富成纺织厂的损失还算是小事，最大的麻烦是退货和仓库里那些失去了肥皂应有功效的废皂。

"这到底是怎么回事？"段令康问段红莲。"为什么一样的皂方，米呆子的增白皂一切正常，到了我们手里就出毛病？"

"我怎么知道？"段红莲没好气地反问道。"奇怪，前面几次都好好的，为什么唯独这次却捅下了篓子？"

"我看，还是去找洪云甫问个清楚。"段令康叫道。

"嗯，明天我去找他。"段红莲点点头。

第二天傍晚，段红莲像以前那样，依然守在"雨果咖啡馆"内等候洪云甫下班，貌似悠闲，实则焦急地喝着咖啡，等洪云甫在人行道上一出现，马上让侍者出门去拦住。

其实不用侍者招呼，洪云甫现在每天下班经过咖啡馆时，总会习惯性地朝窗户边的座位看上一眼。

段红莲面色异样，洪云甫当下心里一颤。

"这可怪不得我！"洪云甫一听事情的原委就急了。"我发誓，皂方上一个字都没抄错。"

"我怎么会怪你，"段红莲柔声安慰道，"不相信别人，还能不相信你吗？"

"就是。"洪云甫这才松了口气。

“那为什么米呆子的增白皂就没毛病呢？”段红莲问。

“难道两份皂方不一样？”洪云甫的眼中闪过一丝惊恐。“这么说，老米已经怀疑到我头上来了？”

“恐怕是这样。”段红莲咬着牙根说道。“你别看米呆子平时不温不火的，下起狠手来一点儿也不心软。咱们公司现在成了一付烂摊子，接下来怎么办呢？”

“那家纺织厂除了退货，恐怕还要你们赔偿损失吧？”洪云甫怯生生地问道。

“可不是，”段红莲没好气地嚷道，“而且艾斯特公司的名声都被搞坏了，以后还有哪家纺织厂敢进咱们的货？”

“唉，怎么会搞成这样……”洪云甫两眼发直，再也无话可说。

“我哥说了，实在不行，恐怕只能卷铺盖走路了。”段红莲有气无力地说道。

这句话提醒了洪云甫。

艾斯特倒了台，那一成暗股自然泡汤，要是再被米东杰赶出振兴社，自己岂不是驼子跌跟斗，两头不着地？日后连个吃饭的地方都没有了。

不行，这事得想办法补救。

“走，吃晚饭去。”段红莲提议道。“喝几口酒，浇浇愁。”

俩人走出咖啡馆，就近找了家干净的餐馆，要了酒菜慢慢吃喝，但是兴致低落，心不在焉，最终草草收场。

走出餐馆，洪云甫帮段红莲拦了辆黄包车，自己慢慢地走回住处，一路走，一路考虑呆会儿是不是找米东杰主动摊牌。

说出来简直令人不相信，米东杰现在已经算是生意做得挺大的工业家了，可生活上却是克勤克俭，始终不愿浪费一分钱，俩人依然寄居在原来那间逼仄的阁楼中，每天早出晚归却甘之如饴。

米东杰还没回来，不知道跟海伦去哪玩了。洪云甫在洋风炉上烧滚一壶开水，泡上热茶边喝边等，心里一遍遍地斟酌，呆会儿该怎样跟米东杰开口。

十一点光景，米东杰终于回来了。

“还没睡？”米东杰一边脱外套，一边嗅嗅鼻子。“怎么，喝酒了？”

"是啊，跟段红莲一块儿喝的酒。"洪云甫边说边观察米东杰的反应。

"好啊，段红莲的酒量不错吧？"米东杰满脸都是乐呵呵的表情。

"老米，你不觉得奇怪？"洪云甫沉不住气了。

"有什么好奇怪的？"米东杰反问道。

沉默，俩人全都默默无语。

"老米，我对不住你……"隔了许久，洪云甫低着头期期艾艾地说道。

"不用这么说，其实，你也恰好帮了我的忙，"米东杰淡淡地一笑，"没有你，段家兄妹也不会吃我的药。"

"我……"洪云甫还想解释。

"不必说了，"米东杰摇摇手，"其实，你还应该去向老汤道歉。"

"是啊，也该向老汤道歉，我这么做，等于是抢了你们俩的钱，"洪云甫的脸上满是羞色，"这样吧，从明天开始，我正式离开振兴社……"

"为什么要走呢？"米东杰反问道。"你既拆了台脚，又帮了大忙，这不是一比一扯平了？"

"老米，你真的不让我滚蛋？"洪云甫感激地问。

"我不是说了吗？一比一扯平！"米东杰故作轻松地笑道。"不过，你小子得摆一桌酒向老汤赔罪。"

"老米，我现在先向你赔罪，咱们来个以茶代酒。"洪云甫顿时轻松起来，用茶壶在茶盅中斟满茶水，双手端起递给米东杰。

"好，这事到此为止，以后再也不提。"米东杰爽快地端起茶盅一饮而尽。

"老米，我就不明白了，出了这么大的事，你咋就不发火呢？"洪云甫仍有疑问。

"呵呵，古人讲究以德报怨，你就不许我装模作样学一学？"米东杰不大不小幽了一默。"再怎么说，咱俩都是从这间小阁楼里走出去的患难弟兄，哪能经不起丁点风浪呢？再说，段红莲的脾气我又不是不知道，她要想办成的事情，没有办不成的道理，你老洪又岂是她的对手？"

"是啊，挡不住啊。"洪云甫苦笑着说道。

"说句实话吧，我一直觉得你们俩十分般配，假如真能把你俩撮合到一起，这次的事情就算是花费的代价，那也相当值得了，"米东杰推心置腹地说道，

“再说句实话吧，我又何尝愿意眼睁睁地看着段红莲垮台呢？”

“此话怎讲？”洪云甫一时没明白过来。

“段红莲的事情，一直是我的一块心病，”米东杰摇头叹息道，“毕竟，我欠她太多，而且无法补偿。不过，这次的事，先让她受一下煎熬也好，接下来，我自有补救的措施。”

“补救措施？”洪云甫微微一怔。

“我真心希望，段红莲的艾斯特以后能步入正轨，与我们振兴社和平共处，共同发展，有可能的话，再一起联手抗衡欧美厂商，这样的前景，该是多么美好啊，”米东杰越说越兴奋，满脸都是憧憬之情，“我已经想好了，从今天开始，振兴社的发展重心将偏离单一的肥皂市场，着手开拓更加广阔的日化市场。”

“什么意思？”洪云甫大吃一惊。“你的意思是说，为了段红莲，你愿意让出肥皂市场？”

“也是，也不是。”米东杰一边回答，一边郑重其事地从口袋里拿出一支牙膏来。“更主要的是，我已经像哥伦布一样发现了新大陆。”

这是一支非常普通的国产七星牌牙膏。

“新大陆？”洪云甫彻底晕了。“牙膏？”

“从明天开始，振兴社的肥皂业务由你和老汤负责，我将全力以赴，到外面去开辟新的战场。”米东杰正色宣布道。

米东杰所说的新大陆，指的是庞大的牙膏市场。

刚才，米东杰和海伦在外吃完晚饭后在夜幕下散步，路过一家烟纸店时，海伦突然想起住处的牙膏快用完了，便走到柜台前物色品种，想顺便买一支带回去——这本属无心之举，但却像一粒火星，瞬间引爆了炸药——米东杰脑筋一转，竟然再一次发现了巨大的商机。

烟纸店的柜台里，牙膏的品种不少，但大部分都是价格昂贵的进口货，如美国的“柯耳拿”、英国的“固龄玉”、德国的“天鹅牌”、日本的“狮牌”和“仁丹牌”，价格都在五角到八角之间。国货的价格比较便宜，大致在五角以下，但品种寥寥无几，其中最便宜的一种名为“七星”，标价四角一支。

牙膏制造业的命运与肥皂制造业差不多，开战后遭到重创，大批中国企业关闭、停产、内迁，市场拱手相让。

“迭个。”海伦指着七星牙膏，用生硬的上海话对店主说道。

“还要别的东西吗？”店主笑容可掬地问道，但并不把牙膏拿出来。

海伦摇摇头。

“实在不好意思，小店存货不多，请二位还是去别的店里问问吧。”店主脸上的笑容像电灯被拉下了开关。

“这算什么意思，柜台里不是明明有货？”米东杰不高兴地责问道。

“老弟大概是刚到上海吧？”店主的话中不无讥笑之意。

“呆了好几年了，能算老上海了吧？”米东杰越来越纳闷。

“那先生肯定是大户人家的少爷，从来没有自己买过牙膏，至少是没有买过七星牙膏。”店主很有把握地断言道。

这话又没说错，米东杰一向爱用柯耳拿牙膏，来上海以后，买牙膏的事都由洪云甫包揽，自己乐得买啥用啥，从没关心过牌子和价格。

“这里面有讲究？”米东杰来了好奇心。

“还不是七星的价格便宜，而且经常脱货，卖掉了就没有了呗。”柜台前正好没有生意，店主很乐意闲聊几句。“不信你到别的店里去问，要是不买别的东西，看他们愿意不愿意把七星卖给你。”

“真是怪事，既然七星这么紧俏，你把标价抬高一点不就得了？”米东杰兴趣越来越浓，掏出香烟敬给店主一支。“老伯，七星真有那么好？”

“七星本身没什么好，当然也没什么不好，只不过是价格便宜，”店主为米东杰和自己点上烟，“麻烦的是厂家产量不高，我们经常拿不到货，而且还有硬性规定，零售价一律四角，谁要是卖高了，一旦被发现就从此不让你卖。”

“怪不得你刚才问我们要不要买别的，原来是要搭卖啊。”米东杰恍然大悟。“呵呵，这七星竟成了销货的诱饵。”

“对啦，要是你再买点毛巾、牙刷、肥皂之类，那肯定没问题，”店主哈哈大笑，“没办法，小本经营，就靠算计这些鸡零狗碎才能赚钱，要是你单买一支七星，老实话，我一分钱都赚不到。”

“来，给你一块钱，给我来二支七星，我倒要回家仔细用一用。”米东杰打开钱包，递给店主一块钱。“老伯只管放心，不算你卖高价，余下的二角是我自愿送给你的。”

“呵呵，这多不好意思啊。”店主迟疑了一下，笑眯眯地接过钱，拿出了二支七星。

接下来的交流更加顺畅，店主知无不言，竟然一下子在米东杰面前打开了一个崭新的世界。

米东杰暗暗告诉自己，今天这一块钱简直花得太值了，换来的，可能是几万，甚至于是几十万的利润，为什么以前双眼一直死盯着肥皂，没有发现牙膏这一更为辽阔的市场呢?

店主透露说，七星的价格虽然便宜，但东西着实不错，因为说到底，它其实就是一种舶来品的集成——配方是完全照搬柯耳拿的，原料是从英国进口的，软管是从德国进口的，连外包装都是在美国印制的——七星只是在上海灌装、包装一下而已。

米东杰的脑袋里轰隆隆乱响，已经听不见店主在说些什么。

根据米东杰目前拥有的日化知识，很清楚牙膏的原料之中，除碳酸碱之外最重要的当属甘油，而甘油又是制皂的副产品，以前都当成下脚料抛弃，此外还有膏体中起发泡作用的皂片，振兴社又能自给自足，单是这两点，自己的成本已比七星低了不少。牙膏这玩意儿看上去属于小生意，但仔细想想，每个人都得天天使用，粗算一下，每人每年起码得用掉三、五支吧？以前曾经听说过，国内市场上的牙膏，百分之七十都是由上海提供的，试想一下，这是一个何其庞大的市场!

“海伦，你知道一支牙膏的成本大概是多少吗？”米东杰转问海伦。

“你算是问对了人，我父亲原来所服务的那家工厂也生产牙膏，所以具体细节我非常清楚，”海伦回答道，“牙膏最大的成本在于软管，膏体部分其实不值多少钱，按目前的币值算起来，原材料成本应该不超过一角。”

“一角？”米东杰叫了起来。“有那么高的利润？”

“当然，真空制膏机和灌装设备非常昂贵，综合成本也会高出许多。”海伦补充道。

“海伦，你能帮我制定一份牙膏配方吗？”米东杰急切地问。

“配方很容易，我三天之内就能拿出来，”海伦回答道，“但是，行业之内有句名言：‘生产肥皂是技术，而生产牙膏则是艺术’，这句话你能明白吗？”

“是说具有相当的难度？”米东杰只明白了一半。

“不单单是难度问题，就像艺术品一样，存在着许多不确定因素。比如说口感和口味之类，完全就没有具体准则，”海伦郑重其事地答道。“我认为，生产牙膏真是一个非常好的主意，生产工艺上的困难，我们可以慢慢想办法克服。”

“明天我就去洋行打听灌装设备。”米东杰彻底下定了决心。

与牙膏相比，肥皂产品由于入门的门槛太低，竞争太过激烈，利润几乎已被挤干，再加上段红莲从中作梗，赚大钱的希望更显渺茫。那么，现在何不顺势而为，另辟蹊径，开始难度更高、赢利更大的牙膏生产？这样一则可以发财，二则可以彻底摆脱段红莲的纠缠，何乐而不为呢？

米东杰找到以前曾经打过交道的一家洋行，打听下来，真空制膏机和灌装设备并没有预想中那么贵，连同那些必不可少的粉料、液体和膏体传送设备，全套加起来不超过三万元。洋行表示，现在从德国订货的话，三个月之内保证货到上海，而且由原厂工程师负责安装调试，甚至还可以提供建厂的一揽子服务，包括厂房的设计资料、多种牙膏的配方、软管的定制等等。

三万元，现在怎么拿得出来？

海伦出主意说，为什么不以肥皂厂作抵押去向银行贷款呢？

汤伯卿和洪云甫全都反对冒险，米东杰自己也觉得万一失败，将别人拖下水似乎也不妥当，最后商量的结果是：牙膏厂由米东杰独立经营，自负盈亏，向银行贷款所作的抵押，也仅以所拥有的六成股份为限。

海伦鼓励米东杰说，从事工商业的原理其实十分简单：借他人的“脑袋”和“钱袋”，来达到自己的目的——借来的钱，实际上也是资产的一种，因为你能借到多少钱，就说明你能还多少钱，或者说你值多少钱，所以哪怕你很富有，也不应放过任何可借的机会——犹太生意人中有句名言：“如果你有一元钱，却不能做成十元，甚至于是一百元的生意，你已经不算真正的商业家了”，所以拥有借贷的能力属于经营者的一项重要才能，连恺撒都是这样干的。

米东杰越想越有道理，接下来顺利地从银行贷到二万元，马上拿出一万元去洋行支付了定金并正式签约。

洋行立即提供全套的建厂资料，米东杰紧锣密鼓地投入选址工作。

肥皂厂的环境过于脏乱，完全不适应对卫生要求极高的牙膏生产，米东杰四处物色，很快便在离肥皂厂几百米远的地方买到一小块地皮，推倒原来残破的旧屋，请来营造公司施工建造全新的厂房。

按照行业规范，牙膏生产车间最要紧的是环境必须清洁，不可对产品造成污染，首先要有良好的通风设施及采光照明，墙壁、地面、天花板必须平整无缝，四壁防水的瓷砖高度不低于一米，便于经常清洁消毒。日后，工人进入车间之前，还须在更衣室内换上整洁的工作服并带上护发帽，不得留指甲及佩戴饰物。

米东杰让营造公司的人在车间的一侧建造了一幢独立的小楼，底层作为办公室和实验室，二楼作为自己的住处，以后将全天二十四小时守在厂里，再也不用冒着日晒雨淋上班、下班了。

这些日子里，米东杰只字不提如何帮助段家兄妹补救废皂一事，目的是要尽可能地拖延一点时间，好让段家兄妹更急、更慌，借机杀一杀段红莲的锐气，但是，米东杰也猜测得到，段令康应该快要沉不住气了。

果然，段令康郑重其事地派人送来请帖，诚邀米东杰和海伦，包括洪云甫和汤伯卿在内，明天晚上前去沙逊大厦赴宴。

米东杰十分清楚，段令康之所以不来电话或上门邀请，怕的是遭到拒绝反而坏事，所以来了个先斩后奏——看来，这小子确实已经到了"忍无可忍"的地步——现在惩戒的目的已经达到，再拖下去可能要物极必反了，那就给个面子顺水推舟吧。

"老米，海伦的补救办法真有那么灵？"洪云甫还有点不相信海伦的能力。

"呵呵，听说过'羧甲基纤维素钠'吗？"米东杰问道。

"知道一点，是纤维素醚类中的一种产品吧？"洪云甫想了想回答道。

"没错，是一种水溶性极好的聚阴离子纤维素化合物，这玩意儿在欧洲被称为'工业味精'，用途极为广泛，在食品、医药、日化行业大量应用，"米东杰像背书一样朗声说道，"这玩意儿易溶于冷热水，具有乳化分散剂、固体分散性、不易腐蚀、生理上无害等特性，对制皂业来说，是一种最好的活性助剂。"

"具体是什么原理呢？"洪云甫又问。

"主要是利用它的乳化和防护胶体性质，在洗涤过程中，它所产生的阴离子可使织物表面与污垢粒子都带上负电荷，这样污垢粒子在水相中具有了分相性，与固相被洗物表面产生排斥性，因而能防止污垢沉积，使白色织物保持白度。"

米东杰细致入微地解释道。“段家在废皂中添加这种表面活性剂后，高级脂肪酸钙皂就不会凝聚，而是均匀分散，不再形成皂垢，而且适合低温洗涤。”

“原来是这样。”洪云甫沉吟道。“犹太人的脑袋确实厉害。”

“这就是海伦的锦囊妙计！”米东杰从口袋里掏出一张配方递给洪云甫。“明天吃晚饭的时候你交给段令康吧，上面写得十分详细。”

“好。”洪云甫接过配方。

“段家可以将废皂当成原料回炉，加入羧甲基纤维素钠后，只要温度控制得当，皂料就能起死回生了，”米东杰舒了一口气，“重制后的皂体更加柔软，便于切割加工，比一般的皂块要光滑美观得多。”

第十三章　肥皂是技术，牙膏是艺术

沙逊大厦楼高十层，是外滩最高的建筑物，整体使用花岗石做外墙饰面，属于流行的美国“芝加哥学派”设计手法。大厦朝东主立，顶端耸立着一座近二十米高的方椎体紫铜皮屋顶，看上去豪华、气派，自建成之日起便成为上海的象征。

大厦的五到七层为华懋饭店的客房，奢华程度号称远东第一，八层则是中式餐厅和酒吧、舞厅，可以毫不夸张地说，乃是上海滩上数一数二的销金窟。

今晚，段令康的宴请就设在八楼餐厅的一个包厢内。

“在沙逊大厦八楼摆上一桌酒席，花费着实不小，段令康真是花足了血本。”汤伯卿感叹道。

“是啊，可见这小子差不多是孤注一掷了。”米东杰笑着说，心里多少有点得意。

大饭店的包厢确实装潢得金碧辉煌，地上铺着厚厚的羊毛地毯，简直让人不忍心用脚去踩。侍者彬彬有礼，送个擦手的毛巾都用托盘装着，但菜肴的味道却相当一般，可以说是中看不中吃。

宾主双方全都“心怀鬼胎”，包厢内的气氛难免有些古怪。

段令康故作轻松地寒暄、敬酒，扯天扯地，就是不扯肥皂。段红莲面无表情，几乎没有开过口，幸好汤伯卿和洪云甫在那里没话找话，谈起新开的牙膏厂投资如何大、风险如何高、技术如何难等等，场面才不至于显得太冷清。

米东杰如坐针毡，开始有点后悔答应来此赴宴，只得一边与段令康应酬，一边抽空与海伦低声细语，谈起犹太大亨沙逊的发迹史及一些趣闻轶事。海伦听在耳里觉得有趣，又问了许多问题，俩人窃窃私语，反倒聊得十分热烈。

段红莲的鼻孔里若有若无地“哼”了一声，面色越来越难看。

“来，预祝你们的牙膏厂马到成功……”段令康举起杯来。

“老米，听说你有一个包治百病的偏方？”段红莲的急脾气永远改不了，也许是不屑于假惺惺地敷衍，忍不住来了个打开天窗说亮话。

还好，这次有求于人，段红莲没叫米呆子，而是随着大家叫老米。

“是啊，保证药到病除。”米东杰答道，同时朝洪云甫一递眼色。“拿出来吧。”

洪云甫连忙拿出那份锦囊妙计，直接递到段令康手上。

段令康一边致谢，一边向米东杰说一些表示歉意的客套话，看上去态度十分诚恳。

“振兴社的重心以后将挪移到牙膏上去，肥皂一头主要由老汤和老洪负责，”米东杰摇摇手不让段令康往下说，“以后，咱们两家和平共处，尴尬的时候还可以互相帮助，这样该有多好。”

“是啊，说到底都是自己人……”段令康点着头附和道。

段红莲在旁边又是一声冷笑。

“其实要谢的话，最该谢的人应该是海伦。”米东杰装作没听见那声刺耳的冷笑，继续对段令康说道。

“对，对，应该感谢海伦小姐。”段令康连忙站起身来，端起酒杯，用不太流畅的英语对海伦说起了一连串的客气话。

海伦微笑着应答，与段令康碰了个杯，席间的气氛融洽了许多。

“有什么好谢的？”段红莲突然开了腔，貌似自言自语般说道。

“红莲，别胡说。”段令康呵斥道。

“怎么是胡说？”段红莲像被点着了的爆竹，双眉顿时竖立起来。“你也不想想，要不是这洋婆子使坏在先，我们何至于一败涂地？”

“怎么能这样说……”段令康无力地抵抗道。

“怎么不能这样说？”段红莲蛮横地反问道。“打一巴掌，再给个馒头，这么做更坏！”

“喝多了，喝多了，老弟千万别介意。”段令康朝米东杰陪着笑说道。

米东杰面色一变，忍了这么久，再好的涵养也被耗尽了。

“哼，都不是什么善男信女，这方子拿回去还不知道是不是管用呢，”段红莲永远不知道什么叫适可而止，阴阳怪气地继续说道，“回头别又憋着什么坏……”

“够了！”米东杰忍无可忍，将酒杯重重地往桌子上一顿。“你要是不相信，现在就可以把配方撕掉。”

“住嘴！你到底讲不讲道理？”段令康也有点火了，朝着妹子大声吼叫，又忙着安抚米东杰：“老弟，千万别听她胡说，就这么个臭脾气，你应该也清楚。”

“没事，没事。”米东杰只得这么说，但已经恼怒得脸色一阵青、一阵白。

“我告诉你，米呆子，别以为今天假惺惺恩赐一个人情，以前的旧账就可以一笔勾销了，我告诉你，没门！”段红莲并不领情，更不知道见好就收，手指着米东杰的鼻子愤愤地嚷叫道。“你不是开了牙膏厂吗？信不信老娘改行也做牙膏？”

这句话虽然半真半假，但穷追猛打的意愿依然表露无遗。

“好吧，这笔账随你怎么算都行，”米东杰脸色铁青，猛地站起身来，“咱们两家日后井水不犯河水，各做各的生意，你要做牙膏，欢迎！”

说到这里，米东杰一把拉起海伦，不顾众人的阻拦快步走出包厢。

谁也没想到，好端端的一场宴请，竟然再次不欢而散。

米东杰觉得，从今天开始，自己已经不欠段红莲什么了。

一九四零年三月，天气的阴冷程度与寒冬相差无几，而政治气候更是看不出一丝暖意。

汪精卫在南京成立了效忠于日本帝国的“国民政府”，开始鼓吹“曲线救国”，而重庆国民政府则马上发布多达一百余人的通缉名单，自汪精卫起的各级长官一网无遗。“上海特别市政府”改隶汪伪“行政院”直属，改悬“和平建国旗”。

但令人万幸的是，哪怕是在日军的刺刀面前，租界上的报纸依然保持着自由和独立的精神，几乎是众口一词地对汪伪大加鞭鞑，这下捅了马蜂窝，汪伪属下的沪西七十六号特工开始到处抓人、杀人，大量报界中人和国民政府遗留下来的党政军人员相继遇难。

更麻烦的是各种流氓、匪徒和灰色游击队也乘机浑水摸鱼，专找富商敲诈勒索，上海滩上暗杀和绑架盛行，报纸上天天都有连篇累牍的相关报道。海伦看报看得心惊肉跳，多次建议米东杰去弄一张“自卫手枪”的牌照，备下枪支以防不测。米东杰却不以为然，笑说有枪有什么用，自己在明处，人家在暗处，还是听命吧。

日子过得飞快，三个月的时间一闪而过。

段红莲所说的“做牙膏”毕竟还是一句气话，目前情况下，肥皂生意能够转败为胜，已经算是上上大吉了——海伦提供的补救措施果然有效，“活性剂”力挽狂澜，一下子救活了艾斯特公司——仓库里的废皂回炉后，段令康取名为“复合皂”，首批产品马上送往富成纺织厂，郑重声明免费供其试用，倘若再出差错，愿意承担一切后果。

试用结果令人满意，而且这件事歪打正着，消息传开以后，反倒帮艾斯特公司打了广告，纺织行业内全都知道了段家兄妹的名字，再去别的厂家推销，立即容易了许多。

废皂变成了钞票，但有句老话叫做“越吃越馋”，段令康账上有了钱，胃口却更大了。

这一阵，米东杰一直在忙牙膏厂的筹建，很少有时间过问肥皂厂的事，汤伯卿又经常在外面拜访批发商及催讨账款，振兴社的肥皂业务几乎由洪云甫一个人把持，近段时间里，主要目标是沪宁线上的纺织厂，把工业用皂的蛋糕进一步做大。为此，米东杰让洪云甫招募了一支推销队伍，沿着沪宁线撒开大网，很快便将三、四十家纺织厂网罗其中。

段令康深悔自己慢了一步。

上海虽是纺织业重镇，但开战后受到打击，厂家猛地削减掉一大半，这两个月里，自己沾沾自喜于“复合皂”抢占了上海滩头，殊不知米东杰高瞻远瞩，已经吞下了更大的外围市场。

段家兄妹与洪云甫的来往越来越密切，除了三天两头地在一起吃喝，段红莲甚至还主动约请洪云甫去看了两次夜场电影。现在米东杰成天不在肥皂厂里，段红莲也没了什么顾忌，再也不用偷偷摸摸地在雨果咖啡馆里等候洪云甫，而是直接把电话打到厂里，要是汤伯卿不在厂里，往往在电话里一聊就是半个钟头。

段令康对段红莲讲：咱们得让洪云甫觉得自己吃亏。

“这可不好办，”段红莲觉得有难度，“还能直接挑唆不成？”

“挑唆就挑唆！”段令康十分果断。“只要能让洪云甫把沪宁线上的大客户让出一半来，不，哪怕只有三分之一，咱们就是与米呆子彻底撕破脸也值得。”

“现在不是已经撕破了？”段红莲叹了口气。

“我看，还是有些藕断丝连的光景吧。”段令康语带双关，但看看妹子的脸色，连忙话锋一转：“洪云甫这小子还不错，大家知根知底，要是日后做了我的妹夫，倒是一件皆大欢喜的事情。”

段红莲斜了兄长一眼，脸色十分平静，甚至还有点冷漠，但又明白无误地摆明了默认的态度。

“你给他打个电话，就说晚上我请他吃饭，”段令康想了想又说，“这事，早晚得摊牌。”

晚上，洪云甫如约来到法租界上的一家西餐馆。

喝光一整瓶红酒以后，话题转上了正轨。

段红莲开门见山地说，希望洪云甫能让出沪宁线上一半的客户来！

“怎么让？”洪云甫一楞。

“很简单，你只要坚持原来的价格分文不让，”段令康笑嘻嘻地说道，“我再上门以稍低的价格供货，事情还不是一谈就成？”

“这么办，不太合适吧？”洪云甫面有难色。“日后，我在老米面前没法交待啊。”

“有什么交待不交待的，你在振兴社只占一成，牙膏厂现在独立出去了，投产以后，全是米呆子的独食，没你一分钱的好处，哼，我看啊，这是米呆子听了那洋婆子的话，变着法想甩掉你和老汤，”段红莲没忘记“挑唆”的责任，随后又直截了当地说，“我哥说了，沪宁线上的厂家，你只要让出一家，艾斯特就付给你一千块钱，让出十家，就给一万块钱！”

洪云甫心里一颤。

“这话怎么能这样说，”段令康假意喝住妹子，“云甫又不是外人，岂能任何事都用钱来说话？”

“就是，哪里是钱的问题。”洪云甫喃喃地说。

段红莲的脸上显露出一丝笑意，紧接着说出了一句逻辑混乱但目的明确的话：

“这笔生意，算你的彩礼也好，算我的嫁妆也好，只要咱们能给米呆子一点教训就成。”

“是啊，胳膊肘不能往外拐不是？”段令康又补上一句。“我打算，过一阵就给你们俩订婚，当然，咱们谁都不请，暗中办事。”

这真是天大的馅饼掉在头上，洪云甫觉得自己脑袋都快被砸晕了。

想想也是，米东杰现在自己都不太把肥皂业务当回事了，全心全意地扑在牙膏厂里，三个月来，连肥皂厂的账本都没来看过一眼，那么，漏掉一些客户又算什么呢？

牙膏厂的设备已经安装完毕，不出意外的话，大概下个月就能开工试产了。

洪云甫抽空去牙膏厂看过一次，崭新的车间里，密布着成龙配套的设备和交叉纵横的管道，一名德国工程师指挥着几名米东杰招来的技工，正在进行最后的调试，海伦则充当双方间的翻译，现场忙碌不堪却又井然有序。

"那些技工怎么样？"洪云甫问米东杰。"德国人走后，他们能独立操作？"

"没问题，都是吃机械饭的老技工，还有一些专科的大学生，"米东杰回答道。"那个德国工程师做事十分认真，就是一点不好，太贪酒，而且老是跟我要酒钱。"

"安装、调试、培训的费用不是包括在设备费用里面的吗？"洪云甫问。

"就是，"米东杰答道，"偶尔要点小费，那也算了，可这家伙三天两头开口，就有点过份了。"

刚说到这里，海伦匆匆跑来报告说，工程师又要酒钱，说是灌装机调试成功，今天要喝庆功酒。

"告诉他，没有。"米东杰有点恼火。"前天刚给过，这家伙还真是好意思，把我们中国人当傻瓜看了。"

"呵呵，得寸进尺了。"洪云甫笑着附和道。"对这样的人，没什么好客气的。"

牙膏厂正式开产，但机器一转便遇到了麻烦。

牙膏成份中的粉料主要是天然碳酸钙、氢氧化铝、磷酸氢钙、二氧化硅等，在配方中占到百分之五十以上。工人们将粉料拆包后倒入振动筛，过筛后的粉末进入发送器，通过底部的喷嘴被压缩空气喷成流态，由卸料阀投料进入制膏机。

作为核心设备的制膏机为三层金属材料，耐压、耐热，起搅拌作用的贴壁刮板和中心刮板作正反方向旋转，将物料与甘油、聚乙二醇等液体均匀搅拌成膏体，最后通过输送管道泵入灌装机。

全套设备中，最精密的机器得数灌装机，作用是把膏体定量灌入空软管中，然后将管尾密封。这套目前世界上最先进的全自动灌装机，开动后每分钟可以灌装四十支牙膏，也就是说，每天的产量可以达到三万支。

毛病出在灌装机上：膏体的填充嘴与软管支架始终发生错位，无论如何无法对应，膏体全都没有灌进软管。

德国工程师早就走了，难道是这厮心怀不满，故意留下的麻烦？

“试产的时候一切正常，肯定是这酒鬼又做过了手脚。”米东杰猜测道。

“这种先进的全自动设备，在上海可能很难找人维修。”海伦也忧心忡忡。

“是啊，我找过洋行了，他们说，要维修的话，还得从德国派人来，时间至少得两个月。”米东杰愁眉苦脸地说。

“对了，有办法了，”海伦突然叫道，“我记起来了，雅各布是高级技工，应该掌握欧洲最先进的机电技术，也许他能胜任。”

“能够胜任又怎么样？”米东杰苦笑着反问道。“雅各布一向把我看成情敌，现在巴不得看场好戏呢，难道还肯出手帮我？”

“这可不一定，落井下石，不是犹太民族的性格。”海伦很有把握地说。“这样吧，我们一起去难民收容所找他。”

海伦说得没错，雅各布听说事情的原委以后，当场表态愿意帮忙。

来自欧洲的高级技工，手上的本事果然名不虚传，雅各布来到现场，不到两个钟头就找到了毛病。

灌装机的自动化程度较高，以柱塞泵和螺杆微调机构计量灌装膏料，进管、探管、定位、灌膏、封尾、出管一气呵成，各道工序通过凸轮轮系、连杆、福开森机构等装置，正确、连续、自动地完成，可灌装十六至三十五毫米直径的软管。雅各布仔细检查，发现凸轮轮系调节不当，而且有故意错位的倾向，这才导致软管的定位出现偏差。

一番调整之后，灌装机马上恢复了正常。

米东杰向雅各布表示感谢，再三强调要支付报酬，并诚恳地邀请雅各布入厂工作，担任设备主管一职，但雅各布摇头拒绝，说这是举手之劳，不需要酬劳，如果实在要表示谢意的话，不如向犹太难民收容所捐赠一些正好用得着的牙膏和肥皂。至于进厂任职，恐怕也无法答应，因为身为“贝塔”成员，不能擅自接受工作，而且最近组织上有新的行动和安排，自己也脱不开身。

米东杰一口答应，说仓库里正好积存着大量试机时生产出来的成品，约有一千支左右，明天就派人送一批过去。

雅各布匆匆而来，匆匆而去。

米东杰巡看着整条欢快运转的生产线，心中满怀轻松和喜悦，一高兴，突发浪漫之情，亲手捡起生产线上的第一支成品，像骑士向公主献花一样单腿下跪着郑重其事地送给海伦，引得海伦笑逐颜开，煞有介事地行了个屈膝礼。

“我们来正式检验一下产品的质量吧。”海伦笑嘻嘻地建议道。

检验的办法是取一张白纸，将膏体挤在纸上，然后从纸的背面察看，膏体的渗水程度应该是越少越好，再用手指将膏体轻轻摊开，检查是否均匀、细腻，有无粒状硬质。

“很好，完全合格。”海伦又用舌尖轻舔膏体。“香味纯正，无刺舌的碱性或酸性类使人不快的气味。”

“呵呵，明天去向老汤和老洪报个喜，一块儿吃个饭高兴高兴。”米东杰兴高采烈地嚷道。

第二天下午，米东杰一边安排人手将仓库里的试制品送往犹太难民收容所，一边随手拿了几支装在衣兜里，准备让洪云甫和汤伯卿拿回去试用。

傍晚时分，米东杰带着海伦来到肥皂厂，洪云甫汤伯卿正好都在。

“喝，有模有样，十分精神。”汤伯卿端详着牙膏连声喝彩。

“德国软管，质量确实挺括。”米东杰得意地说道。“就是价格比较贵，加上运费得四、五分钱一支，而且商标和图案更改起来十分麻烦，得提前四个月把设计稿寄到欧洲去。”

牙膏的外形十分体面，管身端正挺拔，管尾整齐紧密，圆盖与螺口十分吻合，管身上根据米东杰提供的原稿而印制的图案十分清晰——依然是一只紧握的拳头，下面以中英文两种文字标明：“斯狄尔”和“steel”，意为钢铁，暗喻使用本品后，牙齿将如同钢铁一般坚固——之所以选择音译作为商标，主要是考虑市场上的崇洋心态及今后可能要向南洋出口的原因。

“我来尝尝味道。”洪云甫拧开圆盖，准备往手心里挤出一点膏体来。

然而，盖子还没完全旋开，一股膏体已经“噗”一声猛地从管口喷了出来，竟然远远地射到了办公桌上——盖子与其说是拧开的，还不如说是被冲开的。

汤伯卿慌忙再拧开几支，情况一模一样。

“怎么回事？”米东杰顿时一楞。“前几天下线时还是好好的。”

“气胀？！”海伦口中冒出了一个专业术语。

“老米，这可不能上市啊，不然的话准砸牌子。”汤伯卿忙说。

“是啊，幸好试制品全都捐赠给犹太难民收容所去了。”米东杰也有点后怕，又问海伦：“海伦，为什么几天前一切正常，放了一段时间就出毛病了？”

“我得回实验室去仔细分析后才能解决，”海伦也面有难色，“牙膏是一系列可溶于水及不溶于水的酸、碱、盐、有机化合物组成的混合物，也是一种复杂的电解质，而软管又由活泼的金属铝制成，所以膏体和管体间存在着化学反应和电化学反应。”

“难怪人们会说，制造肥皂是技术，而制造牙膏则是艺术，”米东杰这才大悟这一名言，“可能就是因为不确定因素太多了。”

“所以生产肥皂的厂家那么多，但生产牙膏的就没几家。”洪云甫感概道。

“德国厂商提供的是标准配方，应该没什么问题，我初步估计，可能是没有考虑到与软管的匹配问题，”海伦猜测道，“我们只有进一步调整配方，并在生产工艺上加以改进，才能避免问题的发生。”

米东杰闷闷不乐，一边吩咐汤伯卿明天送一批肥皂到犹太难民收容所去，一边强打精神，邀请大家共进晚餐——不管怎么说，产品还是生产出来了，应该值得庆祝一番。

“老米，实在抱歉，我今天去不了，晚上有点事。”洪云甫推辞道。“呆会儿还得早点走。”

“怎么，是和段红莲约会？”米东杰半开玩笑地问道。

“没错，”没想到洪云甫倒是大大方方地承认了，“跟段红莲早就约好了，今晚一起去看电影。”

“行，去吧。”米东杰很乐意听到这样的消息，但眼中又迅即闪过一丝不安。

洪云甫并没说谎，今晚确实是要和段红莲见面，但不是去看电影，而是有着更重要的事情。

五点来钟，洪云甫来到段家兄妹居住的公寓。

段令康正在房间里听无线电，段红莲则坐在沙发里看报纸，兄妹俩全都衣冠楚楚，并未换上轻软的家居服，看样子是在等着客人光临。

“带来了吗？”一见面，段红莲马上急切地问。

“带来了，”洪云甫慢吞吞地摸出一张信笺，样子似乎有点不大情愿，“昨天晚上想了整整一夜啊。”

信笺上，抄写着沪宁线上的纺织厂名录，包括地址、电话和老板的姓名，不多不少正好是十家——当然，这份名录本身并不重要，但是意味着幕后交易已经达成，这批客户，将从此拱手相让——接下来，振兴社的报价将会坚如磐石，纹丝不动，而艾斯特只须稍微降低一些定价，就将一举拥有这十家大客户，财源必定滚滚而来。

“有什么好想的，”段令康匆匆看了一遍名录，“要想，也该多想想自己的事。”

“是啊，难道你愿意这辈子一直跟在米呆子的屁股后面？”段红莲也开始敲打。

这话算是说到洪云甫的心坎里去了。

“来，把钱收好。”段令康从沙发后面拎出一只皮包。

“总共一万块，已经换成美金了。”段红莲补充说明道。

“不急，不急。”洪云甫总得客气一下。“令康兄，你怎么当真了？”

“应该的，应该的，”段令康把皮包硬塞在洪云甫手上，同时建议道：“走，下楼吃饭去，一块儿喝几杯。”

“改天吧，”拎着沉甸甸的皮包，洪云甫已经坐不大住，“今天有点头疼，我想回去吃点药，早点睡觉。”

“行，那就改天再碰头。”段令康说道。

洪云甫当然不是头疼。

顾不得吃晚饭，洪云甫跳上电车，一路直奔沪西方向。

沪西地区是个标准的“三不管”地带，既不像租界那样由欧美人掌控，也不像虹口那样由日本人管理，而汪伪政权又鞭长莫及，所以此处赌博、毒品、娼妓等等不正当行业大肆泛滥，由此被记者们标上了一个“歹土”的称谓。

从去年开始，公共租界当局开始在界内查禁赌博，迫使赌博经营者纷纷避走，包括喧嚣一时的“花会”在内，全都聚到了沪西无主地区，以忆定盘路和海格路为中心，赌博场所鳞次栉比，成日成夜地贪婪吸金。

洪云甫以前厮混过花会，颇认识一些圈子中人，但自从跟着米东杰创业以后，全部断绝了来往。但是，自打肥皂厂步入正轨，洪云甫口袋里有了一些余钱，特别是指望着厂里的那一成股份，手就又有点开始发痒。

开始，只是小打小闹，打几门花玩玩，后来米东杰结识了海伦，洪云甫经常是晚上一人独处，赌注开始越下越大。常言道“十赌九输”，洪云甫是逢赌必输，却还越战越勇，所以搞到最后，经常只能靠吃阳春面过日子。

再后来，脚步踏入歹土，那就相当于一只脚踏进了棺材。

洪云甫欠了不少债，人家知道他是振兴社的老板之一，放起账来十分痛快。

今天收来的这一皮包美金，一大半需要用来清账。

洪云甫算计着，还掉旧债以后，大概还能余下三千来块，不如冒一次险，结结实实玩把大的，运气好的话，赢点钱就收手，从此金盆洗手，拿着这笔钱也去开一家属于自己的肥皂厂。

米东杰搞成了，段家兄妹搞成了，难道自己就搞不成?

紧紧地夹着皮包，洪云甫走进了忆定盘路上最为豪华的一家赌场：“亚洲俱乐部”。

第十四章　将计就计

海伦没日没夜地泡在实验室中，终于搞清楚了牙膏“气胀”的原因。

原因说复杂也复杂，说简单也简单。

洋行提供的牙膏配方，属于一种流行了多年的成熟、通用配方，而当时的牙膏产品所用的软管材质，清一色全部是青铅包锡，故而一直相安无事。青铅呈灰白色，质地比较柔软，延展性极好，涂以锡层以后，即使与膏体接触仍比较稳定。

现在，米东杰所用的乃近年刚刚兴起的铝质软管，毛病也就应运而生。

从理论上讲，牙膏的膏体属于一种轻微的腐蚀性物质，与铝管接触后会产生化学反应，阴极或阳极反应更会形成“原电池”而引起电化学腐蚀，导致密闭的管内产生具有爆鸣特性的氢气来——用专业术语来说，这叫“面蚀氢胀”——这种反应的速度极快，要是高温天气的话，十个小时就能给人看颜色。

海伦经过多次试验，找到了一种理想的解决方案：在膏体中加入一定量的二水合磷酸氢钙和泡花碱，作为缓蚀剂在铝管内壁的表面形成一层“保护膜”，以便阻滞阴极、阳极反应。

米东杰越来越有理由相信，海伦简直就是上帝派来的天使。

找印刷厂定制的外包装送来以后，米东杰招来大量女工以手工进行分拣包装，“斯狄尔”成品很快上市，零售价定为每支四角——与七星持平，比洋货便宜一半。

销售势头相当不错，财源滚滚而来，看来，提前还贷一点问题都没有。

“看来，这一步棋真是走对了。”米东杰在海伦面前多次感叹。

路是走对了，但并不等于好走。

一天，米东杰正和海伦坐在办公室里的沙发上喝咖啡闲聊，门房突然来报，说有一名洋人上门求见。

“请进来吧。”米东杰吩咐道。

来客年约三十来岁，留着一头乱糟糟的褐色长发，身上的衣服也不甚合体，自称来自法国，名叫路易，也是一家牙膏生产工厂的业主。

路易只会讲法语，幸好海伦可以勉强听懂，尚能居中翻译。

“路易先生有生意要和我们合作？”米东杰客气地问。

对方听懂以后摇摇头，脸色一点也不轻松，甚至可以说有点严肃，随即用硬邦邦的法语跟海伦说了一大通话，同时指手划脚，态度似乎不甚友好。

海伦脸上的表情渐渐凝重起来。

“他是在和我们正式交涉，”海伦听完路易的话后对米东杰说道，“他说我们现在使用的‘steel’商标侵犯了他的商标权。”

“这怎么可能，我们的中英文商标都在工部局通过了注册，怎么可能跟他冲撞？”米东杰叫了起来。

“他说他是在法租界注的册，”海伦回答道，“而且还有公董局颁发的正式文件。”

路易出示的证书和文件相当齐全，米东杰仔细分辨，可以肯定全是真品，但注册的日期仅仅比自己早了两天——这也太凑巧了吧？

路易十分干脆地提出要求：由于米东杰未履行“后经营者避让义务”，致使其遭受了重大损失，故而要求米东杰停止使用“斯狄尔”和“steel”标识，并赔偿二万元的经济损失。

真是狮子大开口，米东杰一下子懵了。

冷静下来以后，米东杰问了路易几个问题：阁下的工厂位于何处、为何没有产品应市、赔偿金额有何依据……

这么一问，路易先生马上张口结舌，提供不了任何答案。

其实，米东杰早就有点怀疑，这位路易先生很可能是哪位竞争对手派来的牵线木偶，目的是要搅自己的局，像以前大旗公司那样，将对手扼杀于襁褓之中。但是，上海是个特殊的地方，两租界虽然各行其是，但真要打起官司来，对方援用“国际惯例”的话，自己必输无疑。这里先不说最后赔偿多少，只要判决“避让”，那么之前定制的大批软管、外包装、彩色招贴全部报废，光此几项就让人吃不了兜着走了。

硬碰硬肯定不行，唯一的办法是斩断幕后操纵的黑手。

只有将计就计。

米东杰向路易建议：阁下没有工厂、没有产品，真打起官司来，我完全可以反诉你恶意抢注，但鉴于维护商誉的前提，愿意协商解决此事，具体做法是，由我名义上收购阁下纯属子虚乌有的工厂和商标，但是价格不会高，只有区区一千元。

米东杰看得出，路易似乎有点心动。

“海伦，你告诉他，要么现在就签商标转让协议，要么明天去打官司，没有第三种选择。”米东杰下了最后通牒。

米东杰心里很清楚，如果今天放走路易，这件事就绝对不是一千块钱能摆平的了。路易看上去不像是老练的商人，可以说还很嫩，而且很可能经济拮据，眼下极其需要金钱，但是，其背后的指使者则必定老奸巨猾，回去以后一商量，这个办法肯定失效，唯有迅雷不及掩耳，马上假戏真做般签掉协议，并且一本正经地去做公证——这个叫做“捉到强盗连夜杀”。

路易果然没能抵御住一千元现金的诱惑，略思片刻便同意签约。

付钱以后，米东杰觉得可以打听一下真相了。

原来，路易根本不是什么工厂主，只是一名穷困潦倒的三流画家，在上海混迹多年一无所成，本来已经准备回去了，但突然受人之托，冒牌前来捣蛋，说好了事成之后可以得到二百元的好处——二百元与一千元相比，傻瓜都知道应该怎么选择——当然，注册的手续都是真的，但那都是别人提供的。

看来，这个“别人”，还是颇有点神通的，非但没有实体工厂便能抢注商标，竟然还有办法使注册日期先于自己两天。

米东杰又加了点砝码，告诉路易说，只要他说出幕后指使者是谁，可以马上再加五百元。

路易掂量再三，终于说出了一个人的名字：惠梦石。

在日化行业中，惠梦石的名声可谓首屈一指，就像提起京剧，人们第一个便会想起梅兰芳。

众所周知，惠梦石是个中国人，但又具有德国的国籍，所以严格点讲得算是外国人。此人本来是德国“天鹅牌”牙膏在华的总代理，后来买卖期货又发了大财，干脆在上海开设分厂，直接生产并销售产品。由于天鹅牌进入中国市场极早，产品深入到全国的每一个角落，惠梦石日进斗金，遂成豪富，此后更是开办了一系列的企业，如酸钙厂、搪瓷厂、火柴厂、味精厂、蚊香厂、橡胶厂等等，成为当之无愧的工业巨头。

传闻中，惠梦石的发迹，主要是在做期货交易的时候。当年，惠梦石出入于中国的首家证券交易所“上海西商众业公所”，除了股票和债券，同时还从事期货交易，资本如滚雪球般越滚越大。据说，有一次大行情来临，大家全都杀跌抛货，当时惠梦石正好在厕所小解，手下人匆忙来问到底要不要抛，惠梦石连连摇头，手下人得令离去。谁都没有想到，几天之后行情反扑，大涨特涨，惠梦石一下子赚了个盆满钵满。大家都夸惠老板深谋远虑、眼光独到，惠梦石却苦笑着说：“哪是什么深谋远虑，那天其实是根本没听见，正好尿完以后摇了几下头，被那小子误会啦。”于是，惠梦石得到了一个外号：“拆水财神”——上海土话里，“拆水”即撒尿之意也。

面对如此强大的对手，米东杰第一次感到了胆怯。

惠梦石的想法肯定和当初的大旗公司一样，但手法却更加刁钻，只是没想到抛出的洋瘪三路易，变成了肉包子打狗有去无回。经此一战，惠氏会不会从此和自己结下仇隙呢?

海伦建议，走自己的路，别管别人怎么看，只有先让自己变得更加强大，才有可能不战而胜。

从品牌的宣传、推广一头来说，一直是振兴社的软肋，以前的“臭肥皂”是占了天时地利人和，所以没花什么钱就名声大震，这次的牙膏可不同，不主动出击，好事不会成双。

“大做广告？”米东杰请教道。“这个容易，我明天就让人去报馆和电台打广告，再多印点巨幅彩色招贴，派工人去到处张贴，还有，定做一批月份牌，印上我们的广告随产品奉送……”

“这个是一方面，但是太常规，恐怕效果不会太明显，”海伦打断米东杰的话头，马上提出了一个新颖的设想，“我在想，是不是搞一些类似抽奖的活动。”

“对啊，好主意，”米东杰顿时有了具体的方案，“搞抽奖，印一批金额不等的奖券，装在小玻璃管里，随膏体一同灌进软管，谁买到了可以在销售点上直接兑换。”

“这么做确实可以刺激购买，但是，我们还应该在产品的多样性上多动动脑筋。”海伦再次建议道。“比方说，欧洲就有一种小号的牙膏，灌装量大概只有大号的一半多一点，便于人们短时间内用完，或者外出时易于携带，但我在上海却从没发现过。”

“又是一个好主意，”米东杰拍案叫绝，“我马上联系洋行，定制一批小号软管。”

“嗯，先试制一批，看看是否受欢迎。”海伦点头说道。

“说干就干，咱们先去一趟洋行，回头再去肥皂厂看看，好些日子没见到老汤和老洪了，走，一块儿看看去。”米东杰提议道。

俩人先去洋行订货，随后一同来到肥皂厂。

一进门，米东杰就觉得不大对劲。

洪云甫和汤伯卿都在办公室内，但全都虎着脸谁也不理谁，似乎刚刚发生过什么不愉快的事。

一问究竟，米东杰心里也开始发沉。

原来，就在刚才，厂里来了一名客户上门要货，据汤伯卿说，那是一张陌生面孔，以前完全没有打过交道。有生意当然要做，更何况那人的要货量还非常之大，但是，临到付款的时候，拿出来的是一张已经开好的支票。

支票千真万确，但问题在于，今天恰恰是星期六，时间已是下午，而振兴社开户的信诚银行是星期六休息半天、星期天休息一天，也就是说，必须等到下星期一方能划账或支取——这个情况，与上次海伦对付大旗公司的办法如出一辙，万一那是一张空头支票，那还不砸锅？

汤伯卿看出破绽，不同意当场交货，恰好这时来了个电话，有一老客户约汤伯卿外出对账、谈生意，汤伯卿只得再三关照洪云甫小心谨慎，自己匆匆出门。可是，洪云甫不知道那根脑筋搭错了，把汤伯卿的再三关照当成耳边风，居然自作主张发了货。等汤伯卿赶回来，生米已经煮成了熟饭。为此，俩人大吵一架，到现在还是谁也不理谁。

“老米，你来评评理，人家是第一次上门的新客户，而且又是大客户，咱们能不客气点？”洪云甫看上去满肚子都是委屈。“老那么疑神疑鬼的，什么生意都不用做了。再说人家当时已经十分生气，我也是为了拉住生意，没办法，就只能先发货了。”

“不是客气不客气的问题，一万多块钱的货，万一有个闪失，到底谁来承担责任？”汤伯卿气呼呼地责问道。

“我一个人来承担好了……”洪云甫翻了个白眼。

“你来承担？”汤伯卿冷笑一声。“你承担得起吗？”

“行了，都别说了。”米东杰连忙喝住。“事情已经出了，只能等到下周一再说了。”

“老米，我……”汤伯卿还想继续声讨。

“好了，老汤，”米东杰拍拍汤伯卿的肩膀，自言自语般叹道，“是劫躲不过啊。”

“说到这个劫字，恐怕还有一个坏消息你还不知道，”汤伯卿突然想起了什么，“我也是刚刚才听说。”

“什么坏消息？”米东杰的耳朵竖了起来。

“我听说，段家兄妹也在学你的招，早在两个月前就用肥皂厂向银行抵押贷款，千真万确要开牙膏厂了！”汤伯卿扯着嗓子嚷道。“据说，向洋行订购的设备马上就到，工厂也扩建完毕，恐怕不出两个月，这条黑鱼精又要游过来啦！”

段红莲趁热打铁要开牙膏厂，听上去像是心血来潮，甚至大有赌气的意思，但段令康仔细想想，这么好的生意要是放弃不做，那才是一头真正的蠢驴。

米东杰已经踩出了一条可供借鉴的路子：用肥皂厂抵押向银行贷款，随后的订设备、进原料、生产销售等等，只要紧跟着米东杰亦步亦趋，根本不用担心一脚踏空。而且，开设牙膏厂以后，可以彻底摆脱大旗公司的控制，不用再仰人鼻息了。

不过话又说回来了，大旗公司现在似乎已经没什么心思来干预艾斯特的事务了，不知道这是否与租界上的大环境有关。

日界和华界上的报纸，反对英美的文章越来越多、越来越明显，即使在日本军人身上，这一点也极其明显。举例来说，上海市民进出租界时，遇到路卡上的日本兵必须脱帽鞠躬，否则极有可能遭到打骂，而且这些士兵经常还要搜身，如果搜出你口袋中装着英美产的香烟，那免不了会挨一个耳光，如果是大连珠、金鼠牌等中国烟，往往大喝一声放行，弄到最后很多人干脆买包中国烟放在口袋里，过卡时出示一下，简直比通行证还灵。有的时候，过卡的人会忘记脱帽鞠躬，如果是中国人，日本兵尚不太认真；如果是英美人，那就不得了，非打得你满地找牙不可。有些喜欢恶作剧的日本兵，要是看到路上有英美人坐在黄包车上，经常会拦住去路，逼着乘客下车拉着车夫走……后来人们才明白，这是“扫除英美势力”的前奏。

英美靠边站，而且苦日子还在后头，当然，这是后话。

所以大旗这样的企业，哪会嗅不出味道来？眼下自顾不暇，又哪有心思再参与什么商战？

英美企业受到空前的阻力，空出来的地盘，不正是中国企业发展壮大的契机？

但是，段红莲的要求，还不单单是赚钱。

眼看着米东杰的广告在报纸和电台上出现，赠送的月份牌也颇受欢迎，段红莲顿时心生一计。

“我们也得大做广告。”段红莲对段令康说。

“没错，跟着米呆子学，产品一出来就做。”段令康完全赞同。

“不，现在就做，马上就做。”段红莲更正道。

“你疯了？”段令康叫了起来。“工厂还没建成，产品还是一个影子，你做的是哪门子广告？”

“呵呵，就得这么干，”段红莲得意地大笑，“咱们先把价格定出来，不多不少比米呆子低二成，先把水搅混再说。”

“唉，让我说你什么好，”段令康摇头叹息，继而正色说道：“不过，这个办法也许还不错。你想啊，老百姓三天两头看见我们的广告，可市面上就是买不到，真是隔墙花影动，疑是玉人来，越这么吊胃口，人就越好奇，这叫欲擒故纵。等到锣鼓家什敲足，牙膏哗啦一声全面应市，那时候，还不……”

“我可管不了这许多，”段红莲不耐烦地打断段令康的话，“擒也好，纵也好，只要能让该死的米呆子挨打就好。”

“看来，咱们还得物色一个能干点的广告科长，”段令康想了想又说，“广告费可不便宜，要是最终做得干巴巴的就没意思了，一定得别出心裁，花最少的钱，吸引老百姓最大的注意力。”

“行，明天我就去报社，先登一则小广告，公开招聘广告科长。”段红莲点点头。“到时候来一大群能人，你就慢慢挑吧。”

招聘广告的效果极好，果然吸引了不少聪明人前来应聘，段家兄妹条挑挑拣拣，最终留下了一个名叫陈羽生的中年人。

陈羽生先生相貌平常，扔进人堆就找不着，但说起以往的业绩来头头是道，马上引起了段令康的关注。

陈先生最自豪的一件事是“草船借箭”——去年，陈先生穷困潦倒时心生一计，在报纸上登出一则豆腐干般大小的征婚广告，配以一张妙龄女郎的玉照，声称自己乃一名爱好文学的大家闺秀，为觅如意郎君，特向全社会公开征婚，要求应征的男士一定得具备文才，须以情真意切的情书先打动芳心，然后才择优交往。消息传出，大批男士跃跃欲试，纷纷搜尽枯肠写出声情并茂的锦绣文章寄往刊载的通讯地址，只可惜，此事从此再无下文。几个月后，市面上的书店里出现了一本《情书大全》，陈先生颇赚了一笔稿费。

“这事我也听说过，没想到原来是阁下的创举啊。”段令康听后哈哈大笑。

这种善于空手套白狼的人才，正合段红莲的心意。眼下，要的就是无中生有嘛。

陈先生荣任广告科长一职，上任伊始便着手目前尚属子虚乌有的牙膏产品的宣传工作。

新产品仍然沿用艾斯特这一品牌，如何达到段令康所要求的“用最少的广告费，吸引最大的注意力”这一效果，不失为一个难题。陈科长在办公室里坐了一天，香烟抽掉了半包，呆望着面前的烟盒，突然有了灵感。

香烟是英美烟草公司所产的“翠鸟牌”，陈科长记得很清楚，此烟的广告招贴上刊载的是一篇配图的滑稽小说《隔壁听》，这个思路倒是不错。回家以后，找出收藏的招贴细看，只见上面写道：

熊先生和他的夫人，本来是很要好的，近来却有点不大和气，为的是他的夫人疑心他有了外遇了。这一天晚上，熊夫人又在书房门缝里偷看丈夫，只见他摊着一张有花信笺，慢慢地想，仿佛是写情书一般。停一会，又摸出一件小东西来，像照片似的，低着头说：“你的衣服好绿啊，我要替你穿着；你的嘴唇好红啊，我要和你接吻，你真是一只最好的小鸟啊！”熊夫人听到这里，心想对了！便气忿忿地跑进房去，抢来一看，却是一盒“翠鸟牌”香烟！她才暗暗明白，便点点头道：“哦！原来你说的是这盒上的翠鸟啊！”他们俩于是乎又要好了。

这篇短文，文字笨拙得可爱，但令人过目不忘，广告的目的也就达到了。如果借此思路，像连载小说一样将整文拆分为七段，配上插图后在一周内每天刊登其中之一，这样非但具有连续性，还有着一定的悬念，效果不是更加理想？

陈科长精心拟就一篇文稿，称“某君”相貌英俊、事业有成，但择偶时却屡屡碰壁，无论相亲还是社交，与众多女子始终无缘，好不容易约会了几位佳丽，也是竹篮打水一场空。最终，祸根水落石出，原来是牙齿太黑、口气太重所致。于是某君痛定思痛，开始使用艾斯特牌牙膏，不久便令牙齿洁白如雪、口气清新，于是乎，终于抱得美人归也。

广告在多家报纸的固定地位上天天刊载，效果确实十分理想，老百姓一下子便记住了“能帮人讨到老婆”的艾斯特牌牙膏，但是，遍觅街头巷尾，却又难见产品踪影，令人纷纷猜测是不是果真大有奇效，再加上价格才三角二分，所以供不应求。

毫无疑问，影子一般的艾斯特牌，在名气和价格这两个方面，已经远远领先于斯狄尔牌。

米东杰开始纳闷，段家兄妹从哪里觅来这么一位活宝，居然想出这么好的招术——自己的牙膏只考虑到宣传个体的健康，宣称可使牙齿如钢铁般牢固，而段家明显棋高一着，宣传的是具有社交意义的实用性质。

这一个回合，恐怕不得不承认已经输了，事实就是：四角一支的斯狄尔牌牙膏，不像刚开始时那么好卖了。

“降到三角！”米东杰第一次真正恼火。

更令人恼火的事还不是牙膏，而是肥皂。

上次洪云甫坚持发出去的那批货，毫无悬念地凭空蒸发，收进的空头支票成了一张废纸。一万多块，这么大的损失该如何处理呢？更令人疑心的是，海伦提议的这一招，在上海滩上还从来没人使用过，当时连大旗公司都没看出来，那么，别人是怎么学去的呢？

难道是洪云甫和骗子里应外合？或者，是受了段红莲的指使，合起伙来搞鬼？

可是，这小子为什么要这么干呢？这么多年的兄弟情谊，难道就如此脆弱？

海伦和汤伯卿都建议米东杰向捕房报案，但米东杰并不想这么做。也许，洪云甫另有隐情呢？据汤伯卿说，这小子最近总是一付魂不守舍的样子，干任何事都打不起精神来，而且天天都是一下班就匆忙离厂，心思根本就不在生意上。

米东杰想，这事恐怕得和汤伯卿好好商量商量。

一天傍晚下班时分，米东杰打了个电话到肥皂厂，听到汤伯卿接电话的声音后，先问洪云甫在不在旁边。

“不在，没到下班时间就走了。”汤伯卿答道。“老米，啥事啊？”

“想和你单独聊聊。”米东杰答道。“这样吧，一个钟头以后，我在华德路口的那家徽帮菜馆里等你，咱俩也好久没在一起喝酒了，今天喝几口散散心。就咱俩，海伦去夜校学中文了。”

“行，一会儿见。”汤伯卿答应道。

一小时后，两位合伙人在徽帮菜馆里碰了面，叫了酒菜开始慢慢吃喝。

“老米，想聊聊洪云甫这小子吧？”汤伯卿显然很清楚米东杰的用意。

“没错，”米东杰点点头，“你说他整天都是魂不守舍的样子，这是什么意思？”

“哼，上班没精打采，老是看着报纸发呆，可一到下班时间就来了精神，”汤伯卿抱怨道，“车间里的工人还没走，你老板倒是先走了，像什么做生意的样子？”

“哦，天天都这样？”米东杰问道。

“没错，不管刮风下雨，到点准跑。”汤伯卿答道。

"嗯，我觉得，这家伙肯定外边有事。"米东杰沉吟道。

"我估摸着，八成不是什么好事。"汤伯卿一口喝干杯子里的酒。

"老汤，你先不要声张，"米东杰也喝了一口酒，"明天，我从牙膏厂派个机灵点的工人来，等下班的时候跟在他后面，看这小子究竟是去什么地方。"

"好，摸一摸底细也好。"汤伯卿连连点头，随手点上一支烟。

"明天我让人去肥皂厂找你，你暗中把洪云甫指给他看，注意别被这小子发觉。"米东杰吩咐道。

"放心，我自会安排。"汤伯卿点点头，接着又关心地问道："老米，你牙膏厂那边最近怎么样？"

"本来生意相当不错，不过被段家的广告这么一闹，还是受了不小的影响，"米东杰苦笑道，"这几天一直在忙小号软管的事，等设计稿定下来以后，马上寄往欧洲去定制。我现在设想的是做两个品种，一种叫旅行牙膏，一种叫儿童牙膏，这在上海市场上还是空白。"

"好主意。"汤伯卿由衷地翘翘大拇指。

"现在最闹心的事就是段家乱打价格战，唉，再不想点好办法出来，恐怕真要被他们拖下水去了，"米东杰摇头叹息道，"我已经仔细想过，目前只有在成本上做文章，练内功，自己把成本控制住。"

"在上海开厂，大家的成本都差不多吧？"汤伯卿问。

"对，都差不多，比方说我和段家，成本就几乎一模一样，"米东杰答道，"一支牙膏里边，软管的成本最高，几乎占到一半，主要是国内没有任何厂家生产，而越洋货运的费用又非常之高，难办啊。软管的包装得用硬纸板一支一支架空，而这种用胶水黏合起来的纸板盒成本又很高，为了省钱，不得不把纸板盒收集起来后再运回去，以便下一次重复利用，但这样就需要再付一次运费。"

"最近全世界都在打仗，海上也不太平，这水脚恐怕还会大幅上涨。"汤伯卿说道。

"可不是，已经涨啦。"米东杰说道。"不单是价格高的问题，还有时间的问题。比方说我这次生产旅行牙膏和儿童牙膏，就得先在上海设计样稿，然后再寄过去制版印刷，时间上会耽搁很久。"

"实在不行，我看你干脆自己开一家软管厂吧。"汤伯卿笑道。

这本是一句信口说出的玩笑话，但米东杰听在耳中，心中猛地一动，马上陷入了沉思。

软管的用途非常广泛，除了牙膏行业，像医药、化妆、颜料、鞋油、粘合剂等等，全都离不开各种尺寸的软管，既然上海，乃至于全国范围内都没有任何厂家生产，自己为何不去力拔头筹呢？

“老米，发什么呆呢？难不成，你还真打算开一家软管厂？”汤伯卿笑呵呵地问道，将烟蒂在烟缸里摁灭，把烟嘴收了起来。

这又是一个无心之举，但米东杰看在眼里，目光再次发了直。

汤伯卿用的是一根象牙雕就的长杆烟嘴，平时视若珍宝，不用的时候总是塞在一根铜质的套管之中——刚才那个将烟嘴插入铜管的动作，令米东杰顿时受到了启发。

“有办法了！”米东杰欢叫起来。“两种尺寸的软管可以同时进货，让厂家把小号插在大号里面装箱，这样，两笔货物，只需支付一笔水脚即可。”

第十五章　巨　头

汤伯卿的一句戏言，很可能成就了上海，乃至于是中国的第一家软管制造厂。

但是，具体了解下来，米东杰很快便发现，这不是一件容易的事。

铝质软管的生产流程比较复杂，得通过近十道工序完成生产，尤其是上、下管工序，必须以人工手动插拔的方式进行，故而次品较多，而且印刷质量，尤其是套色的准确性很难保证，所以最终的成品率较低。

不过，米东杰又从洋行打听到，美国最近发明了一种“高速卧式冷挤机”，采用封闭式润滑系统，精度高、速度快、工作平稳、安全性能好，能使冲压管胚的速度提高一倍，调整模具也极为方便——唯一的缺点是价格太高，算上内喷涂和胶辊套色设备，没有十万块钱下不来。

银行方面的态度倒是很积极，因为有牙膏厂作抵押，实际风险并不大，当然，这也归功于米东杰这几年来积累起来的良好信誉。

米东杰举棋不定，成天茶不思、饭不想，坐在办公室里不停地来回盘算，桌子上的算盘都快被打烂了。

海伦支持米东杰跨行业发展，鼓励米东杰说：《塔木德》上有这样一句话：“箭法再差，多射几箭也能命中靶心”，正因为投资大、难度高，一旦成功以后，段家兄妹肯定望尘莫及，从此别想追上来继续纠缠。

“上马！”米东杰终于下定了决心。

从时局来分析，眼下的上海虽是一座处于日军包围之中的孤岛，但从发展、壮大民族工业的角度来看，也许恰是一个千载难逢的好机会。欧美资本在中国无心继续扩张，民族资本又饱受战火摧残，振兴社若不抓住良机迅速成长，振兴二字从何谈起？

中华大地灾难深重，自打清末开始便喊出了“实业救国”的口号，在眼下这个新的历史时期，不正是一次新的挑战与考验？

接下来的日子，米东杰带着海伦在银行和洋行间二头跑，很快便完成了繁杂的贷款和订货手续，一次性向洋行支付了三万元的定金。

派人跟踪洪云甫的事也有了眉目。

米东杰万万没有想到，聪明能干的洪云甫，竟然会涉足臭名昭著的“沪西歹土”！

根据种种现象来分析，洪云甫这家伙必定是深陷于赌场的泥淖，欠下了高额的赌债，所以才狗急跳墙出此下策，置兄弟情谊不顾而与歹人内外勾结，近乎于硬抢一般谋夺公司的财产。

钱肯定是要不回来了，但亡羊补牢，为时未晚，如何才能彻底摆脱这一累赘呢？洪云甫不是普通员工，没法直接开除，而且在没有证据的情况下，要想整治也无从下手，甚至连事情都没法挑破。

更麻烦的一点是：洪云甫和段红莲已经正式订婚！

这般剪不清、理还乱，到底该如何处置呢？

这样的难题，连睿智的海伦也一筹莫展。但是，海伦建议还是应该尽早摆脱洪云甫，哪怕付出一定的代价也必须快刀斩乱麻，否则日后的拖累将更加严重。

“怎么处理呢？连口都难开啊。”米东杰愁眉苦脸地问。“首先一点是，这小子肯定不会承认。”

“是啊，先得让他承认事实。”海伦沉思道。

“有什么办法吗？”米东杰怀着希望问道。

“我来想想办法。”海伦答应道。

洪云甫的事只能先放一放，眼下最关键的事情是必须打好软管这一仗。

米东杰最近有一个大胆的想法，考虑是不是应该主动去和惠梦石接触一下。

面对面认识一下，也许会有很多好处：一是相互沟通、了解，消除彼此之间的敌意，最低限度也能达成井水不犯河水的默契。二是熟悉以后，以后可以直接向惠氏供应自产软管，这对双方都有好处。

一个冬日里少有的晴朗日子里，米东杰一大清早便穿戴整齐，带着海伦前往爱多亚路。

今天，恰好是海伦的生日，米东杰已经想好了，一会儿谈完公事就带海伦去公园散心，晚上再去一家好点的餐馆进餐，最后到屋顶花园去跳舞。

但是，奇怪的是，今天街上的气氛有点不对头，公共汽车和有轨电车全都停运，最后只得临时叫了两辆黄包车代步——米东杰心里有事，一时也顾不得细究，坐在车上还在斟酌着待会儿该说些什么话。

来到目的地，只见办公楼楼高五层，身为日化行业巨头的惠氏总公司包下了整个顶层楼面，其财力和气魄由此可见一斑。

米东杰坐着电梯上到顶层，向接待室的小姐递上名片。

没想到，巨头自有巨头的傲气，米东杰诚心诚意上门拜访，竟然吃了一个闭门羹。

“实在抱歉，董事长商务繁忙，没有预约的话无法会见。”接待小姐进办公室转了一圈，回来后对米东杰彬彬有礼地说道。

米东杰没想到惠梦石的架子这么大，说话用词都那么牛气冲天，什么商务、预约、会见，简直把自己当成军政要人了，一开口就拒人于千里之外。

“你告诉他，我不是谈生意来的。”米东杰心头火起，脑袋一热，来了个剑走偏门。“我是代表振兴社，来向贵公司接洽诉讼事宜的，事关贵公司通过不正当手段取得商标注册……”

“诉讼？”接待小姐的眼睛瞪圆了。“商标注册？”

“没错。”米东杰点点头，接着撒了一个小谎：“楼下的汽车里，是我带来的几名新闻界朋友，要是惠先生拒绝接洽，很好，那就准备接受记者的采访吧。”

这一遭果然有效。

上海的小报记者一向被称为无冕之王，平时惯常无风三尺浪，要是捉住了谁的把柄，敲诈勒索起来比流氓地痞还厉害，一支秃笔摇动起来，蚊子腿上都能熬出油来。米东杰估计得没错，惠梦石自知在商标抢注一事上搞了鬼，事情要是被揭开了肯定不光彩，所以架子搭到这里得知道见好就收。

一踏进宽敞的办公室，米东杰恍然觉得走进的不是一位工商实业家的办公室，而是博物馆的图画陈列室。

地上铺着厚厚的羊毛地毯，四壁全是大幅的油画，看画风，似乎像是从欧洲搜罗过来的高水平原画。再看博古架上，摆放着许多青铜器和陶瓷类古董，无声地显示着尊贵和荣耀，满室中西合璧、亦古亦今，大概还价值连城。

“请坐。”惠梦石说话还算客气，但脸上傲气与冷淡依旧，开出口来是浓重的宁波口音。“请问二位有何见教？”

惠梦石年纪不到六十，看上去身板异常硬朗，举止仍像中年人一般敏捷，只是头发已呈花白之态。再看脸相，虽然已经有点发胖，眉眼间皱纹四起，但五官清朗，气宇轩昂，可以想见年轻时肯定也是一位风流倜傥的翩翩美少年。

米东杰突然觉得，这张脸肯定是陌生的，但似乎又十分熟悉，但就是记不得曾经在哪里见过——事后，海伦也说，这张脸看着有些面熟——当然，这绝不可能，这位惠氏企业的掌门人，平时为人低调，一向深居简出，几乎从不出席公众场合，永远是盘踞在这高楼之中发号施令，一般人哪有机会得识其庐山真面目？

“惠先生，其实，我今天冒昧来到这里，并不是来向您挑战的，而是来表示友好，希望能够寻找到合作的机会。”米东杰脸含微笑，字斟句酌。

米东杰当然不会去打官司，惠梦石弄虚作假抢注商标虽然是个软肋，但其既然有本事让公董局修改注册日期，难道还搞不定孤岛内一笔糊涂账的司法界？这件事，大家心照不宣即可，甚至提都不必再提，万一惠大老板脸面上挂不住，来一句“有本事你去告”，那就骑虎难下了。

“既然是同行，有机会合作的话，也是一件好事嘛。”惠梦石的脸上有了点笑意。

“常言道，同行是冤家，不过我认为，这还是手工业时代遗留下来的思维方式，目前似乎已经不再适用。”米东杰细品着女秘书端来的咖啡，只觉得比一般咖啡馆里的大路货美味许多。“我认为，现在的大工业时代，企业家应该走的是合作互利的正道。”

“很有见地。”惠梦石明显地对米东杰刮目相看。

海伦在旁边静静地坐着，并不插嘴。

“说到底，工业文明就是思想文明嘛。”米东杰直庆幸以前在图书馆里读过的几本书今天派上了用场。

“即使不能合作，自己做好自己的生意也是好事，各人自扫门前雪，莫管他人瓦上霜。常言说得好，和气生财嘛。”惠梦石补充了一句。

这番话的意思十分很明确，惠梦石今天收下了米东杰的这份人情，也表明了一定程度的友善，甚至还隐隐透出今后不会再和振兴社有任何对立行为的意愿。

但是，话里话外也露出了并不想和米东杰再有瓜葛的意思。

“我今天来的另一个目的，其实是想向惠先生推销产品。”米东杰换了个角度，试着挑明话题。

“向我推销？”惠梦石果然十分惊讶。

米东杰原原本本说起了自己准备投资软管生产的计划，希望惠大老板今后能够成为自己的第一个，也是最大的客户。欧洲产的软管，加上关税和来回二笔水脚运到上海，有时再受到汇率的影响，价格甚至要超过六分钱，而地产以后，米东杰即使以四分钱供货仍然有利可图。惠梦石的销售网络根深蒂固，牙膏产品的年销量达数百万支，这笔业务要是敲定下来，那就是意味着数万元的利润……

“年轻人，很有眼力嘛。”惠梦石静静地听完，似漫不经心般说出了一句令米东杰心惊肉跳的话：“告诉你一个坏消息吧，非常不巧，我的软管生产厂已经进入了安装调试价段，如果顺利的话，下个月就可以正式投产，不信的话，你可以去我的厂里参观一下。”

难道真有这样的巧事？

惠梦石的话一点也不像开玩笑，米东杰和海伦面面相觑，心里顿时紧成一团。

如果不出意外，米东杰订购的生产设备此刻已在海上，一旦两家软管厂先后建成，上海滩上又是一山难容二虎的局面，“井水不犯河水”的承诺很快就将成为一句空话。

看来，惠氏也是看到美国出现了“高速卧式冷挤机”，觉得时机成熟，应该出手，可这样的不谋而合，对依靠贷款建厂的振兴社来说，简直就是一场灾难。

怎么办？现在定金付讫，设备已在途中，连退路都没有了。

回去的路上，米东杰的心情既轻松又沉重——轻松的是与惠氏的接洽还算顺利，至少消解了，或者说是缓和了一名潜在强敌的攻势；沉重的是一波未平、一波又起，牙膏一头的战事还没完全消停，软管一头已能闻到隐隐的硝烟。

“不去想它了，走一步看一步吧。”米东杰对海伦说。

“嗯，去公园呼吸一下新鲜空气吧。”海伦将米东杰的胳膊搂得更紧了一些。

一路前往公园。

刚穿过一条马路，路过一家规模颇大的琴行时，米东杰一眼看到店门口斜搁着一块广告牌，上面写着年终大甩卖，所有商品仅以一折出售，马上不由自主地停住了脚步。

这倒是件新鲜事。乐器不是生活必需品，本来就是愿者上钩的买卖，对不需要的人来说，你卖得再便宜他也不会动心，即使真的打折促销，也不会迅猛至原价的十分之一。

“天哪，是不是标错了价格？”海伦看着橱窗里的一把小提琴惊呼起来。

那是一把漆色陈旧，标价为一千元整的老琴。对一般人来说，可能都会觉得花这么多钱去买一件“旧货”是件匪夷所思的事，但米东杰跟海伦呆在一起日久，多少也领教了一些相关的知识，深知像这种收藏级的老琴，现在的标价可能真的是属于大甩卖。

“进去试拉一下吧。”米东杰对目光发直的海伦提议道。

其实不用拉，光用眼睛就能看出这把琴难以隐藏的尊贵气质来。海伦解释说，欧洲的名贵小提琴中，意大利的古董小提琴身价最高，动则以百万元计，其次是法国老琴，价格虽低但品质极高，眼前这把琴，就是法国产的“米来阔特”老琴，以云杉制成的面板上，遍布着清晰的“木射线”——木材中唯一的横向组织，它的发达程度决定了声音传达的速度——能奏出微妙、甜美但拥有足够力度，犹如钻石般耀眼的音色，其穿透力足以应付整个管弦乐队。

琴行的主人是个六十多岁的英国人，看得出来，老头儿将琴送到海伦手中的时候，目光中满是依依不舍的神情。

海伦接琴在手，拉响了一曲萨拉萨蒂的《流浪者之歌》，G弦上流淌出那凄美的悲剧性主题，把人的思维一下子拉远，深深地沉入哀怨的氛围之中。名琴的音色透亮而圆润，而曲中表现的吉普赛人的悲怆命运，不是正好和多难的犹太民族大有共通之处？米东杰看到，忘我演奏的海伦，眼眶中已经不知不觉浸满了晶莹的泪花。

红粉送美人，宝剑赠英雄，这把名琴送给海伦，大概算得上是无与伦比的生日礼物了。米东杰飞快地写好支票，交到了并不高兴的琴行主人手中。

既兴奋又感动的海伦猛地抱住了米东杰。

“为什么要甩卖呢？”米东杰问，真怕老头儿临时变卦。

“回家。”英国老头收下支票回答道，又反问米东杰：“难道先生不知道昨天的珍珠港事件。”

米东杰天天看报纸、听无线电，当然知道珍珠港事件。

昨天，也就是一九四一年十二月七日的清晨，日本海军的舰载飞机和潜艇突然袭击美国海军的太平洋舰队，夏威夷基地珍珠港遭到毁灭性的打击。但是，这和上海人，包括这家琴行有什么关系呢？

“美国已经正式卷入第二次世界大战，太平洋战争爆发啦！”英国老头一脸的忧郁。“先生，去看看今天最新的报纸吧，英国作为同盟国已对日宣战，你们的中华民国政府也公开宣布，正式向日本和德国、意大利宣战……”

“这和先生有什么关系？”米东杰还是不明白。

“对日本军队来说，我们英国人现在的身份已经成了敌侨，”英国老头沮丧地咕哝道，“日本人和西方拉破面皮，现在不走，很可能就再也走不掉了。”

颇具先见之明的英国老头估计得一点没错，但似乎已经慢了一步。

实际上就在今天的凌晨，也就是六七个小时之前，日本海军已经向黄浦江上的英美炮舰发动了突然袭击，英国炮艇“海燕号”自沉，美国炮艇“威克号”投降，日军如潮水般从外滩上岸，逐步向内推进并封锁苏州河上的各道桥梁——所以刚才来的路上空空荡荡，连电车都停运了。

“完了，我的软管生产线！”得知消息后，米东杰当即惊得嘴都合不拢。

日军全面占领公共租界，一举结束了历时四年的上海孤岛时期！

工部局遭到日军控制，万国商团也被解散，日军对中国市民实行保甲制强化管制，大街小巷之中，到处张贴着写有“治安确保”字样的标语。话又说回来了，为了稳定社会秩序，同时起到收买人心的作用，抑或是为了“遵循国际公法”，以前盛行在租界上的绑架、暗杀确实见少，看来沪西七十六号这条疯狗被主子喝住了。

还好，由于法国维希政府已向德国投降，算是日本的“盟友”，所以日军手下留情，并未马上占领法租界。

弹丸之地的法租界，又成了孤岛之中的孤岛。

米东杰成天急得像热锅上的蚂蚁，既担心海上大战影响正在途中的软管制造设备，又害怕设备真正运到上海的那一天来临。

设备一旦运抵，软管厂骑虎难下，接下来与惠梦石的竞争势在必行，凭自己目前的实力，能斗得过这条老狐狸吗？

唯一值得欣慰的是，最近的肥皂和牙膏生意突然出现了井喷。

斯狄尔牙膏本来就卖得十分好，主要是抽奖活动搞出了名气，“玻璃管里的秘密”成了妇孺皆知的诱惑。从上个月开始，米东杰将特等奖的奖金提升至惊心动魄的一千元，并大幅提高五元、十元的中奖率，老百姓闻讯后纷纷抢购，甚至经常有人像买彩票那样一买就是十支、二十支，并当场剖开软管验看。烟纸店和杂货店中经常断货，批发商们经常雇了卡车守在厂门口等着装货，米东杰命令工人们加班加点不间歇地生产，依然不能满足市场的供应。

日军进驻公共租界以后，缺货现象更加严重。大家害怕时局动荡引起物价飞涨，一窝蜂地开始囤积各类日用品，由于牙膏和肥皂都属于易于存放的消耗品，所以尤其受到市民的欢迎。

振兴社"哗啦哗啦"日进斗金，但米东杰就是高兴不起来。

赚到的钱首先用于还贷，但余下部分该怎么花呢?

海伦的建议是扩大生产规模，乘现在的币值仍算稳定，全部用于固定资产的投入。

"明天就去买辆奥斯汀。"米东杰终于想通，应该好好享受一下创业成功的喜悦了。

"我说的不是买车，而是买设备。"海伦强调道。

"当然，买辆车能花掉几个钱？"米东杰笑呵呵地说道。"我考虑，接下来再开三家配套厂，一家专门生产沉降碳酸碱，一家专门生产甘油，一家专门生产香精。"

"对，只有这样才能大幅降低成本，"海伦深表赞同，"即使物价上涨，我们只要控制了主要原材料，同样能够免受影响。"

牙膏的种类虽然琳琅满目，但最基本的功能性组成部分，无非是磨擦剂、润湿剂、香精等等。

磨擦剂的要求是必须具有一定的硬度，但又不能超过珐琅质的硬度，方能清除牙齿表面的污垢、烟渍等，现在采用的天然碳酸钙，既有效又相对廉价，但清洁效果不及价格稍高，但颗粒更大的沉降碳酸碱好——磨擦剂的用量极大，占膏体的百分之五十以上。

润湿剂又称保湿剂，主要作用是使膏体保持水分，防止硬化、堵塞，并在低温下不致结冰发硬，常用的主要是甘油——目前由制皂厂在下脚料中提取，但产量太小，远远不能满足需求，主要还是依赖外购。

香精决定着牙膏的口感和口味，使用最多的是薄荷脑、留兰香油、豆蔻香精等等。其中，使用最多的还是薄荷脑，可以说是"没有薄荷脑便不成牙膏"。薄荷脑由薄荷油中提取，产地主要是日本和巴西，但中国薄荷油的质地更好——现在舍近求远使用进口货，不是守着金饭碗要饭？

按目前所积累的经验来看，中国各地对牙膏的口味要求不一，打个比方来说，豆蔻香型在北方卖得极好，但南方人就不太喜欢；丁香的味道中国人都不太欣赏，但南洋一带却十分欢迎……所以，要扩大销售，一定要增加香型品种，开发更多的牙膏品种。

但是，现在这样的局势，适宜大规模投资吗？

还是海伦的话，最后坚定了米东杰的信心。

海伦说，《塔木德》中有一句话，“每个人的机会一样多，但是每个人对机会的识别和把握能力是不同的”，还有一句话：“在别人不敢去的地方，才能找到最美的钻石”。高风险意味着高回报，在一般人眼里，困难往往会被放大，但在强者的眼中，困难只能被消灭，所以，真正成功的人永远只是一小部分。

“上！”米东杰下定了决心。

三家新厂紧锣密鼓地开始筹办，刚刚有点眉目，久违了的柴田光一突然冒了出来，不知道是否是被米东杰最近的声势吸引而来的。

一天，米东杰正在牙膏厂的办公室里看报纸，关注租界上的最新动向，柴田光一乘着一辆车头插着日本国旗的黑色轿车不请自来。

今天的柴田依然西服笔挺，皮鞋雪亮，油光光的头发一丝不苟，鼻下还留起了两撇胡须，看上去沉稳得像一位内阁大臣。

“森塞，久违了。”米东杰惊讶地招呼道，仍以学生的身份口称“先生”。

“米桑，久疏问候，请多谅解。”柴田十分谦恭地鞠了个躬。

“森塞此来有何见教啊？”米东杰客客气气地让座。

海伦端上咖啡，柴田站起身来礼貌周到地躬身致谢。

“米桑，你最近一口气开了好几家工厂，实在是魄力非凡啊，”柴田并不正面回答，“呵呵，还是老话题，来看看米桑是否愿意和我合作。”

东亚同文书院的真正面目，现在已有定论，确实是培养政治、经济领域“干部”的大本营。报纸上揭露的事实基本得到印证：书院的毕业生大多被派往领事馆、工商机构，为“战时经济统制”服务，甚至直接进入军队的人也不在少数。所以，现在的柴田早已不是什么研究化学的书生，而是不折不扣的战争帮凶了。

现在日军成了租界的主人，跟柴田这样的人打交道，实在是难上加难，既亲近不得，更得罪不起，这“合作”二字，米东杰听在耳里只觉得毛骨悚然。难道，日本人在觊觎自己的产业？

“唉，都是靠银行贷款，意在降低成本而已。”米东杰只能启用装傻充愣的旧招。“看着是挺风光，其实是欠了一屁股债。”

“有一件事实属巧合，米桑不妨了解一下，”柴田慢吞吞地说道，似乎只是随口提起，“我最近在虹口也开了好几家工厂，选择的方向和米桑十分相似，可以说是英雄所见略同啊。”

“哦，是什么厂呢？”米东杰当然很想了解。

“别的行业也不太了解，所以暂时只能先干老本行，”柴田漫不经心般说道，“目前开办了酸碱厂、软管厂和甘油厂，先从原材料抓起，下一步再生产日化产品，比方说，肥皂、牙膏、蚊香、药物之类。”

“真是很巧啊……”米东杰心里一凉，嘴上只能随口应付。

“呵呵，不必紧张，我们的产品虽然相同，但未必就会展开直接竞争，”柴田笑呵呵地先递上一粒定心丸，“事实上，还可以紧密合作。”

“既然产品相同，又怎么合作呢？”米东杰问道。

“实话直说吧，我需要米桑的名字。”柴田答道。

“我的名字？”米东杰更加糊涂了。

“我想由米桑来主持我的工厂，出任总经理一职。”柴田给出了答案。

“为什么？”米东杰眼睛都瞪圆了。“有什么必要这么做？”

这个想法实在太荒唐了，本身就是同行，而且实力还很悬殊，明明是彻头彻尾的日本企业，有什么理由要借用中国人的名义？

“我们考虑，从原材料供应一头来说，中国商户可能会对日本企业怀有抵触情绪，而今后产品上市，更是毫无疑问会受到民众的抵制。”柴田不紧不慢地解释道。“所以，现在很有必要防患于未然。”

米东杰恍然大悟：挂羊头卖狗肉！

“作为回报，米桑肯定将得到不少的便利和好处，”柴田补充道，“想必米桑也知道，工部局早就名存实亡，英籍总裁兼总办费利溥先生已经自动退休，日本人渡正监成了新一任总裁，连属下各部门的负责人也全部换成了日本人，包括各个巡捕房，均由日籍警官负责。”

米东杰知道，柴田是在赤裸裸地强调：现在上海的主人到底是谁！

“对不起，森塞，这件事恐难从命，”米东杰没有多想便摇头拒绝，“我这人才疏学浅，靠着一点小运气才创下一份微不足道的家业，本身已经疲于奔命，其他事情，实在是分身乏术。”

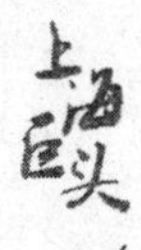

这样的事，有什么好考虑、有什么好研究的？与其模棱两可地推诿、拖延，还不如直截了当地发出此路不通的信号，也好让柴田彻底死心。

要说得罪，恐怕也只好得罪了。

“米桑，不要急于回绝，不妨再仔细考虑考虑。”柴田并不生气，悠闲地喝了口咖啡，似乎早就料到米东杰会有如此的反应。

第十六章　博弈论

太平洋上虽然炮火连天，可软管生产线依然安全运抵上海，连时间都未拖延。

设备到岸，只能付款。软管厂箭在弦上，不得不发。

可现在再上马软管，实在不是明智之举。前有惠梦石，后有柴田，自己夹在当中，能有什么好果子吃？

日军对英美等“敌国侨民”极不客气，禁止升扬国旗、集会演讲、搬家旅行等等，连邮件和电报也要经过审查。银行被接收清算，企业被“军管”，第一批被占的工厂就有上百家之多。原先高人一等的西洋人士，现在一律必须佩戴红色臂章，以英文字母代表国籍：美国为A，英国为B，荷兰为N，其余小国为X，连工部局的雇员也不例外，而且规定不得进入戏院、电影院、舞厅、夜总会、跑马厅等公共娱乐场所。

工商界一片混乱，面临着一场前所未有的大洗牌。

米东杰坐在办公桌前苦思冥想，随手摆弄着海伦端来的一盘甜橙，将三只橙子一字排开，恰好代表上海未来的三家软管制造厂。

“为什么不吃？”海伦看着奇怪，随手抓起中间的一只橙子为米东杰剥开。

三只橙子变成了二只，留在桌面上遥遥相对。

“退出！”米东杰似乎受到了什么启发，没头没脑地低叫道。

“退出什么？”海伦问道。

“放弃软管制造！”米东杰像是自言自语。

“为什么？”海伦没明白。

“我们中国人有句古话，叫做坐山观虎斗，”米东杰将二只橙子猛地撞在一起，“还有一句话叫二虎相争，必有一伤。”

这些话，海伦听不懂。

“呵呵，我知道你听不懂，”米东杰笑道，“这么说吧，我们干脆退出，让惠梦石和柴田去面对面竞争。”

“懂了，”海伦点点头，“懂得放弃，同样也是智慧。可是，买回来的设备怎么办呢？”

“是啊，问题只解决了一半。”愁容重新回到米东杰的脸上。

“《塔木德》上说，一块沉入红海的金子，跟一块石头没有任何区别。”海伦说道。“价值十万元的设备，总不能一直闲置吧？”

“唯一的办法是利用这套设备转产别的产品。”米东杰喃喃自语道。“就是不知道这套设备，改装以后到底还能生产哪些产品？”

“这个可以去请教雅各布。”海伦提议道。

“好主意！”米东杰坐不住了。“走，这就去找雅各布。”

俩人带上一份设备清单，让司机开车前往犹太难民收容所。

日军袭击珍珠港以后，来自美国的慈善基金顿时中断，难民们的生活更加艰难，“厨房基金会”连连告急，无法从国际红十字会那里得到足够的食品援助。人们甚至纷纷传言，说纳粹德国正在向日本施加压力，要求移交所有的上海犹太人。

雅各布正在收容所门前的一片空地上教几个犹太少年练拳击，看到米东杰后十分友好，摘掉手套主动伸出手来。

海伦说明来意，雅各布接过清单仔细一看，马上便给出了明确答案：生产搪瓷产品。

“为什么？”米东杰不明白搪瓷产品和自己的日化老本行有什么关系。

雅各布解释说，全套设备中，最昂贵的是“高速卧式冷挤机”，如果生产搪瓷产品的话，正好可以利用其冲压金属胚体，产品涵盖各类器皿，如盆、杯、盘、桶、碗、罐、锅等，简直不胜枚举；还有处处可见的各种标牌，如车牌、门牌、路牌等等，用途极其广泛。

米东杰庆幸自己找对了人。

方向是有了，但上海这片市场究竟如何呢？

经过了解，米东杰很快便得知，上海的搪瓷工业，无论在技术还是人才方面，实力都很雄厚，因为早在清末年间，外商便进入上海设厂生产，之后民族资本纷纷介入，鼎盛时期三十几家工厂同时开工。这次日军侵沪，搪瓷业同样难以幸免，闸北各厂均被炸毁，南市、浦东各厂陷入敌手，再加上内迁、关闭、停产等原因，工厂户数已减至不足十家，其中数家还是专为日军生产军用器皿的，并不生产日用搪瓷。

"难怪，前些天要给工人们每人发一只搪瓷茶缸，可让人找了好多地方都没有存货。"米东杰这才意识到产品的紧俏程度。

"你还记得吗？上个月我们去买火油炉，也是跑了好多家店都没找到。"海伦提醒道。

"明天就在报纸上登广告，招技师、招工人。"米东杰下定了决心。"再登一则广告，大量收购二手闲置的各类专用设备。"

搪瓷厂关闭了那么多，失业的技师和熟练工人自然也多，得到消息后纷纷赶来，只花了一天的时间，就选定了八百个人。二手闲置的专用设备也收到了很多，像球磨机、研光机、剪卷机、卷边机、碰焊机等等一应俱全，而且价格便宜得出乎想象。

这一次工厂的选址，米东杰放到了法租界。现在公共租界已任凭日军驰骋，唯有法租界还比较太平一些。

近二十亩的地皮选好，马上请营造公司开工建设，一口气设立十六座搪瓷窑，外加四座坩埚窑，连珐琅粉都自行制备——米东杰清醒地意识到，随着太平洋战事的升级，原材料的进口必将越来越困难，现在不想办法解决，日后肯定面临停工待料的命运。

让人头疼的是，接下来的设备安装遇到了一些麻烦。海上战事正烈，上海租界又被占据，美国的工程师无论如何不肯前来安装调试，这可如何是好？招来的技师中间，没有一个人见过如此先进的大型设备，一个个全都傻了眼。

没有办法，米东杰只好再去向雅各布求援。

雅各布也没接触过这种最新的、采用封闭式润滑系统的卧式冷挤机，但是能人就是能人，仔细研读过配套手册并围着设备转了二天，雅各布硬是让设备运转起来，顺利轧出了第一批坯件。

米东杰衷心地表示感谢，但雅各布还像以前那样，既不肯取酬，也不愿留在厂里工作。

所谓搪瓷，就是将无机玻璃质材料通过熔融的手段，凝于金属基体上并与之牢固结合的手段。瓷釉是玻璃态硅酸盐或硼硅酸盐涂层，工人们在预先冲压或铸造成型的金属坯件上先涂敷底釉，烧结后再涂敷面釉，最后置于转盘炉中烧成产品——这些工艺流程，技师和工人们熟门熟路，丝毫没有麻烦。

厂里的事情刚让人喘上气来，柴田那边又来了电话。

那天，米东杰正在肥皂厂和汤伯卿、洪云甫一起商量下个月的生产计划，特别是如何拓展南洋一带的市场，一个电话打进了办公室——看来柴田是先打到牙膏厂，找不到人才打到这里来的。

柴田的意思仍然没变，还是希望米东杰能出任那个傀儡总经理之职，但口气比上次强硬了许多。

米东杰仍拿老话搪塞，但敷衍了半天还是没有结果，而且明显听得出，电话那头的柴田已经有点恼怒。

依然是不欢而散。

"老米，这家伙买了炮仗给人家放，这事真是好笑，"洪云甫嚷嚷道，"不就挂个名吗，你答应他不就完了？"

"你怎么这么糊涂？"汤伯卿朝洪云甫翻了个白眼。"这事哪有这么简单，现在去跟日本人搅和在一起，不是汉奸也是汉奸了，你觉得这顶帽子戴在头上好看？"

"可你现在得罪了他，接下来他随便给你使个坏，谁能扛得住？"洪云甫颇不服气。

"行了，先不说这事，"米东杰摇摇手说道，"我现在的搪瓷厂开在法租界，他能把我怎么样？"

日军进入公共租界的当天，法租界当局便沿着爱多亚路、福煦路南侧布置路障，与南市华界之间的铁门也全部关闭，所有电车和公共汽车一律停驶。最近局势"平稳"下来，又开始拆除路障，车辆恢复通行，但两租界各自以分界线处为终点。

"现在日本和法国算是盟国，不大可能军事占领，这点面子总得给。"汤伯卿说道。

"可是肥皂厂和牙膏厂都在公共租界，在人屋檐下，不得不低头哪。"洪云甫还在嘀咕。

这阵子，米东杰始终没跟洪云甫揭穿上次那一万来块的事，一则因为搪瓷厂的事情实在太忙，二则顾念旧情，迟迟下不了狠心动手，最关键的是，也不知道该如何动手。

刚说到这里，门外突然闯进来几名工人，一个个鼻青眼肿、口角流血，一看就是刚刚挨过打。

米东杰定睛一看，都是自家肥皂厂的司机和装卸工，平时专门负责往各大商行和车站码头送货，今天怎么会挨了揍呢？

“老板，我们的车和货都被人抢了！”司机哭丧着脸报告道。“连车带货一块儿抢跑了。”

“什么，遭抢了？”三位老板全都跳了起来。

这样的事，振兴社还是第一次遇到。

“是什么货？”米东杰问汤伯卿。

“一车硼酸皂，本来是通过水路运到浙江去的，”汤伯卿答道，“总共是一百五十箱，按二角一块的市值来算，不过才三千块钱，倒是一辆卡车，至少也值这么多，加起来就是五、六千块了。”

前一阵，米东杰一口气购入五辆道奇的中型卡车，成立了一支车队，由专人调度，专门为属下的所有生产厂运送原料和产品，没想到，这批车已经被人盯上了。

“当时车正好顺着吴淞江边走，离泾阳码头已经不远了，经过一片堆货场的时候被十来个人拦了下来。”一名工人仔细描述道。“哦，对了，那帮人手里还有枪。”

米东杰有点印象，离泾阳码头不远，确有一片空旷的货场，堆放着大量的铁锭、木材，平时几乎见不到人。那帮人候在此处，难道是知道运肥皂的卡车要经过？

“有没有报告捕房？”米东杰问。

“没，想先回来听听老板的意思。”司机答道。

“做得对，”米东杰点点头，“这样吧，你们几个先去医院检查一下，看看有没有被打伤，费用到会计那里去报销。”

是啊，报告捕房又有什么用，搞不好反被再敲一笔，上海滩上这样的事屡见不鲜。

“肯定是柴田那小子干的。”洪云甫愤愤地嚷道。

“你怎么知道？”米东杰的目光射了过去。

“除了他还能有谁？”洪云甫的眼神有点躲闪。

米东杰觉得十分奇怪，柴田刚刚还来过电话，即使这厮想给自己一点颜色看，速度也没那么快啊，而且按常理来说，也不大可能在没有得到答案之前就采取行动。更奇怪的一点，洪云甫为什么反应会那么大，一口就咬定是柴田？

直到回到牙膏厂，米东杰仍在考虑这件事。

海伦听说此事，同样认为洪云甫的疑点最大。

“会不会是这小子最近又赌输了，被逼不过才出此下策？”米东杰自言自语道。

“我认为，不管是不是他，这件事必须追查清楚，否则还会发生第二起、第三起，”海伦发表了自己的看法，“洪云甫的事情不能再拖，否则后患无穷。”

“唉，我就是下不了手啊，毕竟是多年的弟兄，连话题都没法挑明。”米东杰愁眉苦脸地叹道。“上次的事情拖到现在，就是于心不忍啊。”

“这次正好可以新账老账一起算！”海伦揉着米东杰的肩膀说道。“这件事要是不了断，以后还会有更大的麻烦。”

“问题在于，没有办法查清这两件事啊，”米东杰苦笑道，“洪云甫难道会自己承认？”

“这个要试试看了？”海伦皱着眉头说道。

“海伦，你有办法把事情挑明？”米东杰抱着希望问道。“能让他暴露，能让他承认？”

“也许，我们可以用数学知识来破解这道难题，”海伦脸上的表情带有几分神秘，“老米，听说过博弈论吗？”

海伦先给米东杰补了一堂课。

博弈论属于应用数学的一个分支，是研究具有斗争或竞争性质现象的数学理论和方法，在平等的对局中，各自利用对方的策略及时变换自己的对抗策略，以达到取胜的目的。

那么，怎样通过博弈论的理论来搞清楚此事呢？

海伦解释说，洪云甫这个案例，在无证据可查的背景下，可以归属为一个“囚徒困境”的模型，所以在数学原理上可以得到答案。

“什么叫囚徒困境？”米东杰一头雾水。

海伦像讲故事一样解释起该模型的原理。

这是一个警察与小偷的故事：假设有两个小偷合伙作案被抓，警察分别审讯，给出的处理结果共有三种——如果两人全都认罪，将被各判八年；如果一人坦白、一人抵赖，则坦白者立即释放，抵赖者再加二年变十年；如果两人全都抵赖，则各判一年。

说到这里，海伦在纸上画出了一张表格，据说叫做“支付矩阵”。

“说下去。”米东杰听得似懂非懂。

“对小偷A来说，尽管不知道B作何选择，但自己选择‘坦白’总是最优的。根据对称性，乙同样也会选择‘坦白’，结果是两人都被判刑八年。但是，倘若全都选择‘抵赖’呢？那么每人只被轻判一年。”海伦指着写满阿拉伯数字的表格说道。“在四种行动选择组合中，‘抵赖、抵赖’是帕累托最优，因为偏离这一选择，都会使其中一人的境况变差。所以不难看出，‘坦白、坦白’是一个占优战略，此时达到了一个纳什均衡……”

“听不懂。”米东杰只能实话实说。

“这么说吧，现在假设你和洪云甫为对立的双方，其中有一方是真正的罪犯，”海伦又在纸上画来画去，“罪犯的目的是为了贪财，那么解题的方案，就是让罪犯也承担一定程度的钱财风险。”

“怎么有点像做游戏？”米东杰问道。

“这就是做游戏，”海伦答道，“这样吧，明天我们一起到肥皂厂去，当面做这个游戏！”

第二天，准备充足的米东杰和海伦一大早便来到肥皂厂。

米东杰神情严肃地拉着洪云甫和汤伯卿在办公室里坐下，声明今天要把上次被骗、这次被抢的两笔账追查清楚，并简要地说明了一下“游戏规则”。

话题就这么挑明了，就像一个脓包，被针一下子刺破了。

“我们可以先来看一下游戏的结果，将给你们三人带来什么样的利害关系。”海伦像裁判员一样坐在办公桌的对面。

游戏的关键，是提高风险因素来增加真正罪犯的压力。

“老洪，老汤，我们三个人，现在每人都得拿出一笔押金来。”米东杰一本正经地说道，“上次被骗加上这次被抢，总计损失约在一万六、七千块，这样吧，好算点，我们就算作二万。”

“真得拿出二万块钱出来？”洪云甫还不太明白。

“必须是真金白银，”米东杰点点头，率先拿出一张支票来放在桌上，“这是二万元的支票，现在作为我的押金，或者叫作保释金也行，作为本案最后结果的风险抵押。也就是说，只要最终查明是我搞鬼，这二万元将被没收，归你们俩平分，每人得利一万。”

“明白，我参加，马上就开支票。”汤伯卿虽然不明白什么博弈论，但对米东杰充满信任。

“这么说，我也得真正拿出二万元来？”洪云甫的脸上有点不大自在。“我哪里拿得出这么一大笔钱来？”

“可以用你在肥皂厂的股份作价为二万元，不足部分先由公款垫付，”米东杰的脸上毫无表情，“申明一点，今天所有的环节都必须签署正式协议。”

“老米，你这是什么意思？”洪云甫的脸上变了色。“我看你是早有准备，就是冲着我来的！难道一直在怀疑这些事是我干的？”

“游戏、游戏，不要激动，”米东杰依然沉稳，脸上不露声色，“可能是你干的，也可能是我干的，还可能是老汤干的，我们可以看结果。”

“解题规则如下，”海伦解释道，“假设最终巡捕房查明真相，与你们三人均无关系，押金各自归还，得失完全平衡。反之，与谁有关联就没收谁的押金，供无辜者平分。”

“要是查不出来呢？”洪云甫顿了一顿问道。

“暂时查不出来，不等于永远查不出来，”米东杰答道，“暂时查不出来的话，押金每三个月提高一倍，直到查出来的那一天为止。”

“那我岂不是要倒欠了？”洪云甫沉下脸来，不假思索地嘀咕道。

“对，倒欠，到时候总清算！”米东杰回答得十分冷酷，突然像刀剑出鞘一样逼问道，“老洪，不是你干的，你担心什么倒欠呢？”

“我就是这么一说……”洪云甫自觉说漏了嘴，惊慌之色在眼中一闪而过。

“行，就这么定了，签协议。”汤伯卿坚决拥护。

“我不签！”洪云甫突然勃然大怒。“天晓得你们在搞什么鬼把戏，我看啊，是你们合起伙来想赶我走！”

“你要这么说，恰恰说明是你心虚！”米东杰也一下子抹下了脸。“怎么样，终于暴露了吧？这个游戏，今天不玩也得玩。为什么？因为我已经向巡捕房报了案，单是上下打点的好处费都花掉了一千块。”

“已经报案了？”汤伯卿都大吃一惊。

"提篮桥捕房的副捕头跟我拍胸脯说，一个礼拜之内肯定破案，"米东杰口中回答汤伯卿的问题，眼角却关注着洪云甫的面色，"老洪，一骗一抢两桩案子，参与的人可不少，有没有露出马脚，有没有留下线索，这个我不大清楚，但不知道你是不是清楚？"

"我怎么会清楚？"洪云甫明显慌张起来。

"好吧，回到我们的游戏，你现在可以做三个选择，"米东杰站起来在屋子里来回走动，"A，坦白，退出振兴社，放弃所拥有的股份；B，抵赖，但股份必须作为押金并每年递增，等待巡捕房的结果；C，抵赖，退出振兴社，但开业至今的一成红利结清给你。老汤，那一成红利大概有多少？"

"大概有七、八千元。"汤伯卿答道，又补了一句："我看，这个游戏应该到巡捕房里去玩。"

洪云甫坐在那儿脸上一阵青一阵白。

"如果选择A和C，我马上通知提篮桥捕房撤案。"米东杰又加上一块筹码。

洪云甫牙齿咬着嘴唇，隔了好久才作出决定：C。

"既然你们都怀疑我，那我呆在这里还有什么意思，还不如好聚好散，"拉破了面皮，捅破了脓包，洪云甫反倒冷静下来，"兄弟情谊之类的话我也不说了，你们看着办吧，算我退出振兴社，开一张八千元的支票给我，我走，现在就走！"

事到如今，洪云甫唯一能做的就是虚张声势，自个儿顺着台阶往下走。

毒瘤总算清除掉了，但米东杰就是高兴不起来。

汤伯卿带着洪云甫开支票去了，米东杰四望空荡荡的办公室，目光透过窗户看向冬日里铁灰色的天空，脑中依稀想起，十年前在大枞湖边初遇洪云甫时，似乎也是这样的天气。当年，是洪云甫松开夹住自己耳朵的筷子，而数年之后一报还一报，自己又在桥下救下走投无路的洪云甫；初到上海的日子里，俩兄弟挤在狭小逼仄的阁楼上，成天憧憬着美好的未来；创业伊始，洪云甫同样也是日夜劳作，无论是洗衣店还是肥皂厂，全都付出了心血和热情……

一幕幕场景纷至沓来，不知不觉中，米东杰已是泪眼朦胧。

"回去吧。"海伦从后面轻轻地拥住米东杰的身体。

回去的路上，米东杰仍然闷闷不乐。

汽车驶过的街道，到处可见身穿黄绿色军服的日本士兵，三轮军用摩托横冲直撞，吓得路人全都贴着墙根走。米东杰叹着气拉上白纱窗帘，心情更加糟糕。

回到牙膏厂，海伦马上点燃火油炉烧煮咖啡，办公室里香气四溢，米东杰的心情这才渐渐平静。

海伦会煮带有阿拉伯风味的咖啡，用铜壶以滴落方式烧煮咖啡粉，并加入少量的豆蔻粉，滋味十分独特，米东杰已经喝上了瘾。话又说回来了，俩人的“奢侈”享受也仅限于此，平时吃饭都跟工人一样在食堂里吃大锅饭，并无任何特殊。

米东杰自己依然过着简朴的生活，但对工人的福利却非常看重：食堂完全免费，向班上的工人提供一荤一素一汤；工作服每人二套，每人每月休息三天；加班一律发放加班工资，女工还有带薪产假；厂内附设医务室，为工人提供除花柳病以外的一切医疗……

“海伦，你怎么这么有把握，知道洪云甫肯定会作出拿钱走路的选择呢？”一杯香浓的咖啡入口，米东杰终于来了精神。

“在‘囚徒困境’这个案例中，最好的策略是双方都抵赖而各被轻判一年，但是由于两人被隔离，都会怀疑对方有可能出卖自己以求自保，”海伦像教授讲课一样宣讲道，“最终两人都选择了坦白，结果各判八年，这是‘纳什均衡’引出的一个悖论。所以洪云甫均衡得失，只会默认自己的罪犯身份，最终选择利己的结果，花费最低的成本自保，而绝不会选择利他，提交押金并背负越来越大的风险。”

“是啊，二万元的押金本来就颇具压力了，再加上连续递增，这份压力也就像滚雪球一样越来越大，从理论上来讲，很可能白干一辈子还倒欠巨债。”米东杰笑了起来。“这小子，一听我已经报案，立马就趴下了。”

事实上就是这么一回事，案情本身留下的线索颇多，巡捕房下大力追查的话，不是没有破案的可能，这一点洪云甫心里很清楚。

“我就不明白了，这么长时间了，你为什么不真正报案呢？”海伦不解地问。

“这个你就不懂了，”米东杰霎时又黯然神伤，“说起来，我和他也是患难之交，不能不顾多年的兄弟情谊赶尽杀绝啊。唉，让他去走自己的路吧。”

“……”海伦默然无语。

“唉，其实，我这次下狠心铲他出门，看起来似乎是不留情面、不讲义气，其实恰恰也是为了救他，否则这家伙陷在歹土，早晚彻底完蛋。唉，就是不知道这家伙以后的日子该怎么过。”米东杰怔怔地眼望窗外。“只能过些日子再说了，有机会再把他扶起来吧。”

“我估计，他会去段家。”海伦很有把握地断言道。

海伦估计得没错，洪云甫确实去了段家。

除了段家，还有哪里能去？

虽然洪云甫已在心中将米东杰咒骂了千百次，但骂得更多的，其实是自己。

谁让自己那么爱赌呢？

非但爱赌，还他妈老输，幸运之神的灵光从来就没有照耀过自己。赌徒的命运大致差不多，无非是输得多、赢得少，但越输越想翻本，最后借债、还债、再借债……周而复始，无穷无尽，在泥淖中越是挣扎就陷得越深。

上次一骗、一抢，总算还掉了一万多的债务，大概还欠三千左右——那钱不还可不行，歹土上的狠脚色可不好糊弄，说要你一条胳膊，绝不是嘴上说说而已——现在手上有了八千，还掉余债，还剩五千，这笔钱说什么也不能再赌了，否则身无分文去跟段红莲结婚，不成了光屁股倒插门？

想到段红莲，洪云甫放心了一点。

第十七章　坐山观虎斗

段家的生意一直不是太好，但也绝不算差。

肥皂业务一头，产品中规中矩，赢利细水长流，而且已经不知不觉脱离了大旗公司的控制。

现在的大旗公司，已经不是自顾不暇，而是树倒猢狲散了。

公共租界被武装占领以后，原本趾高气扬的洋人统统“吃瘪”，报界甚至还透露出这样一条震撼人心的新闻来：日军正在上海建造八座集中营，专门用于关押这些所谓的“敌侨”。

消息传出，欧美人士人心惶惶，机灵点的开始滑脚跑路，据说，现在一张驶往欧洲的船票，黑市价格已经翻了十倍。欧美企业关的关、停的停，风声鹤唳之中，大旗公司也不例外，中高层雇员跑了个精光，还有谁顾得上跟米东杰、跟段家兄妹纠缠不清。

段家的牙膏车间已经建成，广告科长陈羽生先生一手炒作的、子虚乌有的艾斯特牌牙膏已经家喻户晓，能不能“帮人讨到老婆”尚不得而知，这句口号本身确实已经深入人心，惹得批发商们老是追着问产品到底什么时候上市。

段令康总说，快了、快了。

确实快了，设备的安装调试已经完成，原材料也已采购到位，万事齐备，只欠东风，三天之内，第一批产品就能灌装出来。

所以现在这个时候洪云甫来加盟，多少显得有点多余。

但是，洪云甫对振兴社了解最深，米东杰的软肋到底在哪里，也知道得一清二楚，这一点颇有价值。

而且，洪云甫还带来了见面礼。

段令康在酒楼中设宴为洪云甫“接风”，两下里说着说着，聊起了艾斯特牌牙膏正式上市后的定价问题。

段红莲认为，米呆子的斯狄尔牌牙膏现在的售价是三角，而前一阵的宣传攻势中，艾斯特牌牙膏的定价是三角二分，由于差距不大，所以相安无事。但是，这一价位不能随便再跌，否则必然引起又一波价格战，这样利润越来越少，肯定是两败俱伤的结果。总之一句话，既要出气，又要赚钱，两手都要抓。

“这就对啦，”段令康哈哈大笑，很高兴妹子终于明白了事理，“这才是做生意的态度，赚钱得放在第一位！”

“可是，终究比米呆子贵了二分，只怕还是不好卖啊。”段红莲有些担忧。

“呵呵，我有办法，”洪云甫得意洋洋地说道，“目前的价格是他低，可我还想让他走得更低。”

“什么意思？”段令康不明白。“你有办法让米呆子降价？”

“哼，我没有办法让他的价格降下来，可我有办法把他的价格拉下来！”洪云甫冷笑一声。

“拉下来？”段红莲也觉得纳闷。

这就是洪云甫的见面礼。

洪云甫建议，从明天开始，派人冒充批发商去找米东杰进货，大量吃进斯狄尔牌牙膏，然后贴上血本，低价抛发给各个零售店，把他的价格一下子拉到二角五分。

“这办法不错，米呆子不肯下水，咱们背后推他一把，也让他听一声扑通。”段红莲眉开眼笑地欢叫道。

“办法倒是个办法，是能把米呆子揍疼，”段令康皱着眉头掂量道，“可这办法只能损人，不能利己啊。你想，他跌到二角五分，我们却还吊在三角二分的位置，差距不是更大了？想想看，能有什么好结果？”

“别急，我这是连环计，还有第二步呢。”洪云甫得意地吃了口菜。

“哦，洗耳恭听。”段令康给洪云甫倒满酒。

“据我所知，上海滩上马上就要开工两家软管生产厂，这样我们就有机会使坏了，”洪云甫一脸的坏笑，“其中一家是日化行业的龙头老大惠梦石，另一家是狼外婆，日本人柴田。这惠梦石我没打过交道，先抛开不谈，这柴田我还算熟，咱们可以利用他俩做点文章。”

“惠梦石听说过，柴田是谁？”段家兄妹异口同声地问道。

洪云甫简单介绍了一下柴田的来历、背景，以及之前与米东杰的关系，当然也重点强调了柴田最近力邀米东杰充任挂牌总经理一事，最后得出的结论是，俩人之间最初虽有“师生之谊”，但现在已经不大客气，用句文绉绉的话来说，就是“渐生龃龉”。

“这和我们有什么关系？”段红莲问。

“你想啊，日本人的肚量能有多大，这回失了面子，而且一系列产业都跟米呆子冲碰，肯定巴不得看他的好看。”洪云甫像军师一样手指点来点去。“我已经想好了，到时候到柴田那里去定一批软管，记住，是米呆子的斯狄尔牌，让柴田偷偷制版仿印，然后我们拿回来灌装。”

“你的意思，是故意灌装有毛病的膏体，推向市场砸米呆子的牌子？”段令康眼珠一转，马上明白过来。“不过，现在跟日本人打交道不太合适，别一不留神招点祸来，请神容易送神难哪。”

“那就先去找惠梦石，”洪云甫想想也有道理，“惠梦石在牙膏上跟米呆子也有过节，上次在商标问题上已经过了一招，同行是冤家嘛。”

“这办法好，让米呆子的斯狄尔牌低价低质，名声臭掉、烂掉，再想翻身就难喽。”段红莲拍手欢笑。“可膏体怎么做手脚呢？我们的配方是买设备的时候洋行提供的，应该属于通用配方。”

“这就不用你担心啦，”洪云甫眨眨眼，“别忘了，我和你哥都是正儿八经学化学出身，这点猫腻还不是小菜一碟？”

“呵呵，只需随便减少或者增加某种成份，马上就见颜色，”段令康也笑了起来，“牙膏这玩意儿，比肥皂难伺候得多。”

“可不是，米呆子刚开始的时候也遇到过问题，具体什么毛病我没太关心，反正那阵子米呆子也被搞得焦头烂额。”洪云甫翻着眼竭力回忆，终于有了印象，一拍桌子叫道：“对了，那毛病好像叫气胀。”

“气胀？”段家兄妹再一次异口同声。

气胀！

梦魇一样的气胀，像曹操一样说到就到。

段家的配方是从提供设备的洋行手里得到的，跟米东杰当初遇到的情况一样，同样是一份只适合铅锡软管的老配方，所以毛病也一模一样。唯一的不同是段家没有海伦那样的智囊。

看着第一批产品就出洋相，段红莲真是气不打一处来，一会儿骂段令康水平不济，一会儿埋怨洪云甫为什么当初不留意米呆子的解决方案。

两个男人只好躲进实验室做实验，可方向不对头，再加上想不到原因竟又那么简单，光顾着在成份上动脑筋，最后越搞越复杂，瞎捣鼓了半天却越弄越糟糕。

怎么办呢，难道去求米呆子帮忙？

洪云甫初来乍到，尚未建功立业就先遇到一道高坎，心里已经有点慌乱，再看段红莲成天怒气冲冲的，也不敢久在其身边转悠，所以白天总是呆在实验室里忙碌，将各类成份颠来倒去地增加、减少，一次次地修改配方。

白天忙一点无所谓，可到了晚上，总得有点安排吧？

现在跟段红莲已经是正儿八经的未婚夫、未婚妻，照规矩隔三岔五总得花前月下一次吧，否则各规各的未免不像话。

"红莲，晚上一起去看电影怎么样？"洪云甫开始时还鼓起勇气提出建议。

"不太想去。"段红莲没有兴致。

"气胀的事情得慢慢解决，光着急也不是个办法。"洪云甫安慰道。

"你当然不急！"段红莲不假思索地冒出这么一句。

洪云甫心里很清楚，就冲这句话，就能得出这样的结论：骨子里，段红莲一直没把自己当成自家人看待。

洪云甫告诉自己：别看段红莲现在一提起米东杰就恨得牙痒痒，其实这正好说明米东杰在她心目中的地位仍然无可替代，自己这个不尴不尬的角色简直有点像可怜的替死鬼，也就是说，这娘们胸中那颗冰凉的心，永远也不可能温暖起来。

"出去散散心吧。"洪云甫还在作努力。

"散什么心？大冬天北风呼啸的，路上又到处都是日本兵，没事出什么门？"段红莲冷着脸抢白道。

天天忙碌确实也太累，得，乐得早点回住处睡觉。

以前跟段红莲接触不多，光觉得其美艳动人，没感觉出真正的脾气到底是啥样？这一阵日日相处，马上就感觉出沉重的压力来了。段红莲身上那股扑鼻而来的泼辣劲，那种无处不在的尖锐感，实在令人有点难以招架，她要骂你，根本不会关心周围人多人少、用话是重是轻、说得是对是错，永远就像一挺机关枪那样扫完再说。

这样的女人，通常是不适合用来做老婆的。

不过先不说做老婆、不做老婆的问题，现在既然是寄人篱下，还能有啥过高的要求呢？所以说，常言说得好，男人不能靠别人，更不能靠女人，得靠自己。想来想去，唯一的机会似乎还是在赌场里头。

脚底一痒，洪云甫跳上了去往逸园的电车。

洪云甫最近看上了，也迷上了跑狗。

上海共有三处跑狗场：公共租界的“明园”、“申园”及法租界的“逸园”。日军进占公共租界，明园和申园寿终正寝，唯剩逸园一枝独秀。

逸园的正式名称叫“法商赛跑会”。占地一百余亩，红砖外墙之内建有钢筋水泥建筑几十幢，除六条圆形跑道和看台、包厢外，还建有足球场、小型高尔夫球场、网球场、拳击台、摔跤台，并附设舞厅、酒吧、餐厅等等，规模之大堪称远东第一。逸园的赛狗是产自澳大利亚的格力犬，其形如豹，全力奔跑起来时速可达七十公里。

玩家参赌的方法有点类似押宝。狗笼外标有狗名和号码，你看中哪条就买某号的狗票，面值一元至五元，其中有独赢、双独赢、位赢、联位赢之别。开赛时，以电兔绕场一周作诱饵，六扇狗笼门同时掀起，狗们如离弦之箭冲出追赶，以最先到达者为优胜，持有该号狗票的赌客便成赢家，由于场面刺激，逸园每晚总能吸引数千赌客投注。

洪云甫觉得，去赌场玩牌九、轮盘、骰子、梭哈之类，除了运气之外，对赌艺也有一定要求，而且庄家出千的可能性太大，自己输得那么惨，应该好好“反思”。现在看来，只有赌狗，才是最简单，也是最公平的形式。

手上还有五千模样的现金，要是运气好点，翻本翻到二万，没错，不用多，就二万，老子马上金盆洗手，老老实实去开一家肥皂厂——做别的没把握，做肥皂真是绰绰有余，无论生产还是销售，全都熟门熟路，不出二年，起码也是小老板一个。到时候，去他妈的段红莲吧……

气胀的毛病不解决，段红莲看谁都不顺眼。

机器停工，工人放假，这样拖下去，银行的贷款怎么还？

洪云甫几乎是天天被骂，但通常情况下，骂着骂着又会骂到“混蛋米呆子”头上去，似乎是米东杰存心让她吃的药。

那么，现在只有把气撒到米呆子的头上去，尽快搞来软管，将那些该死的膏体灌进去后推向市场——谁也别想有好日子过！

“你不是出主意说能搞来米呆子的软管吗？”段红莲催了洪云甫好几次。“怎么光说不动呢？”

没有办法，洪云甫只能硬着头皮去找惠梦石。

来到爱多亚路上的那座五层楼前，坐着电梯上到顶层，得到的待遇和米东杰上次来时完全一样。

“实在抱歉，董事长商务繁忙，没有预约的话无法会见。”接待小姐彬彬有礼地拒绝道。

“请小姐再次转达，我是来帮助惠先生打败竞争对手的！”洪云甫干脆把实话说了出来。“你可以对他提起一个人的名字，米东杰。”

惠梦石同意接见，洪云甫忐忑不安地走入宽大明亮的办公室。

“请坐。”惠梦石脸无表情。“有事请直说。”

“惠先生，我想订购一批牙膏用的大号软管。”洪云甫说道。

“这事你直接找软管厂的负责人就可以了，何必来此？”惠梦石冷淡地问道。

“因为……这事和米东杰有关，”洪云甫开始吞吞吐吐，“我想订的不是白管，而是印制好的斯狄尔牌成品。”

“你是什么人？”惠梦石警觉起来。“米东杰不是自己拥有软管生产线？”

洪云甫只得老老实实地作自我介绍——米东杰以前的伙伴，现在的竞争对头——以及仿冒的斯狄尔牌牙膏究竟用来做什么。

“不可能！”惠梦石断然拒绝。

“为什么？”洪云甫问道。“据我所知，米东杰是先生最大的竞争对手，而且，上次的商标事件，先生似乎已经先发制人出击，这次……”

“洪先生，请你注意用词，”惠梦石极不客气地打断洪云甫，“在没有证据的前提下，请不要作出任何对本公司不利的推断，否则将不得不负担相应的法律责任。你所说的所谓商标事件，不妨直接去找米先生了解，听听他对此事的评价。”

“唉，我的本意是为惠先生提供帮助。”洪云甫知道，惠梦石和米东杰之间肯定已经达成了某种程度的谅解。

“恕我直言，我们并不需要。”惠梦石傲气十足地说。

“那么，惠先生是否知道一个名叫柴田的日本人呢？”洪云甫还不死心。

“当然知道，此人可能具有政治和军事背景，最近动作很大，开设了一系列的工厂，特别是颇具规模的甘油提炼厂，显然具有一定的军事意义，”惠梦石有些警觉，“你提此人什么意思？”

“此人是米东杰的化学启蒙老师，俩人多年来一直保持着相当密切的关系，近来又多有合作，惠先生不得不防啊。”洪云甫开始煽风点火。

“和我有什么关系？”惠梦石不以为然。

“据我所知，米东杰自上次商标事件吃亏之后始终耿耿于怀，已决定放弃独立开设软管厂的计划，改为与柴田搭档合作生产，甚至总经理的职位都由米东杰来出任，”洪云甫开始信口胡诌，“这样，惠先生作为他们唯一的竞争对手，处境就非常不妙了。”

“无所谓。”惠梦石十分自信。

“米东杰最近在拼命扩张，大有替代先生的位置，成为日化行业托拉斯之意。”洪云甫又点了一把火。

这话倒没瞎说，米东杰最近确实雄心勃勃，欲将振兴社最终打造为在欧美流行已久的新型“集团型公司”，为此也作出了一些尝试，比如，在繁华地段自建一所大楼，就像惠梦石一样成立一家总公司，将财会、推销、运输、宣传、实验室、医务室等部门全部集中起来再分配使用，这样比各厂各备一套部门要合理、节省得多。

惠梦石已经得到消息，知道米东杰确实已放弃生产软管的计划，改为生产搪瓷，没想到，转向是假，与日本人狼狈为奸是真。上次匆匆一见，只以为米东杰这个年轻人宽厚、磊落，谁知竟是缓兵之计，背地里依然心存芥蒂。日本人在中国办企业，为了消除民众和客户的敌意和抗拒心理，拉一个中国人出面的办法屡见不鲜，各地都有这类现象，米东杰既有一定的名望，又与柴田有师生之谊，确是不二之选。那么，米东杰现在有了后台，报那一箭之仇的时机完全成熟。年轻人野心不小，居然还想与自己争夺日化行业的第一把金交椅，这一点不可容忍……这个姓洪的年轻人，本是振兴社的左右臂膀，现在与米东杰反目，说出来的这些话，恐怕还是具有一定的可信度的。

“无非就是商业竞争嘛，我这辈子经历得还少？”惠梦石的傲气并无消减。

“米东杰的招术可不简单，绝不可能是常规的降价之类，”洪云甫恰到好处地嘎然而止，“我也是一番好意，惠先生还是当心点吧。”

“谢谢你的好意，本公司无意，也不会卷入这些人事漩涡，”惠梦石站起身来，做出一付送客的姿态，“所以，今天的谈话到此为止，刚才的话，最好当作你没说过，我没听过。秘书，送客。”

碰了个不大不小的钉子，洪云甫只得悻悻地下楼。

可是，回去怎么交差呢？就这么回去，非被段红莲骂死不可。

只有再去找柴田。

现在光知道柴田在虹口开办了一系列的酸碱厂、软管厂、甘油厂，但具体人在什么地方并不清楚，只能碰运气找找看了。

柴田上次来肥皂厂拜访米东杰时曾留下过一张名片，上面有个联系地址在狄思威路一百二十号。洪云甫坐上电车，顺脚前往虹口。

现在去日界，不像以前那么方便了，电车线路停运，连黄包车都不大肯去，洪云甫乘电车到达终点站后，只得步行进入狄思威路。

狄思威路俗称东洋街，路边随处可见沙包和障碍物，马路中央走来走去的全是荷枪实弹的日本士兵。洪云甫找到一百二十号，只见其处似乎不像是工厂的模样，敞开的大门外，并无任何标识。

走进大门，洪云甫吓了一跳，只见大院里像兵营一样停放着几辆模样怪异的铁甲车，旁边甚至还有几门笨重的山炮，来回走动的，全是身穿制服的日军士兵——难道走错地方了？

洪云甫刚想退出，一名持枪士兵拦住了去路，嘴里叽里咕噜，表情满含敌意。

“我找柴田，柴田。”洪云甫慌忙一边比划一边解释。

持枪士兵没听懂，依然哇啦哇啦大叫。

“洪先生，是来找我的吧？”一所楼房的门里走出一个身穿和服的男子冲着洪云甫叫喊道。

洪云甫回头一看，那人正是柴田，大概刚才听到院子里有人在叫自己的名字，被吵闹声引了出来。

柴田用日语向士兵解释了一句，将洪云甫请进了小楼。

进得门来，是一间宽敞得空空荡荡的办公室，无非是办公桌、电话、沙发之类，丝毫没有工厂的气息。

“这是新华化学工业公司的办事处，工厂并不在这里。”柴田看出了洪云甫的疑惑，笑呵呵地解释道。

“难怪。”洪云甫没敢问院子里为什么全是士兵。

“是米先生叫洪先生到这里来的？”柴田又问。

“不是，”洪云甫摇摇头，“我现在已经离开振兴社了。”

“哦，为什么呢？”柴田看上去极有兴趣。

一位秘书模样的男子端上茶来，洪云甫喝了口茶水，说起了自己和米东杰闹矛盾，故此愤而离职一事，当然，隐去了具体的细节，只说米东杰妒贤嫉能、过河拆桥，自己实在忍无可忍，所以现在借软管一事行移花接木的妙计，不过是给其一个教训——柴田微笑着倾听，并不发表任何意见。

“这么说，洪先生现在是在为段家兄妹的艾斯特公司效力？”听到最后，柴田终于明白了是怎么一回事。

“没错。”洪云甫点头承认。

“这件事让我非常为难啊，”柴田拉长调门像在自言自语，“似乎不合适，也不应该掺和在里边。对不起，洪先生，我没法帮你。顺便说一句，如果洪先生本人愿意来敝公司屈就，我将非常欢迎。”

洪云甫有点失望，但又没想到柴田居然希望自己为他的公司效力——当然，这事不能答应，哪里都能去，就是这里不能来，没见院子外面走来走去的全是士兵，天晓得这个所谓的“新华公司”是怎么一回事——这家伙不肯帮忙，不见得是因为念及与米东杰的旧情，而是无利不起早的商人习性而已，看来需要稍微刺激一下。

“我刚才去找过惠梦石，已经被他拒绝过一次啦，”洪云甫装出无奈的样子感叹道，自然而然地提及惠梦石，“他的软管生产线已经开工，据说生意非常好，订单多得来不及做。”

“哦？”柴田明显对此感兴趣。“我们新华公司的软管生产线也快投产了，一星期后产品就能面市。”

“这么一来，你们两家可能就要展开竞争了，”洪云甫貌似轻描淡写般提了一句，“依我看，首先应该体现在价格方面。”

“何以见得？”柴田忙问。

“我们艾斯特公司已经接到报价，大号软管的价格为三分五厘，而且还是印好的价格，白管肯定更便宜，”洪云甫信口开河帮惠梦石降下价来，“价格确实不错，我们艾斯特公司已经订货，而且他们还承诺，只要你们公司降价，他们将立即降到相同的水平。”

“真有此事？”柴田的脸色沉了下来。“三分五厘，这么低？”

“这是他们的推销员亲口承诺的。”洪云甫言之凿凿。

柴田站起身来，在办公室里来来回回踱开了步。

洪云甫心中暗喜，没想到如此简单的手段，只是一个小小的谎言，竟然也能撼动精明、沉稳的柴田。说到底，柴田以前也算知识分子，经商的经验并不丰富。

“惠梦石毕竟是日化行业的前辈，树大根深，影响深远，新华公司恐怕难以匹敌啊。”洪云甫知道，现在应该添上一把火。“新华公司的名字虽然起得很好，听上去像是一家中国公司，可时间长了，恐怕难免走漏风声。”

“嗯，洪先生十分聪明，这就是为什么我们把办事处设在这里，门口连牌子都没有的原因。”柴田连连点头。“洪先生现在应该明白了吧，为什么我会再三恳求米先生挂名新华公司的总经理一职？”

“我当然明白。”洪云甫点点头。

“我需要的是人选是在日化行业中具有良好的口碑和人望，本身也有强大的经济实体做支撑，”柴田振振有词地说道，“所以，米先生是最好的人选。”

洪云甫默然，很遗憾自己不够格，不入人家的法眼。

“洪先生，我决定帮你。”隔了好长一段时间，柴田突然说道。“这批软管我来印制，价格只需三分。”

“哦？”洪云甫不明白对方为什么一百八十度大转弯。

“但是我有一个条件。”柴田竖起一根手指。

“什么条件？”洪云甫直庆幸回去不用被段红莲骂了。

“你必须对外宣称，这批软管是惠梦石帮你印制的，与新华公司毫无关系。”柴田严肃地说道。

洪云甫马上明白过来，柴田这是借机先发制人，用这批软管嫁祸给惠梦石，让米东杰与惠梦石结下仇隙——可叹米东杰虽有先见之明，自行退出软管行业并坐山观虎斗，可最后柴田与惠梦石过招，米东杰还是被不深不浅咬了一口，这样的结局，真太妙了！

“一言为定。”洪云甫简直是心满意足。

“光有软管还不行吧？”柴田突然想了起来。“外包装怎么解决？”

“找印刷厂去印制。”洪云甫答道。

“这样吧，我一位朋友的印刷厂就在狄思威路上，全新的海德堡印刷机。一会儿我给他打个电话，你可以直接去找他，”柴田从抽屉里找出一张名片，“就在附近，走过去不到十分钟。”

洪云甫连连致谢，没想到这件稍微有点棘手的事情也一块儿解决了。

告别了柴田，洪云甫拿着名片顺路来到印刷厂，事情办得十分顺当。名片上的那位日本人十分客气，让洪云甫尽快提供样品，保证三天内交货，价格可在行价上再打八折。

不错，水已经够浑了。

第十八章　四面楚歌

回到公司，洪云甫在段令康和段红莲面前夸夸其谈地表功，说自己如何巧舌如簧地在惠梦石和柴田间煽风点火，竟让双方都深信不疑，结果浑水摸鱼弄到了不少好处。这样的好事，想必以后还会源源不断。

“三分一支的价格确实挺低，原来考虑，能四分拿到手已经不错了，”段令康十分满意，“看来这日本人，做生意一头门槛并不算精，你看，略施小计就上了当。”

“依我看，也不全是上当，主要是柴田本来就在琢磨如何对付惠梦石，看到现在正是机会，所以马上就出手啦，”段红莲分析道，“咱们算是渔翁得利，从中捡了个便宜。”

“是啊，惠梦石躲在法租界里，本身又有外国国籍，柴田一时拿他没办法，”段令康说出了真正的原因，“换了别人，日本人会那么客气？什么价格战不价格战的，一个电话就能让你关门。”

“幸亏咱们艾斯特也在法租界内，眼下还能浑水摸鱼。”段红莲得意洋洋地说道。“米呆子还算运气好，瞎猫逮着个死耗子，把搪瓷厂弄进了法租界，不然有他好果子吃。”

“肥皂厂和牙膏厂不是还在公共租界？”段令康说道。“我看哪，有点悬。”

“活该！”洪云甫和段红莲异口同声地叫道。

柴田的软管很快便送来了。

软管的印刷质量很高，看上去跟米东杰的原件没什么二样。段令康拿着放大镜对比来、对比去，楞是没发现明显的区别。

软管在夜间像做贼一样偷偷摸摸用卡车送来，总共是一万支。几乎与此同时，一万套外包装也及时送到。

“明天开工，灌！”段红莲迫不及待地叫道。

灌装机立即启动，一天的功夫全部灌完。

“发货吧。”段令康下令道。

段家的销货渠道，这二年里也建设得比较可观，除了上海本地，在周边省份也发展了不少经销商，要不是一万支数量有限，按段红莲的脾气，真想铺天盖地满世界撒个遍。

但是谁都没有料到，一拳下去就像砸在棉花包上，一万支牙膏铺出去后，上海市场上愣是一点反应都没有，不见任何人前来“倒扳账”。

过了一星期，市场上还是水花不起，依然没人来反映那恼人的气胀问题

洪云甫和段家兄妹哪里知道，其实为了这一万支假货，米东杰早已费尽心机，也付出了不小的代价。

幸亏米东杰早就做过铺垫。

米东杰深知段红莲得理不饶人的脾性，估计日后必定会针对自己频出邪招，所以预先做了点准备。

上次艾斯特公司大炒子虚乌有的“能帮人讨到老婆的艾斯特牌牙膏”，米东杰就知道段家肯定招兵买马，手上有了能人。后来一打听，得知是聘用了一位广告科长，名叫陈羽生。米东杰手下也有一位广告科长，名叫苏加德，也是个精明能干、八面玲珑的上海本地人。米东杰派给苏加德一项任务，要其想方设法去暗中接近陈羽生，凡是吃喝玩乐、请客送礼的费用全由公司报销。

不到一个礼拜，两位广告科长成了密友，米东杰也相当于在段家兄妹身边安插了眼线，艾斯特公司的一举一动，无不了然于胸，所以洪云甫搞来软管、包装生产假冒伪劣产品一事，其实是螳螂捕蝉黄雀在后。

海伦建议直截了当地干预，但米东杰多了个心眼：马上揭穿此事，段红莲来个破罐子破摔，将暗斗改成明争，倒也拿她没办法，而且好不容易才收买过来的陈羽生可能也会暴露，只有将计就计，暗中化解，让她摸不着头脑才是上策。

所以，假货上市的第二天，米东杰便开始了换货行动。

米东杰派人、派车，根据陈羽生提供的一份名单，挨家挨户以真换假。

为了封住那些经销商和零售店主的口，米东杰还提供了不小的好处：用自己的十一箱真货，换取段家的十箱假货——要算总账的话，这一个回合中，米东杰平白无故损失了一万一千支牙膏——但每支牙膏的死成本不过一角上下，仅仅花费一千来元便化去段家的损招，应该说代价不算昂贵。

假货全部运往浦东抛弃，段家兄妹依然蒙在鼓里。

相比之下，面对来自于惠梦石的攻击，米东杰就束手无策了。

惠梦石的城府真不是一般的深，上次当着洪云甫的面表现得满不在乎，似乎对对手十分轻视，其实，洪云甫一走，惠大老板便开始调兵遣将、谋局布阵。

以上次接触得到的印象来看，米东杰这人颇不简单，受到攻击后非但见招拆招，而且主动上门与自己沟通——当然，现在看来竟是一道迷魂阵——这样的人，尤其是与日本人掺和在一起后，与其硬拼硬斗绝对不是聪明办法，惟有掌握好尺度发出一个信号，双方再次心照不宣，大家最好谁也别惹谁。

办法只有一个，在牙膏市场上给米东杰一点颜色看。

牙膏业务现在还是米东杰创收的主项，在这上面实施局部的、浅表性的打击，应该可以起到一个警告性的作用。米东杰是个聪明人，应该能够明白，要想保持牙膏市场的份额，那就最好不要乱打软管市场的主意。通俗点讲就是：你让出我的软管市场不来捣乱，我就让出你的牙膏市场生存空间，大家继续相安无事。

惠梦石吩咐手下，从即日开始，派人在法租界的范围之内，从各个零售点上以全价收购振兴社的牙膏，有多少收多少，一定要做到一支都不剩——这就是一个信号：你米东杰要是一意孤行，那么我就可以在牙膏市场上给你使绊。

惠梦石已经想好了第二招，只要米东杰真的在软管市场上有所动作，那就马上将这些全价收购上来的牙膏再次向市场回流，但价格将压得极低，甚至低到难以想象的程度，并且向上海以外的各省蔓延，这样米东杰的品牌和利润就算是毁了。当然，这个办法需要强大的财力支撑，而且杀敌一千，自损八百。

法租界里一夜断货的消息马上传到了米东杰的耳中。

最近到底怎么了？简直跟中了邪一样，接二连三地遭到攻击，先是洪云甫的吃里扒外，后有柴田的不怀好意，再是段家兄妹以假货恶搅，现在刚刚太平下来的惠梦石又再开战端——不约而同般团团围攻，说是四面楚歌，简直一点也没夸张。

既然打上门来了，没说的，反击吧！

但是，整整思考了一天，米东杰放弃了反击的打算。

惠梦石的收购行动只限于法租界内，这说明，这只是一种试探、一种态度，与其马上拉开战局并两败俱伤，还不如先在这个范围之内，算好了尺度、掂好了份量报以颜色，随后看着惠氏的反应再走下一步棋。

老办法，换货！

米东杰吩咐，从明天开始，在公共租界的范围内，派人用自家的牙膏换取惠氏的牙膏，换货的比例为十一箱换十箱。

这么做的损失并不大，因为换下来的牙膏同样可以销往外地，但姿态已经表明，战局的范围又得到控制，可以说是最好的应对方案。

明争暗斗，一场混战，但仔细想想，竟然没有任何一方得到利益。

段红莲尤其感到失落，给米东杰抹黑的损招并不见效，而面对自家的气胀问题还是束手无策。

“你们两个大男人，平时没事的时候全都是赛诸葛，真有了事吧，一点脑筋也动不出来。”段红莲总是指着段令康和洪云甫的鼻子唠叨个不停。

“都怪你，自己好好的生意不做，整天就琢磨跟米呆子过不去，有什么用，还不是损人不利己？”段令康听了难免火冒三丈。

“还有你，”段红莲自觉理亏，又将枪口指向洪云甫，“嘴上说得头头是道，这么久的时间了，气胀的毛病连个方向都找不到，真是吃干饭的！”

“我又没闲着，昨天还去洋行讨教过，”这句“吃干饭”的话十分伤人，洪云甫的心里自然有点恼火，“他们也发电报去问厂家了，连厂家都搞不懂是怎么一回事，我又有什么办法？”

“厂家是卖设备的，又不是搞化学的，他们懂个屁！”段红莲一着急，村话都说了出来。

“既然这事米呆子也碰到过，我看唯一的捷径是找他帮忙。”段令康咕哝道。

“没门，姑奶奶打死都不去求他！”段红莲嚷道。

“依我看，还有一个人兴许帮得上忙。”洪云甫小心翼翼地说道。

“谁？快说！”段红莲没好气地喝道。

“惠梦石，”洪云甫说道，“他算是老前辈了，公司里高手又多，说不定有办法解决。”

“那就快去找啊。”段红莲来了点精神。

“我去恐怕不成，”洪云甫缩了回去，“这人架子特别大，我一个小伙计，人都不用正眼看我，上次就差不多是被他赶出来的。”

“饭桶，”段红莲翻了个白眼，“好吧，姑奶奶亲自出马试试看。”

饭桶二字实在是太刺耳了，洪云甫脸上青一阵、白一阵，简直恨不得把桌子掀翻，可想想自己端着人家的饭碗，不服气又怎样呢？

近一段时间里，技术上始终没有突破，段红莲大失所望，干脆让洪云甫暂时去跑业务，成天夹着皮包来回于各经销商之间，陪着笑脸卑躬屈膝地要账。

这他妈算是怎么一回事——儿女情长，没有，英雄气短，倒是真的。你看，转眼功夫都沦落到跑腿小伙计的档次了。

什么都是假的，赶紧筹足自己的资本才是真的，到时候哗啦一声开出一家厂子，也让你们瞧瞧老子的手段。

可是，筹资不易啊。

跑狗的门道看不见出路，甚至可以说是偷鸡不着蚀把米。手上废弃的狗票越积越多，可存款却越来越少，昨晚盘点了一下，竟然已经不足一千。

跑狗博彩的形式十分简单，只要多花心思观察、研究，特别是赛狗们的各项资料，投注的准确率就不会太低，但这需要一定的经验，得长期关注报纸上赛狗专栏里披露的信息，方能做到有的放矢。现在经验在开始积累，但手里的本钱却越来越少，要是半途而废，前面的钱就算是白扔了。

人说情场失意，赌场得意，自己两头不靠，不知道该何解释？唉，该动动脑筋，自己给自己一个解释啦。

洪云甫发现，收账的环节中有一个空子好钻。

肥皂的账期是一个月，如果你有办法提前收回账款，比方说提前半个月，那么剩下的半个月便可暗中占有，只要到期前及时、足额地归账，公司根本不会察觉。当然，大批发商的货款来往都通过银行，没什么手脚好做，而小零售商虽然支付现金，但数额又不大，唯一的办法就是想办法让大批发商支付现金。

商人都是无利不起早，只要有利可图，任何事都可以商量。要是让他们得到一定的实惠，比方说，承诺以八折的方式提前收取现金呢？

洪云甫先找一家颇具实力的批发商做试验，跟对方商量：假如一个月的账期提前至半个月，而且能以现金一次性支付，那么货款便能以八折结算——本来也是抱着试试看的心态，没想到对方一口答应——以一千元货款为例，只需提前半个月以现金支付，就能省下二百元来，相当于轻轻松松赚到一笔净利润，而对于洪云甫来说，接下来的半个月之内，这笔八百元的款项完全可由自己支配。

一千元当然派不上什么大用场，可要是十个一千元呢？

有什么了不起的，不就是套用半个月嘛，只要狗号跑得出来，到时候如期入账不就行了？神不知鬼不觉的，谁都没有遭受损害。

段红莲单枪匹马去见惠梦石，其实也是死马当作活马医的心态，并不抱有太大的希望。

坐车来到爱多亚路，一边乘着电梯上楼，一边还在犹豫：冒冒失失闯到这里，是不是有欠考虑呢？

“小姐，董事长有情。”接待小姐这一次没有挡驾。

上海滩上的商人清一色都是男人，还没见过女老板，再说“能帮人讨到老婆的艾斯特牙膏”又颇有名气，惠梦石多少有点好奇，不知这位女中豪杰究竟是什么样子。

“段小姐，请坐。”惠梦石虽然端着架子，但脸上的表情十分和善。“我时间比较有限，有什么事请直说，越直接越好。”

段红莲没想到对方如此直截了当，路上准备了半天的话看来全都用不上了，而面对这位日化行业名声如雷贯耳的前辈和巨头，又难免有些紧张。略思片刻，段红莲决定开门见山。

“惠先生，我是来求救的，”段红莲轻声说道，“我们的牙膏遇到了严重的气胀问题，依靠自己的能力实在无法解决。”

“你今天来，就是为了这个？”惠梦石一楞。“我为什么要帮你？”

“我可以帮您对付振兴社。”这是段红莲唯一可以提供的福利。

“这个没必要。”惠梦石笑了起来。

惠梦石对米东杰与段家的恩怨瓜葛了解得很清楚，而艾斯特公司遇到的气胀难题也早就听说过，甚至还与手下的工程师讨论过此事，但最终并无答案。

“如果您答应帮忙，我们的牙膏今后可以放弃上海市场。”段红莲加上了筹码。

“这并不重要，这一点点市场份额，对我们来说无足轻重，”惠梦石并不领情，表情也严肃起来，“好吧，那我就说句实话吧。我们公司的牙膏，从开产之日起，至今没有发生过气胀问题，具体原因，我也不知道，也许是运气好吧。所以，即使我想帮你，恐怕也无能为力，这一点，我可以用人格来担保。”

“你们用的是什么配方？”段红莲问，看出惠梦石不像是撒谎。

“美国的配方，从没遇到过问题。”惠梦石答道。“所以你们遇到这样的情况，我也觉得非常奇怪。而且据我所知，振兴社也遇到过同样的问题，但最后自己解决了，所以说，肯定还是配方的问题。”

“是啊，我们的配方都是洋行提供的，据说累计起来世界上有数千厂家在使用。”段红莲愁眉苦脸地说，“按说是相当成熟的配方了，可为什么一到上海就变味呢？”

说到这里，段红莲端起咖啡杯来喝了一口。

这个动作，使手腕上的手镯突然露了出来。

惠梦石随意瞥了一眼，目光本来已经扫过，但突然像被针刺了一样，猛地调转头来，睁大双眼仔细分辨起来。

黑褐色的手镯油光铮亮，两条小蛇绞盘交颈的造型既别致又古怪，虽然乌木的质地并不贵重，但绝非一般珠宝店或首饰店里买得到的行货可比。惠梦石身体前倾，目光发直，就像猛然发现了稀世珍宝。

“段小姐，可以让我看看吗？”惠梦石镇静了一下请求道。

“当然可以。”段红莲得意地取下手镯，很高兴这件独一无二的饰品能吸引惠梦石的注意力。

惠梦石接过手镯，凑近眼前先看内侧，随后怔怔地一言不发，似乎连说话的力气都没有了。

“惠先生，您怎么了？”段红莲吓了一跳。

“你……你是从哪里得来的？”惠梦石艰难地问道。

段红莲发现，惠梦石的眼中，竟然已经莫名其妙地浸满了热泪。

“我……是别人送给我的，”段红莲也慌张起来，“惠先生认得这件东西？”

“太认得啦，”惠梦石一反高傲、沉稳的常态，压抑着翻江倒海般的激动叫了起来，“这件东西本来就是我的，是我亲手一刀一刀雕琢出来的，看这里，是不是一个惠字？”

“对。”段红莲当然很清楚，内圈靠近蛇头的地方确实刻有一个小小的“惠”字。

“我问你，这到底是从哪里得到的？”惠梦石紧盯着段红莲的双眼严肃地问。“这个问题你今天必须回答。”

段红莲并没听清惠梦石在说什么，脑海里如天空中划过一道闪电一样，一个清晰的答案猛然浮现：米呆子的生身父亲，竟然就是远在天边、近在眼前的惠梦石！

段红莲口瞪目呆地坐在沙发里，一句话也说不出来。

思绪漂荡，立即回到了十年前的响水老家。

当年，米呆子仓皇出走之后，段红莲时不时地去照看一下孤苦伶仃的老道，经常从家里偷点米面出来送进关帝庙。可怜老道已是风烛残年，之后拖了两年，终于一病不起，撒手人寰。

临终之前，老道摸出那只乌木手镯送给好心肠的段红莲，说起了一段已经隐埋二十余年的旧事：

响水县城里有一豪门大户，祖上当过不小的官，老夫妻俩只有一个体弱多病的儿子，为了尽快传宗接代，这家人家早早地为儿子定下婚事，选中一位小户人家的美貌女子，准备择日迎娶入门。谁知新郎官命中福薄，未及大婚便暴病身亡。老夫妻俩要求未过门的儿媳守节，本想顺手送进“贞节堂”去，无奈本城的“恤嫠机构”只收三十岁以上的女子，最后不得不在家中辟出一所后院，将人留在家中“守节”。岁月缓缓地流淌，女子却在日复一日地枯萎，但两年以后，一群来自上海的学生打破了古城的平静。那是三十多名美术专科学校的学生，在教师的带领下来古城作毕业游学、户外写生，这些未来的画家们日日徜徉在老街、古巷之中，晚上则借宿在一所破旧的客栈内。巧就巧在，客舍的后窗，正好对着守节女子的前窗。

有一位风华正茂的年轻教师，某日无意中推开窗来，恰好与对面窗内的美丽女子打一照面，双方一楞，于是故事就发生了。

这名教师从此留下不走，此后自是花好月圆、两情相悦……可惜不到一个月，情事败露，满城风雨，大户人家将青年教师打得半死后送官究办，将儿媳逐出家门任其自生自灭。

谁都不知道，其时女子已经有了身孕。

十个月后，女子在娘家产下一子——这个男孩，便是日后的米东杰。

女儿被人家赶回来，已使门庭蒙羞，现在产下孽种怎能再留？娘家父母几欲溺婴，女子苦苦哀求留其小命，双方妥协的结果是交由僧道收养，听凭命运的安排。于是，连名姓都没有的男婴被交到了过路的老道手中，襁褓中只有一只乌木手镯。

老道自身穷极，拖着一个婴儿如何养得活，想来想去只有帮其再找一处活路。恰好那几日打听得东杰村的段老爷家新添一丁，暗忖倒是一个不错的去处，随后乘天黑人静之时偷偷将襁褓放到了段家的门口，再后来，喝得醉醺醺的劁猪匠米老三恰好经过……

"那么，米东杰的亲生母亲后来怎么样了呢？"段红莲曾经问过老道。

"死了，没多久就投水自尽了。"老道是这样回答的。

"那米东杰的亲生父亲呢？"段红莲又问。

"不知道，一直下落不明。"老道又答。"这件事，我当时答应过那家人家，永远不向外人提起，就这样烂在肚子里带进棺材去，可终究还是有点不忍心哪。姑娘，这只手镯你留着吧，不过你得答应我，这件事以后无论如何不要在别人面前再提起了。"

老道死了，但秘密还是延续了下来，只是这个秘密似乎已经失去了意义，守不守早就无所谓了。

此后，段红莲来到上海，本打算马上将这个秘密告诉米东杰，也好让其明了自己的身世之谜，但现在看来，还是烂在肚子里算了。不过，万万没有想到，这件陈芝麻烂谷子的往事，今天居然会与眼前的惠梦石扯上了干系。

听完老道的临终遗言和乌木手镯如何来到段红莲手中的缘由，惠梦石像被使了定身法一样，瘫坐在大班椅上一动不动，半天都没回过神来。

"真是冥冥中自有安排，没想到最终会在上海遇到您。"段红莲唏嘘不已。

"后面的事情，我倒可以说给你听听。"惠梦石用手帕抹了抹眼睛徐徐说道。

"嗯，您是怎么来到上海的？"段红莲问。

"当年，我被送进响水官府，由于正逢大清的最末一年，衙门已经形同虚设，我倾尽所有买通衙役，逃出来以后回到宁波老家。"惠梦石陷入了回忆。"后来家里出资送我去欧洲继续深造美术，没想到阴差阳错最终在德国做起了生意。当时，为了生意上的便利，我加入了德国国籍，再后来回到上海，一步步从代理商做起，直至从事期货交易并开办一系列实业……"

"这么多年了，您一直孤身一人？"段红莲比较关心这些问题。

"对，独身至今，无儿无女。"惠梦石爽快地承认道。

"从没回过响水？"段红莲十分好奇。

"不，事发后一年我就偷偷回去过一次，"说到这里，惠梦石再次眼中滴泪，几乎泣不成声，"人家告诉我说，我有了一个儿子，但……但孩子的母亲却已不在人世……"

"唉。"段红莲受到感染，也抹开了眼泪。

"段小姐，请你告诉我，我儿子现在在哪？"惠梦石像突然惊醒一样大叫道，“你肯定知道他的下落吧？”

话已经蹿到了喉咙口：米东杰，您的儿子就是米东杰！

但段红莲还是把这句话硬压了回来。

为什么要告诉惠梦石呢？让他们父子团聚，对自己有什么好处？

该死的米呆子，让你去斗天斗地吧，父子俩斗得更厉害才有好戏看呢！

“实在抱歉，那个老道后来再次将婴儿遗弃，从此下落不明，是死是活都不知道了，”段红莲撒下了一个弥天大谎，“您想啊，否则这只乌木手镯也不会落在我手里了。”

惠梦石楞在那里好半天之后才缓过神来，大概想想段红莲的话确有几分道理，只能仰天长叹，将手镯慢慢地交还给段红莲。

“如果我没猜错的话，这是你们当时的定情物吧？”段红莲柔声问道。“现在正该物归原主。”

“没错，是我一刀一刀亲手雕出来的，因为，我们俩都属蛇，”惠梦石又有点伤感起来，“算了，还是你留着吧，见了实在伤心。”

“嗯，那我就留下了。”段红莲将手镯依然戴在手腕上。

“段小姐，你们厂的气胀问题，我确实无能为力，不过我可以让我的总工程师帮你分析一下，”惠梦石恢复了常态，“我们也算有缘，以后有什么事情尽管来找我，能帮的忙我一定会帮。”

“谢谢惠先生。”段红莲自然十分高兴，虽然气胀毛病没得到解决，但相当于与惠氏结成了同盟。

话说到这里，差不多应该告辞了。

段红莲站起身来，刚准备告退，惠梦石突然伸手拦住，满脸神秘地吩咐道：

“段小姐，我再送一个小小的礼物给你吧。如果你信得过我的话，回去以后尽快多进点原料，有多少资金就进多少货。”

“为什么？”

“因为原料马上要大幅度涨价了！”

“您怎么知道？”

“很简单，我将大幅提高原料的收购价。”

段红莲没听明白，世上任何厂家的老板，无不是成天都挖空心思压低原料的进货价，这样才能降低成本、获得利润，哪有主动抬升购入价的？

“我没听错吧？”

“原料的成本提高，销售的价格跌落，这对任何企业都是致命的，我这么做，就是要让某些企业无法生存！”

段红莲霎时明白过来：惠梦石是要利用资本雄厚的优势，通过抬价这一招来淘汰竞争对手，等到别人纷纷落马，到时候再将原料的价格压下去，而产品销售的定价权又由自己说了算，这样前面的损失就全部补回来了。

这个“某些企业”里边，自然包括米东杰的振兴社。

甚至不妨认为，这一招本来就是针对米东杰而来的。最近的米东杰生意做得风生水起，企业像滚雪球一般壮大，甚至势力扩散到了南洋，惠大老板怎能容忍别人挑战自己龙头老大的地位？

第十九章　反　击

段红莲跟段令康商量，既然第一批的一万支假货被米东杰无声无息地吞掉了，那就不妨再多投点，比方说三万支，看看米呆子到底有多大的胃口。

段令康想想主意还算不错，这阵子被气胀问题搞得焦头烂额，要不是靠肥皂一头支撑，恐怕连银行的利息都要还不出来了，现在做点假货倒也不失为一种销售方式，不也同样可以获取利润？

第二批的三万支假货很快便出现在市场上。

米东杰对海伦说，该是回击的时候了，否则没完没了的谁吃得消。

“想好用什么办法了吗？”海伦揣摩着米东杰的心思，语带几分善意的嘲笑。“你不是一直下不了手吗？”

“呵呵，我有一个好办法，自己不出面，让别人去和他们对抗。”米东杰得意地笑道。

“这个别人是谁？”海伦问道。

“老百姓！”米东杰答道。“所有购买我们产品的顾客，我要让段家兄妹搬起石头砸自己的脚。”

“什么意思？”聪明绝顶的海伦都无法明白。

“我已经让广告科的人去印刷厂赶印一批新版的外包装，每个纸盒的翻盖内侧，都分别印有西游记人物的图样，只要将唐三藏、孙悟空、猪八戒、沙和尚全部集全，便能免费兑换一支牙膏。你想啊，段家的牙膏没有这些图案，一看便是假货，先不说买回家后会出现气胀的毛病，就连免费兑换的权利也被剥夺了，这样谁都会感觉吃亏，还不跟零售店的老板们理论？”

“好主意，用你们中国话来说，就是借刀杀人。”海伦一听就懂了。

“我们的牙膏内是藏有玻璃管的，任何人买到手后都有中奖的机会，而段家的没有，”米东杰的神色突然严肃起来，“这样，买到假货的人就会觉得自己吃了大亏，无形中失去了中奖的机会，所以，我们还得讲究节奏，欲擒故纵，先让他们的假货在市场上冒一下头。”

“嗯，这样吵架倒扳账的人会更多。”海伦学着上海话说道。

“顾客盯着老板吵，老板肯定去找批发商吵，批发商会去找谁吵？你说，最后还有谁敢要段家的货？”米东杰已经预见到了结局。“自始至终，我都没跟段家正面接触，更没有直接的冲突，依然采取避让的守势，段家兄妹完全是自作自受，一点都怪不到我。”

“老米，侬有道理。”海伦笑着学汤伯卿的平时爱用的腔调赞扬道。

米东杰心目中的“节奏”设为三天。

三天以后，换用新包装的牙膏大量上市。

广告科长又找报纸登了不少广告，到处宣传“集全四种图案便能免费兑换一支牙膏”的噱头，马上造成了不小的声势。

米东杰本以为后果将在一个礼拜之后形成，没想到仅仅过了三天，波澜已被激起。

司机报告说，刚才前来上班的途中，见到好几家烟纸店门前在发生纠纷，凑近一看，全是因为牙膏真伪的原因，照这个样子发展下去，事情只会越闹越大。

米东杰雇来的这位司机名叫李春荣，山东人，年约四十不到，高大魁梧，精通国术，平时与厂里的工人嬉闹时，只要人往墙边一靠，三、五个后生都近不得身。李春荣为人忠诚、可靠，平时除了为米东杰开车之外，还兼任保镖的责任。

“走，一块儿看看热闹去。”米东杰对海伦说。

坐车来到离厂不远的一家烟纸店前，远远地便能见到柜台前围着一大圈人，显然，不是“倒扳账”的顾客，便是看热闹的闲人。

米东杰吩咐停车，拉开车门挤进人堆。

“各位有话好说，有话好说，”柜台后的店主连连作揖告饶，“冤枉啊，我们都是规规矩矩进来的货，谁知道会有假呢？大家放心，假货有一支退一支……”

“放屁！”一名三十来岁的汉子挤进人群，将手里的十几支牙膏哗啦一声倒在柜面上。“你说退货就退货？老子不要退，要赔！”

“好商量，好商量。”店主看那汉凶狠，不敢违拗。

“这十几支要是真货的话，老子保不齐就能中上一、二个玻璃管，咱也不指望一千块的大奖，十块、二十块的小奖总有机会碰到吧？”汉子指着店主的鼻子骂道。“你们这帮黑心肠的奸商，竟然用假货来糊弄人，大家说说看，是不是该让他赔？”

看热闹的人一致起哄，都说“该赔”。

“每支牙膏赔一块钱！”有人出了个主意，又有一大堆牙膏撒向柜面。

店主脸都吓白了，口中颠来倒去还是那几句话。

“不赔就砸！”又有人提议道。

话音未落，已经有人在路边捡来砖头，“砰”一声将柜台玻璃砸了个粉碎。

眼看闯下了祸，巡捕来后脱不了干系，围在店外的人迅速一哄而散，留下店主哭丧着脸站在店堂里，看着满地的碎玻璃发呆。

“老板，我劝你还是马上去找批发商算账。”米东杰对店主说道。

“没错，生意不做了。”店主醒悟过来，连忙吩咐小伙计上门板打烊。

米东杰回到车上，吩咐李春荣再往前走。

一路上又看了几家店铺，不是关门打烊——大概已经受够了折腾——便是柜台前围着一大堆人吵吵闹闹，海伦见了，学着上海话唱起了一首儿歌：“下雨喽，打烊喽，小吧啦子开会喽”。

“走，去其他厂看看。”米东杰对李春荣说道。

三家配套厂，全由高薪聘请来的几位化工行业前辈管理，风格稳扎稳打，生产情况一直非常正常。

酸碱厂生产的沉降碳酸碱，由于颗粒较粗，能对牙齿上的烟渍起明显的清除作用，所以深受广大烟民的青睐，唯一的不足是成品牙膏的份量特别重，膏体容易产生厚薄不均的问题，特别是在寒冷的北方，严冬季节里存放过久后会出现挤不出来的现象，甚至发生零售店的老板们得将牙膏用蒸笼加热后才能出售的笑话——最近，海伦的工作重点就是解决这一难题。

甘油厂和香精厂一点问题都没有，产品除了自用，还能大量外供，收益部分差不多已能抵消当初的投资。

“走，再去搪瓷厂。”米东杰吩咐道。

搪瓷厂的情况也相当喜人，产品供不应求，而且全部都是现款现结。以前，上海的搪瓷行业对铁坯上的油污及铁锈的处理方法，一直沿用在炉窑中烧去油污、用稀酸除去铁锈的方法，耗能大、产量少、质量低，而工人的劳动强度还特别大，空气中的有害气体也严重影响身体健康。米东杰多次要求，让技师们多动动脑筋，能不能在“碱性脱油法”和“化学脱脂法”上有所突破，这样既能节省成本，又能保证工人的健康。

最让人担忧的，还是一个原材料的问题。

制坯用的铁皮，百分之百依赖于进口，现在太平洋战争爆发，海运大受影响，价格一路走高。米东杰决定，将手上所有能够调用的资金全部用于购买铁皮，否则战事一旦扩大，铁皮彻底断了来源，搪瓷厂将只能关门。

“老板，惠梦石那边你打算怎么办？”回去的路上，李春荣问米东杰。

“还没想好，”米东杰皱着眉头答道，“先看看他下一步怎么走再说。”

是啊，惠梦石和段家兄妹不一样。对付段家兄妹，仅此“借刀杀人”的一招已经够他们受的了，相比之下，对付惠梦石就麻烦多了。

惠梦石并没闲着。

仅仅一周以后，惠梦石提高原料收购价的后果已开始在市场上显现出来。

牙膏行业所需的方解石粉、山梨醇、聚乙二醇、十二烷基硫酸钠、邻磺酰苯酰亚胺钠；肥皂行业用的动物油脂、植物油脂、氢氧化钠；香料行业主打的薄荷脑……一系列原料的价格节节攀高，得道升天。

日化行业像是遭受了一场地震，几乎所有的厂商全都叫苦连天，开始，大多数人只以为是受战事的影响，没想到竟然会是惠梦石在从中捣鬼。不过，时间久了，各种消息纷至沓来，大家这才看懂了惠氏意欲称霸的野心。

“不行，得给他一点警告了！”米东杰愤愤地说道。“惠梦石也许并没意识到，这么做的结果，是在摧残我们本就千疮百孔的民族工业。”

“用什么办法来做这件事呢？”海伦有点担忧。“我们不能激怒惠梦石。”

“看来避免不了。”米东杰面有忧色。

“对了，你说的要找记者写文章的事情，办得怎么样了？”海伦问。

“我让李春荣去办了。”米东杰答道。“他通过朋友关系，在法租界的报社里找到一名很有正义感的记者，目前正在收集相关证据，准备以一个版面来揭露此事。”

米东杰所说的写文章一事，主要目标针对的是柴田。

近代战争无不带有经济战的性质，人力与物力均为胜败的关键，从某种意义上来说，经济战甚至比军事战还要重要。日本对华的经济侵略，主要是掠夺自然资源、封锁物资往来、利用或霸占中国的廉价劳动力，想方设法来摧毁中国的抗战能力。所谓的“以华制华，以战养战”，说白了就是让中国人打中国人，用中国的资源来侵略中国，所以工商业的抗争，说是另一场没有硝烟的战争，简直一点也不过份。

众所周知，硝化甘油在军火工业中占有重要的地位，尤其是炸药生产中的主角，日本人在上海开设大规模的甘油厂，其真正目的是什么，明眼人应该一目了然。

当然，米东杰的本意十分简单，无非是让事情露出水面，使甘油厂的面目大白于天下，以便彻底摆脱柴田的纠缠——再也不提要自己出任总经理一职的要求。

不过，那位记者在报纸上公开揭露，虽然人呆在法租界内，日本人无法直接进入抓捕，但仍然冒有极大的风险。为此，米东杰准备了一笔钱，让那名记者发稿后就不要再去上班，先到乡下老家去躲一阵再说。

报纸上的那篇雄文很快便如期面世，据说为了避免被主编临时撤下，还使用了一些瞒天过海的手法：先预留下版面，刊发一篇字数相当、无关痛痒的文章，最后买通印刷厂的工人偷梁换柱。

事情做得十分漂亮，但也付出了血的代价。

报纸出来的第三天，米东杰正在办公室里听收音机，李春荣突然闯了进来，报告了一个惊人的消息。

“不好了，那位记者被暗杀了！”李春荣大叫道。

“真的？”米东杰惊得口瞪目呆。

“千真万确，晚上下班回家的路上，被两个人跟踪到小巷里，拔出枪来便开了火。”李春荣脸色刷白。

“这帮恶狗，这么快就查了出来，”米东杰咬牙切齿地骂道，继而又责怪李春荣：“我不是让你关照他先躲一阵再说，怎么还在上班下班？”

“没错，我再三叮嘱过他，可……”李春荣满脸委屈。

“唉，他也是一时大意，只认为法租界上比较安全，谁知道日本人是无所不用其极啊，”米东杰顿时黯然神伤，“那笔钱不要动，一定要想办法找到他的家人，把钱全部交给他们。不，再加十倍，一定要交到他们手中。”

与惠梦石的一战看来无法避免，但如果战术运用不当，下场将相当不妙。

彼强我弱，硬碰硬打起了肯定吃亏，但不打的话更会越来越被动。

“只有使用空城计。”米东杰对海伦说。

“空城计？”海伦并不明白。

米东杰简单介绍了一下诸葛亮吓退司马懿的故事，认为现在只有使用“胆大吓胆小”的办法，故意抛售惠梦石正在一个劲抬价的原料，使其产生疑心而自行退兵。

“我已经算过我们的原料库存，哪怕抛掉三分之二，余下的部分依然能够维持一个多月的生产需要，而抛掉的部分本身还能获得利润，”米东杰详细解释道，“只要一个月之内惠梦石被吓住，价格马上就会回落。”

“问题就在于他会不会被吓住。”海伦提到了关键。

“首先，我会对外散布流言，就说振兴社最近开辟了一条新的原料供应渠道，自越南海防大量进货，由于运程缩短，所以价格更低，”米东杰说出了已经考虑了二天的设想，“为了装得更像，我还会去跟海运公司签订正式的运输合同，并支付百分之十的定金。”

“海运公司打电报通知越南方面发船，但最后却无货可运，这部分定金不就全部损失了？”海伦问。

“是的，但是损失不大，而且将会在抛售原料的利润中得到补偿。”米东杰笑了起了。“这个声势必须造出去，否则惠梦石不会轻易相信。”

海防是越南北方最大的港口和工业城市，法国人在那里兴办化学工业多年，各项基础设施相当健全，比方说“远东化学公司”，实力就远超上海的任何一家欧美企业。现在越南被日军占领，法国人已无心经营，连生产设备都在抛售，何况囤积的大量库存原料？

“好吧，让我们来看一看，用博弈论来预测的话，此事的成败结果将会如何。”海伦拿出纸和笔开始推算。“我认为，空城计，其实就是一个典型的信息不对称的博弈。”

“对，这是一种人为制造出来的不对称状态。”米东杰饶有兴致地说。

“根本原因，在于司马懿不知道自己和对方在不同行动策略下的支付，而诸葛亮则是知道的。”海伦画出“支付矩阵”开始分析。“诸葛亮可以选择的策略是弃和守，而结果都将导致失败，所以唯一的办法是不让敌人猜出自己的支付策略，让司马懿认为，后退比进攻更聪明。”

“没错，用概率论的术语来说，我的做法就是加大惠梦石对进攻失败的主观概率，退兵的期望效用大于进攻的期望效用，”米东杰最近有空就去书店买书，也学到了不少新的知识，“在信息不充分的情况下，博弈参与者不是使自己的支付或效用最大化，而是使自己的期望支付最大化。”

“嗯，如果让一个人有百分之五十的可能得到一百元，或者有百分之十的可能得到二百元，那么，大部分理性的人都会选择前者，”海伦点头赞同，“因为百分之五十乘上一百等于五十元，而百分之十乘上二百等于二十元。”

“所以惠梦石一定会认为进攻失败的可能性更大。”米东杰看了看海伦写出来的算式。

“对，所以当年司马懿作出退兵的选择是完全正确的，”海伦得到了结果，“根据这一原理，惠梦石最终也必将放弃进攻。”

“行，我马上吩咐下去，大张旗鼓地抛售原料。”米东杰欢快地叫道。

交易所里一反常态地出现低价抛售现象，日化行业像是再次遭受了一场地震，原本叫苦连天的厂商连称“看不懂”，反倒不像之前那么急着抢货，也学诸葛亮在城楼上看起山景来。

段令康直怪段红莲，说这次算是上了惠梦石的当，所有的资金全扑在原料上，自己消化的话，要用到何年何月？

最近艾斯特公司的日子很不好过，牙膏业务全线停顿，仅靠肥皂业务苦苦维持局面，由于还贷不力，跟银行的关系也搞得十分紧张。要是最终因为还不出钱来而被银行收掉肥皂厂，那就彻底鸡飞蛋打了！

更麻烦的一点是，种种迹象表明，洪云甫在暗地里搞鬼拆公司的台脚。

一开始，洪云甫使用“提前半个月拦截货款”的办法十分顺利，只要不脱最后的入账期限，自己的腰包便可“流水不腐”。但是，该死的赛狗场上永远是阴天多、晴天少，这天不遂人意，马脚便露了出来。

跑狗博彩的形式，乍看之下似乎很简单，只要花点心思多观察、多研究赛狗，投注的准确率便不会太低。但是，各报的赛狗专栏上披露的信息往往很不靠谱，或者干脆就是赌场的有意误导，更有传闻直言，赌场方面经常会私下接受大赌客的贿赂，让其选押的狗号跑赢而获利，一般是利用药剂、针剂改变赛狗的奔跑速度，或者操纵电兔来影响比赛，以便"大爆冷门"。

洪云甫输得多、赢得少，成天拆东墙补西墙，账面上自然就出现了窟窿。

段红莲眼里可不揉沙子。

"我都了解清楚了，你这行为说好听点是挪用，说难听点就是贪污，就是偷盗！"段红莲指着洪云甫的鼻子骂道。"说吧，那一万多的亏空怎么办？"

"我慢慢还。"洪云甫头都不敢抬。

"哼，你拿什么还？"段红莲鄙夷地冷笑道。"难道还去赌？"

"……"这句话问倒了洪云甫。

"唉，咱们段家对你不薄，你怎么干出这样的事来？"段令康也恨得牙痒痒。"说起来，你还是我妹夫，哪有自家人拆自家人台脚的？"

"少提自家人的话！"段红莲朝段令康一瞪眼。"谁跟这种人是自家人？"

"红莲，看在咱俩已经订婚的份上，你就放过这一回吧，"洪云甫可怜巴巴地哀求道，"从今往后，我再也不去赌狗了……"

"住嘴！"段红莲愈加怒不可遏。"不赌狗你会去赌马、赌鸡、赌牌，能赌的东西多的是，你这种人，根本就是狗改不了吃屎！还有脸提什么订婚，跟你说，这件事只当没有，以后别再提一个字。"

"这话……什么意思？"洪云甫吞吞吐吐地问道。

"什么意思？退婚！"段红莲涨红了脸大叫道。

段令康没吭声。

洪云甫脸上青一阵、紫一阵，看得出是心底最后的一丝希望被完全粉碎了，不免又气又恨又无奈，但转念一想，这又何尝不是一个绝佳的脱身机会呢？

"段红莲，这话可是你说的！"洪云甫改变策略，干脆来个破罐子破摔。

"当然是我说的，"段红莲上了当，"你给我滚，滚出艾斯特公司！"

"好，我滚。"洪云甫装出气愤难当的样子，转身走出办公室的大门。

"滚，滚得越远越好！"段红莲大吼道。

洪云甫重重地关上了大门。

“你怎么能让他走，拉下的亏空怎么办？”段令康首先醒悟过来。

“哼，他这样的人能去哪儿？”段红莲轻蔑地说道。“看吧，早晚还得死乞白赖地回来。”

“唉，难怪米呆子当初要把他赶出来。”段令康感慨道。

“是啊，米呆子算是够厚道的人了，可见这姓洪的有多混蛋。”段红莲无力地跌坐在椅子里。“都怪咱俩瞎了眼，觅宝一样把他给觅进门来。”

“你啊，今天终于有了一句说米呆子的好话。”段令康简直哭笑不得。

“唉，真是一步错，步步错。”段红莲像在自言自语。

“是啊，当初咱们就不该和米呆子处处作对，”段令康看着妹子伤心失望的样子，心中老大不忍，忙借机规劝道，“你说咱们当初就跟米呆子和平共处，规规矩矩地做生意，又何至于搞成这样呢？你看，牙膏厂成了烂摊子，洪云甫这厮又吃里扒外……”

“现在说什么都晚啦。”段红莲气到极点，终于伏在桌子上痛哭起来。

“这笔亏空怎么办呢？”段令康苦着脸说道，“洪云甫这家伙，这下连饭碗都敲掉了，以后在上海滩上怎么混呢？”

“你还有心思去为他担心？！”段红莲将怒气全都发泄在兄长身上。

“行，行，不说他了，”段令康只得打住，“明天我厚着脸皮去找一趟米呆子吧，一来是把洪云甫的事跟他通个气，二是撞撞运气，看他能不能帮咱们解决掉气胀的问题。”

这一次，段红莲没有反对。

洪云甫拉下的亏空令资金情况进一步恶化，眼看着马上就到发工资的日子，再想不出办法来，连工人工资都要拖欠了。

一次次地搬起石头砸自己的脚，到底错在哪里呢？

洪云甫再也没有露过面。

当然，洪云甫的日子也不好过。

离开了段家，连个立脚之地都没了，到哪去找吃饭的地方呢？想想真是不堪回首，一样一个人，米呆子初到上海时，懂什么化学不化学的，可现在俨然已成工商业巨头，即使像段令康这样的草包和段红莲这样的女流之辈，照样也办起了不小的实业，只有自己，空忙一场，最终落得个两手空空的下场……

想来想去，洪云甫突然想起了柴田。

跟柴田打交道有点麻烦，弄不好就背上一个汉奸的骂名，这一点不得不虑。

不过话倒是有一句说一句，狗日的东洋赤佬对汉奸真是不错，向来出手宽绰，好处从不少给。世人常言“成者为王、败者为寇”，只要日后出人头地，有什么汉奸不汉奸的？再说自己已如丧家犬般走至穷途末路，还有什么资格挑精拣肥？

汉奸也得有人来当！更何况，眼下当得上当不上还难说呢。

主意拿定，洪云甫跳上了去往虹口的黄包车。

狄思威路一百二十号，还是那副工厂不像工厂、兵营不像兵营的模样，柴田依然呆在此地办公，但手下的人员明显多了不少。

柴田的态度十分热情，这让洪云甫放心了不少。

“柴田先生，我今天到您这儿找饭碗来了。”洪云甫干脆开门见山。

听罢洪云甫脱离段家的缘由及来意，柴田的脸上的笑容渐渐消失，沉着头一声不吭，似乎是在思索着、斟酌着什么重要问题。

洪云甫心里暗暗叫苦：完蛋，这条路没希望了。

“洪先生，如果请你担任新华化学工业总公司的总经理一职，请问是否愿意接受？”隔了许久，柴田突然抬起头来问道，随即又补上一句：“新华总公司现在归属于商统会，不知洪先生有无顾虑？”

洪云甫简直怀疑自己的耳朵出了毛病，这天大的馅饼真会掉在自己头上？但看看柴田那严肃的面容，马上意识到对方并不是开玩笑。

洪云甫脑子飞转，瞬间豁然开朗，终于明白了柴田的用意。

无论是根深蒂固的惠梦石，还是后起之秀的米东杰，抑或是外来的柴田，都在向着日化行业托拉斯的方向发展，但日本企业的想法却又不尽相同，还有许多的表面文章要做。

“商统会”的全称是“全国商业统制总会”，乃汪伪政权在上海成立的专为日军效力的傀儡机构，这一点，工商界人士全都心知肚明。总会下设棉业、米粮、粉麦、油粮、日用品五个统制委员会，在沦陷区全面推行“战时经济体制”，实施物资的收买、配给、交换、营运、军需采购等，所谓的“统制”，一言蔽之就是为“以战养战”服务。

以前，柴田一心拉拢米东杰充任挂牌总经理，不过是为了掩人耳目，生怕受到中国人的暗中抵制，现在则不同了，已悄悄改变政策，冠冕堂皇地将企业拱手交给汪精卫，这样既扶携了南京伪政府，又可名正言顺地大肆搜刮，大有一举两得之意。

搭上这条线，无疑就是走上了飞黄腾达的捷径，但风险也非常大——这可是不折不扣的“附逆”，说不定哪天就被重庆方面安插在上海的特工一枪“除逆”——难怪有头有脸的工商界人士无一眼热这顶乌纱。

“多谢柴田先生的提携。”洪云甫决定成交。

吃饭要紧——洪云甫对自己说。

第二十章　恶　斗

打退了段家兄妹的进攻，米东杰手里的资金眼看着一天比一天充裕。

情况空前地大好，肥皂厂稳扎稳打，无论是民用皂还是工业皂，销路都十分顺畅；牙膏厂日夜开工，特别是新颖别致的小号儿童牙膏、旅行牙膏，尤其受到市场欢迎；沉降碳酸碱厂、甘油厂、香精厂步入了正轨，产品除了自用，大部分用于外销；最令人高兴的是搪瓷厂一开工就遇上了一个碰头彩，首批日用器皿类产品被批发商们抢购一空，而且全部都是现款现结……

手里有了钱，第一个想到的是赶紧还贷，第二个是考虑如何将余下的钱花出去。

只有再投资，将雪球迅速滚大。

不过，眼下似乎并不适合大规模投资，只要翻开报纸，到处可见大量厂主出售企业的广告。为什么？很简单的道理，一是市场萎缩，日本人禁止上海的物资向非沦陷区运送；二是日军强占公共租界，大家都失去了信心，深怕朝不保夕，都想把厂子换成现金落袋为安。

这是一个机会，米东杰告诉自己。

事实已经证明，越是逆流而上，越容易获得成功，上一次创业成功便是最好的例子，这次的机遇又怎能错过？

“海伦，这几家厂的价格都不高，我想一口气全部买下来。”米东杰跟海伦商量。“还有一家棉纺厂，如果可能的话，我也想接过来。”

米东杰看中的那几家厂是：硫酸厂、硝酸厂、火柴厂、面粉厂、棉纺厂，已经在报纸上连续登了好几天的广告，看来一直无人接盘。

"前面的几家属于化工行业，后面的可相差太远啦，得算是跨行业经营了。"海伦拿起报纸看了看。"而且，棉纺厂的价格恐怕会很高。"

"我就是要跨行业经营，这个应该是以后的方向。"米东杰却信心十足。"特别是面粉厂和棉纺厂，一个吃，一个穿，我已经留意了很久。要知道，我们中国的民族工业，就是从这两个行业拉开序幕的，而吃穿二字，是人类永恒的主题，无论什么时候，人们都离不开这最基本的需求。你日本人再凶、再恶，也离不了吃饭穿衣吧？"

"西方有句谚语，别把鸡蛋放在一个篮子里，"海伦点点头，"跨行业经营，可能对规避风险反而有利。但是，老米，你要想想，为什么人家要把工厂抛弃，而且并无多少人愿意接手，最深层的担忧是什么呢？"

"第一是胆小，第二是办企业的目的只为赚钱，第三是目光短浅，没有着眼于将来。"米东杰答道。

"将来？"海伦问。

"退一万步来讲，哪怕这几年不赚钱，只要能够坚持下来，我也心满意足了，"米东杰道出了最根本的想法，"我就不信了，日本人还能永远霸占中国？这条疯狗到处咬人，战线拉得那么长，难道整个西方世界，包括美国这样的强国都拿他没办法？"

"是啊，噩梦终将过去。"海伦道。

"我最近发现，有一个现象十分显著，"米东杰将报纸翻到后面的几版，"你看，全都是企业转让的公示，都在将企业挂上日本的盟友德国和意大利、法国的招牌，不是'财产转让'就是'移交保管'，恐怕我们也得未雨绸缪，认真考虑一下此事，万一被日本人军管或没收，那就彻底完蛋了。"

"去找找上次那个被惠梦石当枪使的法国人路易怎么样？给他一点好处，相信他会答应挂名。"海伦建议道。"法国维希政府是德国人扶植的傀儡，这一点和中国的汪精卫政府很相像，和日本自然也属于盟友，挂法国的招牌很合适。"

"我们先去看厂，一家一家谈。"米东杰坐不住了。

硫酸厂、硝酸厂、火柴厂和面粉厂的报价确实很低，仅为市值的一半，米东杰稍微压低了一些价格，最后仅用四十多万便全部买了下来——这笔钱中，一半是自有资金，一半依然靠信诚银行的贷款。

最后一家棉纺厂遇到了麻烦。

棉纺厂的位置很好，靠近苏州河，水陆交通十分便利，规模为七万枚纱锭、五百台布机，开价仅仅为三十五万元，连建厂时的一半都不到——问题在于，米东杰已经拿不出钱来了，连信诚银行也心有余而力不足——棉纺厂的老板是个吃喝嫖赌的浪荡子，非但守不住父辈创下的家业，反在外面欠下了一屁股的债，单是银行债务便达三十万之巨。

米东杰灵机一动，想出了一个妙法，跟那浪荡子商量，是否可以通过“债务过户”的方式来完成交易？也就是说，米东杰接下厂子，但只需支付五万元的现金，另外再承担那三十万的债务，以后在经营中分期还清。

浪荡子同意，那家名叫万宏的银行也同意，三方坐下来签订过户手续，米东杰最终仅仅花费五万元便拥有了价值上百万的完整工厂，简直是捡了天大的便宜。

“米先生，现在市道不好，生意做得再好也不过是维持，数年之内根本没有盈利希望，为什么你还愿意接盘呢？”成交之后，那家银行的经理好奇地问米东杰。

万宏银行的经理姓宋，年纪将近六十，看上去不像是商人，倒像是大学教授。

“很简单，倒闭的工厂越多，失业的工人就越多，街上的流浪汉也会越来越多。”米东杰神色凝重地说道。“一般的工人都是家中的顶梁柱，一个人失业，相当于全家数口人丢饭碗。我这次一口气收购了五家工厂，加起来的用工数得有七、八千人，加上他们背后的父母、妻小，那是一个数万人的群体啊。”

“佩服，米先生的情怀非一般商人可比，这才是真正的商道。”宋经理翘起了大拇指。

“先生过奖了，不过我认为现在确实正是改写商道的定义之时，”米东杰得到鼓励，情绪一下子高涨起来，“在商之人，总喜以昔日的胡雪岩、盛宣怀、晋商、徽商为楷模，但都没有看到，那只是农业文明的产物，无非是官商勾结，敛物聚财，最终衣锦还乡的模式。如果我们在现代工商业的背景下，依然固守这一思路和格局，那实业救国将永远是一句空话。”

“说得好！”宋经理深受感动。“米先生以后凡有用得着我的地方，请尽管吩咐，实业救国，人人有责。咱们生意人没法拿起刀枪上战场，但只要有能力，就该守住工商业这块最后的阵地，这是责任，也是气节。”

米东杰紧紧握住了对方的手。

米东杰与宋经理成了朋友，双方相互欣赏，平时经常来往，米东杰也借此学到不少金融业方面的知识。宋经理非常喜欢收集古董和古版书，尤其是存世极少的宋版书，米东杰每次到他家去作客的时候，经常会扯起一些相关的闲话，所谓近朱者赤，慢慢地竟还知道了许多有关宋版书的知识。

收购完成，该着手招牌的事情了。

“正好，借这机会将所有的厂子合并起来成立总公司！”米东杰对海伦说。

“将企业全部挂在那个路易的名下，是否会不安全呢？”海伦有点担忧。

“我看那小子人还厚道，不像是无赖，”米东杰其实也有点担心，“咱们就给他一笔钱，办个‘移交保管’手续，再由他挂名任总经理。要说防备，可以多签几分合约，想好制约的措施，再说所有的契约和股权证明全在我手里，谅他也翻不出花样来。”

“办好以后马上登报，免得日本人打主意。”海伦提醒道。“说办就办，我这就去找路易商谈。”

商谈的结果令人满意，米东杰一次性付给路易五千元，以后每月再支付一笔二百元的薪水。路易心满意足，态度十分合作，用他的话来说就是：“你们让我干什么就干什么、让我说什么我就说什么。”

真是老天有眼，幸好先走了这一步。

登报公示后仅仅两天，总公司的办公室里迎来了一位不速之客。

这人不是别人，竟是久违了的洪云甫。

“老米，你好啊。”洪云甫若无其事地先打招呼，仍像以前那么亲密无间，似乎双方之间并未发生过任何事。

“老洪？”米东杰一楞，也不便马上就拉下脸来。

“最近动作挺大啊，一口气买下了五座工厂。”洪云甫乐呵呵地不请自坐。

“收点破烂罢了，也没花几个钱。”米东杰口气冷淡，心中暗自琢磨对方的来意。

“知道，还挂上了法商的招牌。”洪云甫眨了眨眼，表示尽皆了解。

“随大流而已。”米东杰已猜出了七、八分，“我听说，你现在出任新华化学工业总公司的总经理一职了？”

“呵呵，混口饭，混口饭，也是随大流而已。”洪云甫的脸上稍微有点不自在。

“那你今天是以新华公司的身份来此的吧？”米东杰的脸色拉下来了一点。

“哪里话，当然是以老朋友的身份，”洪云甫一本正经地说道，“有件事情想和你老米商量商量，放心，绝对对你没有坏处。”

“哦，说说看。”米东杰慢吞吞地说道。

洪云甫的目的很简单：直接收购米东杰的总公司，但价格给得很足，甚至还能超出市值二成。

“我就不明白了，现在要出卖的工厂那么多，报纸上比比皆是，日本人既然有钱，为什么不去直接收购？”米东杰奇怪地问道。

“光有厂房和机器没用，还得靠人去经营啊。要卖的工厂大都经营不善，买下个空壳子来有什么用？”洪云甫诚恳地说道。“像你老米，开一家，成一家，这就是本事，这就是人才。”

“你老洪懂技术、懂经营，不也是人才？”米东杰反问道。

“跟你老米不好比，呵呵，不堪重用。”洪云甫答道。

“这就是说，我得连人带厂一块儿卖？”米东杰问。

“对，连人带厂，”洪云甫以为米东杰心动，“当然，还包括你老米本人。放心吧，价格方面绝对不会让你吃亏。唯一的要求，就是生产计划得按我们的安排进行，统制经济嘛，就是这个意思，呵呵。”

“你说的这个我们是谁？”米东杰装糊涂。

“当然是日本人呗。”洪云甫不假思索地答道，但随即觉察到上了当。“甭管是谁，这叫人在屋檐下，不得不低头，不然的话，你也不用煞费苦心去挂块法国招牌了，这不是一样的道理？”

“对不起，我现在做不动主了，从理论上讲，我只是公司的雇员了。”米东杰一下子沉下脸来。

“老米，这么说就没意思了。”洪云甫也拉下了脸。“说句实话，要不是你手快脚快挂上了法国招牌，今天要谈的话题就不是收购，而是委任生产了。”

米东杰的后背上惊出了一身冷汗。

这次要不是果断决策，非但苦心经营的工厂将被日本人攫为己有，而且显而易见一切生产计划将围绕军事目的而进行，完全成为日本战时工业体系的附庸，换句话说，简直就是战争的帮凶。

“对不起，我不是老板，决定不了。”米东杰坚决地摇摇头，不想再继续交谈下去。

“老米，我劝你好好想想，不要轻率地作决定，这样会吃亏。”洪云甫一楞，语意中已带威胁。

“没什么好考虑的。”米东杰站起身来，作出了送客的姿态。

“好吧，希望你不要后悔。”洪云甫脸上一阵难堪，悻悻地站起身来。

米东杰怔怔地坐回椅子，眼望着天花板脑中急剧思索，设想今天这场谈话将会导致何种结局，连海伦跟自己说话都没有听见。

“老米，恐怕没那么好应付。”海伦忧心忡忡地咕哝道。

“不好，这小子肯定会去找段家兄妹。”米东杰突然惊醒过来。

“要不要提醒他们一下？”海伦说道。

米东杰抓起电话，要通了艾斯特公司的号码。

接电话的是段令康。

“令康兄，有件急事，你先别问我为什么，赶紧出来，和红莲一块儿出来，我们一刻钟后在霞飞路路口的达菲咖啡馆见面，”米东杰急匆匆地说道，“切记，别耽搁，马上动身。”

“到底啥事啊？”听筒里换成了段红莲的声音。

“来不及多说了，洪云甫很可能现在去你们公司了，”米东杰叫了起来，“相信我，你们兄妹俩现在必须避开他！”

还好，段家兄妹还算听话，已提前等候在咖啡馆中。

米东杰介绍了一下刚才洪云甫找上门来的目的，说不出意外的话，洪云甫肯定也会找到你们艾斯特去，要是被他逮个正着，恐怕就有大麻烦了。

“可是，躲得了初一，躲不了十五啊，”段红莲脸都急白了，“这家伙明天再来怎么办？”

“唯一的办法是像我一样，也找德国人、法国人、意大利人充当保护伞。”米东杰建议道。

“对了，惠梦石是德国国籍，应该管用，我去求他试试看。”段红莲叫了起来。

“惠梦石这人不太好说，”米东杰的眉头皱了起来，“这人属于纯粹的生意人、生意经，可能不好商量。上次被我摆了一道空城计，大概有点耿耿于怀，这阵子一直在给我添麻烦，所有与我重叠的产品全线降价，把我害得不轻。”

“你知道惠梦石是什么人吗？”段令康一急，差点说出谜底。

段红莲飞快地朝兄长使了一个眼神，制止其再说下去。

“什么人？商人呗！”米东杰没注意段令康脸上的表情。“他那边又开战端，我只能应战喽，这阵子正在计划下一轮的策略，看用什么办法彻底治治这个人的毛病。”

“唉，你们俩，真不该这么斗……”段红莲轻声劝道，但似有难言之隐。

“不是我要和他斗，是他要和我斗，”米东杰苦笑道，“先不说惠梦石了，令康兄，你不妨打个电话回公司去，看看洪云甫这小子是不是顺脚去你那边了。”

段令康借用咖啡馆的电话打回公司，果然不出米东杰所料，公司的人报告说刚刚来过，见人不在已经走了，但临走前说明天还会再来。

“明天还来？”段红莲惊得眼都瞪圆了。

“这可咋办？”段令康也慌张起来。

“要不，我现在就去找惠梦石，跟他商量商量，看能不能帮一把忙。”段红莲说道。

“也好，你先去试试，不行的话再想办法找别人。”米东杰沉吟了一下说道，随后又问段令康：“对了，气胀的毛病，你们找到解决办法了吗？”

“咳，别提了，一团糟，”段令康苦着脸嚷道，“我连上吊的心都有了。”

“这样吧，我明天派人送一份配方给你，保管药到病除。”米东杰轻描淡写般说道。

“真的？”段令康还有点不相信。

“其实道理很简单，就是配方太老，只适合以前的铅锡软管，遇到现在的铝管就出问题了。”米东杰解释道。“铝的性状多活泼，很容易就发生反应。”

段令康毕竟是行家，被一语道破天机，顿生如梦初醒之感。

“老米，真不知道该如何感谢你才好。”段令康一把抓住米东杰的手。“唉，真没想到，关键时刻，还是你老米不计前嫌，再次伸出手来……”

“先不说这些了，”米东杰看着段红莲说道，“抓紧时间，赶紧去找惠梦石。”

“嗯，我这就去。”段红莲第一次在米东杰面前表现得这么温顺。

段红莲叫上司机，心急火燎地赶往惠梦石的办公室。

段红莲心里很清楚，现在的洪云甫，可不是以前那个想骂就骂的窝囊废了，他的背后，是深不可测的日本经济势力，再背后，就是日本军队血淋淋的刺刀了。今天要不是米东杰及时挽救，后果真是不堪设想。

来到惠梦石的办公室门前，接待小姐称，办公室内正好有客人，现在不能进去。

“是谁？”段红莲多了个心眼。

“一名姓洪的先生。”接待小姐不假思索地答道。

“是不是叫洪云甫？”段红莲一惊，心跳都加速起来。

“对，是叫这个名字。”接待小姐点点头。

“这样吧，我到办公室隔壁的会议室去等一会儿吧。”段红莲灵机一动有了主意。

很明显，洪云甫是刚从艾斯特公司出来，直接就来了这里，不知道这家伙找惠梦石究竟想商量什么？

段红莲悄悄地躲进了会议室。

会议室很大，有一扇门与惠梦石的办公室直接相通，巧的是，这扇门并未关严，通过极细的一条缝隙，正好可以把办公室内的动静听得一清二楚。

段红莲蹑手蹑脚地走到门边，竖起耳朵倾听起来。

没错，果然是洪云甫的声音。

“惠先生，委任生产不行的话，连租借工厂也不行吗？”

“抱歉，原料和电力不足，市场又极不景气，我的工厂目前全都处于半停工状态。”

段红莲明白了，洪云甫此来，针对惠氏企业的特点，提出的方案不是收购，而是“委任生产”和“租借企业”，形式上稍微客气了一点。

“先生的态度很不合作啊。”

“没什么合作不合作的，办实业自有一定之规，光有态度于事无补。”

“我知道先生是德国的国籍，不过，既然工厂开设在上海的土地上，恐怕还是客随主便比较好一点。”

显然，洪云甫是在提醒惠梦石，上海的主人现在是谁，胳膊永远拗不过大腿。

“无所谓主，无所谓客，不要以为我是依仗外国人的身份才有恃无恐，老实说，别说今天你来我是这个态度，哪怕是南京政府派人来，我也是这个态度。不是我惠某人夸口，就是周佛海、陈公博、陈群到我这里来，遇到我心情好呢，就请他喝杯咖啡，心情不好呢，就是坐也不会请他坐。

“先生跟周佛海和二陈有交情？”

“都打过交道，比方说陈群吧，以前交情还不浅。当年，此君落魄的时候寄居在三马路一家裱画店的楼上，连房租都是我帮他支付的。”

段红莲听出来了，原来惠梦石在伪政府中有人脉，所以根本没把洪云甫这种沐猴而冠的小汉奸放在眼里。

“不过，先生也应该考虑到，南京政府的人地位再高，毕竟也得服从统制经济的政策……”

“这个话题多说无益，到此为止吧。”

“惠先生……”

“好了，我很忙，你请便吧。秘书，送客。”

没有商量的余地，洪云甫只得离开，而且像被赶出去一样，一点体面都没有。

“惠先生。”段红莲推门走进办公室。

“段小姐？”惠梦石有点惊讶。“刚才的话你都听见了？”

“都听见了，”段红莲点点头，“实际上，我就是因为这件事而来的。”

段红莲说起洪云甫在米东杰那边碰壁，以及已经盯上艾斯特公司的事由，恳求惠梦石能伸出援手，帮助自己度过难关。

“好，没有问题。”惠梦石一口答应，但依然面有忧色。“怕只怕，我自己也是泥菩萨过河，自身难保啊。不过，不管怎么说，先度过眼前，走一步看一步吧。”

惠梦石的忧虑不是没有道理。

英美企业差不多全被日军强行接管，法租界的“主权”也已名存实亡，日本人究竟能给盟友几分面子，或者说能给多久，现在还很难说。

特别是米东杰这种临时抱佛脚改换门庭的企业，日本人就此束手无策了？

海伦给米东杰立下一条“规矩”：平时不得出门，平时全部依靠电话与各厂经理保持联系，即使万不得已要亲力亲为，也绝对不能涉足公共租界。

加倍小心又有什么用呢？该出的事，还是出了。

一天，米东杰乘车前往一家德国洋行，准备去洽谈珐琅粉的进口事宜，但刚离家不到一公里，途经一条僻静的马路时，一辆跟在后面的轿车突然超车拦住了去路。

米东杰感觉不妙，前面的车上已经跳下三名手持短枪的大汉，黑洞洞的枪口对准了李春荣的脑袋。

“别动！”为首的汉子厉声叫道，“动一动就打死你！”

车门被强行拉开，米东杰被拖下车来，直接塞进了前面的那辆车。

米东杰的眼前被蒙上了黑布条，双臂也被反绑起来。

车子开了很久，走走停停约一小时也不止，只觉得路面越来越颠簸，似乎开到了乡间的土路上。

又过了半小时，米东杰被拉下车来，往前走了一段路，在左右两边的扶持下踏进了一条晃晃悠悠的小船。

不好，肯定是去浦东——米东杰告诉自己。

刚才来的路上，米东杰一直在猜测绑匪的身份，究竟是沪西七十六号的人，还是日本宪兵队？现在看来，倒像是浦东的土匪了。

上海滩上绑架、暗杀盛行，干得最欢的通常是四拨人马：爱绑绅商人士的林之江、专绑抗日人士的吴四宝、打着游击队旗号但什么人都绑的丁锡山、老资格的浙江帮和太湖帮——现在船往浦东走，看来是后两种角色居多。

“米老板，多有得罪啊。”

一个声音响起，眼前的黑布被猛地掀去，臂上的绳索也被解开。

眼望四周，是一间普通的农家院落，客堂里摆放着一些桌子板凳，门里门外全是面相凶恶的汉子。再看眼前说话的人，是一个年约四、五十岁的中年汉子，高个，略胖，塌鼻梁，看样子像是匪首。

“好汉是哪路人马？”米东杰镇定了一点。

“这个不需要你知道，”塌鼻梁汉子摇摇手指，“有人花钱要买你的项上人头，我们兄弟不过是拿钱办事罢了。好了，你自己估摸一下吧，算算自己这颗脑袋究竟值多少钱。”

“我没有钱。”米东杰直截了当地回答道，基本已能肯定，这帮家伙无疑是受了洪云甫的指使。

“哈哈，米老板这话有意思，就好比梅兰芳说自己不会唱戏。”塌鼻梁放声大笑。“好啦，也别城楼上抬棺材有兜有转啦，直说吧，拿五十万来，我这边立马放人。”

“五十万？”米东杰壮着胆子也学对方的样子放声大笑，“就是五万我也拿不出来。”

“米老板，你要这么说就不聪明了，摆明了是跟自己过不去。”塌鼻梁脸色一变。

“你要是随便绑个烟纸店小老板，多了没有，挤个千儿八百的出来绝对没问题，”米东杰诚恳地说道，“可我就不一样了，我是一屁股的欠账，连一个余钱都没有，不信的话你可以找人去打听。”

“这样的话我可听多了，”塌鼻梁又笑了起来，“来这里的老板开始全都这么说。”

“我和人家不一样，他们是富翁、有钱人，而我只是一名工业家，”米东杰还想继续说服，“工业家就是只想办厂，赚到一块钱后又想着再借二块钱去开另一家厂。”

“大哥，少跟这家伙废话，都是蜡烛，不点不亮。”旁边一名小喽罗嚷嚷道。

“嗯，不过先别动手，都是斯文人嘛，”塌鼻梁依然笑呵呵的，“来啊，先把衣服扒了，绑到院子里的树上去冻一夜再说。”

小喽罗们七手八脚地脱去米东杰的上衣：一件半旧的西装外套和一件厚毛衣，露出了里面的衬衫。

衬衫已经破旧不堪，领子内侧全被磨破，右胳膊肘部位还打了一个补丁——是米东杰自己补的，针脚缝得歪歪扭扭。

“慢！”塌鼻梁一把拦住准备继续扒衬衣的小喽罗。

“我没瞎说吧？这样的衬衣，就是一名烟纸店老板也不会再穿，”米东杰一看机会正好，忙问塌鼻梁，“你看我像不像真正的有钱人？”

“是啊，没见过你这样的老板。”塌鼻梁也纳闷了。

“刚才已经说了，我不是有钱人，只是工业家，手里只有厂子，没有钱，”米东杰连忙趁热打铁，“你可以派人去我厂里打听，我平时一天三顿都在厂里的食堂吃和工人一样的饭菜，多年来没有买过一件新衣服，不抽烟、不喝酒、不打麻将，至今仍旧住在厂里，连一处私宅都没有……”

“那你为什么要这样做？”塌鼻梁挥手打断米东杰的话，显然对刚才的话深信不疑，“开厂的目的不就是为了赚钱？赚了钱不就是为了吃穿享福？”

“别人是，我不是。”米东杰答道。

“那你图什么？”塌鼻梁问。

“很简单，省下每一分钱来，多开几家厂，让更多的人有饭吃。”米东杰爽快地答道。

这句话令塌鼻梁手托下巴，翻着白眼陷入了沉思。

“来，把衣服给米老板穿上。”隔了好久，塌鼻梁对小喽罗一歪脖子。

第二十一章　货币战争

海伦和汤伯卿急得团团转，一开始商量着要不要去巡捕房报案，但李春荣认为目前连是谁绑的票都搞不清楚，报案根本无济于事，只会增添混乱。

李春荣的话确实不无道理，在上海，绑架不是新闻，要是哪天没了绑架，那倒成了新闻。捕房里的人跟流氓差不多，你去报案，很好，先敲你一笔“破案费”再说，至于破得了破不了，另说。

“那怎么办呢？”海伦一个劲地掉眼泪。“总不能眼睁睁干等啊！”

“要不，等到明天再说吧，看绑匪开什么价。”汤伯卿苦着脸说道。

“没错，至少也得先弄清是哪票人马。”李春荣分析道。“他们的枪都是土匪爱用的二十响，不像是沪西七十六号的人，我怀疑，还是浦东的水匪，目的就是为财。”

李春荣估计得没错。

但是谁都没有想到，傍晚时分，米东杰居然自己回来了——被一辆轿车直接送到厂门口——非但毫发无损，身后还跟着两名年轻后生。

“老米，到底怎么回事？”海伦扑上前去，赶紧上下察看米东杰有没有挨打受伤。

“没事，没事，”米东杰笑呵呵地说道，似乎今天只不过是出去郊游了一天，“一场虚惊而已。”

“没那么简单吧？”汤伯卿还不大相信，也围着米东杰上下打量。

“这二位是……”李春荣指着米东杰身后的两位后生问道。

"呵呵，是水火帮的弟兄，"米东杰若无其事地说道，"现在是我的保镖。"

水火帮，这来头可不小。

苏州洞庭东山一带岛屿众多，便于藏匿，所以自古以来多有湖匪出没，民国以后的鼎盛时期竟有大小匪帮二百多个，其中最著名的便是环太湖地区令人谈虎色变的"水火帮"。据传，水火帮以家族、亲友结伙，有严密的帮规、暗语，一旦入伙，终身为匪，而且还是世代相传。日军进入太湖地区以后，湖匪四散开来，一些"分帮"便来到了浦东三不管地带，继续干那打家劫舍的营生，租界上好些有名的绑架案，便是他们的杰作。

绑匪倒过来为肉票做保镖，这种事开天辟地以来还闻所未闻。

米东杰解释说，大家不用猜测了，这件事确实是洪云甫干的。

白天，米东杰对绑匪"晓之以情，动之以理"，告诉他们洪云甫到底是什么人，为什么身为中国人却又甘愿充当日本人的帮凶，而自己的处境又如何，为什么放着安稳日子不过却到处借钱办工厂……一系列的话，听得那位塌鼻梁匪首一个劲地点头，一边连连致歉，一边大骂自己瞎了眼睛，最终非但派车把米东杰送回家，还拨出两名手下充当保镖，以防洪云甫再请别路人马出手。

"那个姓洪的家伙，真该一枪先结果了他。"李春荣愤愤地嚷道。

"不要这么想，我们是商人，斗争的方式绝不应该使用武力，这是一个原则。"米东杰严肃地说。

"老米啊，你还是书生意气太浓。"汤伯卿叹道。

的确，对大部分人来说，没有什么原则不原则。

包括"政府"在内，对商战的理解，始终不脱血腥和暴力的范畴，米东杰今天还在这里坐而论道，马上就会知道，书生意气确实是太天真、太幼稚了。

一大清早，汤伯卿带来了一个晴天霹雳般的惊人消息：法币被废止了！

"什么意思？"海伦还没听明白。"法币不能使用了？"

"没错，通告都出来了，法币停止流通，从现在开始得改用南京中央储备银行发行的储备券啦。"李春荣也证实了这一消息。

"那法币如果处置？"米东杰忙问。

"通告上说，储备券跟法币等价，可以按照一比一兑换。"汤伯卿答道。

米东杰稍稍松了口气，但不祥的预感迅即袭上心头。

众所周知，战争无不带有经济方面的目的，而近代经济的中心就是金融，通过金融体制调动人力与物力，便成了战争胜败的一大因素。掌握体制主导权的关键在于控制货币，所以日本破坏法币的目的，就是为了摧毁中国的抗战能力。

中日开战以来，国民政府留在租界上的银行仍然控制着上海的金融市场，而随着日军对各省的占领，资金更从四面八方流入租界避难，所以上海绝对是金融领域的重中之重。

米东杰很快便见到了“储备券”的真面目，只见券面印有孙中山的头像，背面为中山陵图案，似乎是在自我标榜伪政权同属孙氏嫡系，足见汉奸们也是煞费苦心。

汪精卫的中央储备银行总行设在南京，分行设在上海，由“财政部长”周佛海兼任该行总裁，声势确实造得挺大，但毫无信用可言，无论工商还是百姓，谁都不肯买账。上海银行钱业公所一致拒绝与“中储行”来往，大小商店也拒收储备券，为此，汪伪警政部长兼特工部主任李士群，最后只能派出大批特务持枪到各大公司购物，如果对方拒收储备券便拔枪相向，同时向各银行、钱庄发出恐吓信，声称再敢抗拒将以武力制裁。

为安全起见，中国、交通、农民三行迁往法租界霞飞路，而中央银行作为“银行中的银行”，碍于面子不愿迁移。远在重庆的蒋介石一面要求上海四行“坚守立场，不能丝毫让步”，一面指示戴笠派潜伏在上海的军统人员对伪中储银行采取行动。

中储行遭到袭击，一时炸声四起，子弹横飞。

周佛海暴跳如雷，随即命令李士群对中央银行进行“同等级的报复”，二颗炸弹先后爆炸后，军统人员和汪伪特工间的较量也开始升级。军统人员再次出击，追杀中储行高层，李士群则向中国农民银行投放炸弹，并夜袭银行职员，在宿舍楼中将二十多人全部射杀……

腥风血雨之中，储备券还是推广开来了。

但是，兑换率很快便变成了一百比七十七——一百元法币，只能兑换七十七元储备券——市场马上开始出现波动，市民纷纷开始抢购物品，生怕兑换率再有变化。

兑换率很快又变成了一百比五十，原本的二元法币，变成了一块储备券，相当于被活生生抢掉了一半。

随着一波又一波的疯抢，市场上的物资越来越少，价格随之疯涨，经济形势乱成了一锅粥。

起先，振兴总公司的产品销势旺盛，因为老百姓逮什么囤什么，买到就是赚到，但是，原料的价格也在上涨，转口贸易完全停顿，巧妇难为无米之炊，工厂靠什么继续生产?

“汪伪政府真不是东西，用调换下来的法币到其它地方去抢购黄金和物资，变相搜刮沦陷区百姓的血汗，这一招真他妈毒。”汤伯卿成天为原料的事情焦头烂额，眼看着工厂将不得不停产，不由得骂开了娘。

“我现在才明白，为什么当初柴田要让洪云甫来收购我们的工厂，而且价钱方面一点也不抠门，”米东杰这才恍然大悟，“那是因为柴田知道法币马上就会贬去一半，他花的只不过是半价。”

“是啊，幸亏咱们没上当。”汤伯卿想想也有点后怕。“不过，还是有不少厂家上当了，据我所知，日化行业里头就有十来家厂子卖给了柴田。”

“这就是战争，另一场战争。”海伦感慨道。

“简直想想都后怕，”米东杰补充道，“要是咱们当初没把钱用在购买工厂上，而是存进银行，那就惨了，相当于被抢走了一半。现在投在工厂上，好歹还算保值。”

其实，购买工厂这步棋真是走对了，何止是保值，而是占了天大的便宜。

欠银行的贷款，现在必须以储备券来还，原来借二元法币，现在只需还一元储备券。当然，银行肯定是倒了大霉，这笔糊涂账反正是算不过来了，还好碰上米东杰这样的厚道人，主动向银行承诺说，谁也不想去发这样的国难财，等以后币值稳定、工厂产销正常以后，一定会想办法补偿损失。

现在，最大的难题还是工厂开工严重不足。

供电、供水、煤炭也大受影响，米东杰整天愁眉苦脸，不过人倒是前所未有地清闲起来。原来念念不忘地要与惠梦石展开一场决战，现在已经变得无足轻重了，就是想打也打不起来，想上去，惠梦石的日子肯定好过不到哪里去。

柴田和洪云甫也没再来找过什么麻烦，米东杰给李春荣弄了一支手枪，加上水火帮的两名年轻人，一共有了三支手枪防护，再加上平时出行时更加小心谨慎，洪云甫未必再敢明目张胆地动手。但是，这一对活宝越是没有声息就越是让人担心，说不定又在憋着什么坏，到时候冷不丁地给你来个措手不及。

艾斯特公司早就处于半停顿状态，不过，兄妹俩与米东杰的关系亲近了不少，段令康郑重其事地请米东杰吃过两次饭，段红莲见了米东杰和海伦也友善了许多，至少来说，所有的敌意已经烟消云散。

段红莲一直在苦恼一个问题：到底要不要说破米东杰的身世之谜?

这个问题，很不幸地很快便有了答案，就是想瞒也瞒不住了。

一个百无聊赖的雨天，米东杰正在办公室里看报纸，一阵急促的电话铃声打破了室内的宁静。

“老米，出大事了。”电话是段红莲打来的。

现在，段红莲再也不像从前那样米呆子长、米呆子短地叫唤，而是跟着大伙改称“老米”。

“什么事？”米东杰吓了一大跳。

“惠梦石被日本人抓起来了。”段红莲在听筒里高叫道。

米东杰松了一口气——惠梦石被抓当然是件坏事，但从自己的角度来说，还称不上是“大事”。

“为了什么事？”米东杰问道。

“三言两语说不清，反正是被安了个什么经济间谍的罪名，我怀疑是柴田和洪云甫在背后搞鬼，”段红莲语速极快地说道，“宪兵队来抓的人，据说，很可能会被送进集中营去。”

据报纸上的消息透露，上海的八处集中营已经建造完毕，将来可以关押六千多人，难道这就投入使用了？可是，惠梦石的国籍是德国，应该不在“敌侨”之列啊。

“真是太不幸了。”米东杰只能表示同情。

“老米，你能现在过来一趟吗？”段红莲急切地问道。“一块儿商量商量，看有没有什么办法赶紧去救。”

“开什么玩笑？”米东杰简直哭笑不得。“我为什么要去救他？再说，我又有什么能耐救他？”

“你必须救他！”段红莲的口气不容置疑，顿了一顿，又说：“因为，他是你的父亲！”

米东杰觉得，要么是自己的耳朵听错了，要么是段红莲的脑袋出问题了，这话没头没脑，开玩笑也没有这样的开法。

“红莲，我知道惠梦石帮过你大忙，可是……”米东杰换了一种口气。

“我没瞎说，要有半句谎话，天打雷劈，”段红莲的口气极其认真，“他真是你的亲生父亲，还记得我手上经常戴着的那只乌木手镯吗？那就是他送给你母亲的信物！还有，还记得村子里的那个老道吗？就是他死前告诉我全部秘密的……喂，老米，你在不在听？”

米东杰的耳朵贴在听筒上，可脑子里嗡嗡乱响，浑身软得连答应一声的力气都没有。

“出什么事了？”海伦看米东杰的面色不对头，连忙关切地问道。

米东杰无力地摆摆手。

“喂，老米……”听筒里，段红莲仍在高叫。

“等着，我二十分钟之内到你那里。”米东杰镇定了一下，对着听筒说出这么一句。

“去段家？”海伦问道。

“对，叫李春荣备车。”米东杰头重脚轻地站起身来。

综合报纸上的各类消息来分析，惠梦石被捕应该属于必然的结果。

太平洋战争开战以后，日本东条内阁提出了“强化南京政府”的政策，而“强化”的重中之重，便是“争取工商界有力人士的真诚合作”，否则无源之水，空中楼阁，搜刮战略物资就无从谈起。

谁都懂得，粮食和纺织为两大经济命脉，日本军部以此入手，首先试点成立了两个商业统制会：“米业统制会”，主任为袁履登；“纱布统制会”，主任为闻兰亭——两个大汉奸倒也不负厚望，兢兢业业地为日本人效命，深得主子的赏识。

接下来就轮到日用品了，而惠梦石身为日化行业当之无愧的“大王”，当属出任主任一职的不二人选。

惠梦石不答应，这就有麻烦了。

段红莲说，救人得赶早，要是真被送进了集中营，那就很难捞出来了。

“是啊，现在应该还在宪兵队手里……”米东杰喃喃地说道，脑子里晕晕乎乎的，依然沉浸在段红莲刚才说起的往事之间。

想想自己真是命途多舛，甫一出生便遭磨难，而且是连遭三次遗弃。到如今，年届三十，本以为自己像孙悟空一样无父无母是从石头里蹦出来的，没想到竟然半空中掉下一个父亲来，而这位确切无疑的父亲，居然又是自己多年来明争暗斗、差点决一死战的对手……米东杰轻轻抚摸着那只油亮的乌木手镯，大颗的眼泪止不住地掉落下来。

“老米，其他事先放一边，还是赶紧想办法吧。”海伦无比怜爱地揉捏着米东杰的肩头说道。

“是啊，晚了就来不及了。”段红莲也劝道。

“只有花钱找人。”米东杰抹抹泪水，脑子清醒了一些。

“找谁呢？”段红莲沉吟道。“难道去求柴田和洪云甫？”

“找他们没用，而且说不定这次仍是他俩使的坏，”米东杰定了定神，又恢复了常态，“依我看，得找地位比他们还高的人。”

“地位比他们还高的人？”段红莲的眼珠骨碌碌乱转。“找陈群有没有用？”

“陈群？”米东杰来了精神。“这么大的汉奸当然管用，可哪有门路啊。”

“我以前听惠先生亲口提起过，跟陈群素有交情，咱们不如死马当作活马医，先试试再说。”段红莲解释道。“我还听说，陈群现在的家当极大，娶有六个老婆，在群贤别墅一口气买下了三十八幢别墅，不过平时却一直住在新亚大酒店里。”

“汉奸都怕被重庆方面的人暗杀，不敢住在家里。此公能置下三十八幢别墅，看来是个贪财之人，这倒好办了。”米东杰放下手镯站起身来。“我先去一趟新亚大酒店，看看他胃口有多大。”

“我陪你一起去吧。”段红莲道。“那儿可是个龙潭虎穴。”

“不用，我先一个人去，可能说话方便些。”米东杰道。

北四川路上的新亚大酒店向来是个不平常的所在，原来被日本军部所占据，现在则成了汉奸的大本营。酒店门口戒备森严，由荷枪实弹的日本士兵负责守卫，要不是米东杰坐着体面的轿车去，可能连大楼都近不了。

米东杰向门房递上名片，说是要见“陈部长”洽谈统制会事宜，门房倒也不疑，又打电话叫来一名秘书模样的年轻男子，一番盘问之后，客客气气地将米东杰带进了电梯。

来到一间宽敞的套间，只见屋内的陈设十分简陋，一看就知道是个临时办公之处，办公桌后面，坐着一位年纪五十出头的男子，长相风流倜傥、温文尔雅，正戴着一付白手套在捧阅一本纸色发黄的古书。

秘书凑近男子的耳边嘀咕了几句，大概是在介绍米东杰的身份和来意。

“米先生，欢迎来此作客，我是陈群。”陈群摘下白手套向米东杰伸出手来。“请坐。”

“陈部长，久仰久仰。”米东杰与对方握了一下手，随即觉得用“久仰”二字来敷衍似乎不太合适。

“哈哈，是久仰我陈老八的名声吧。”陈群放声大笑，态度显得十分平易可亲。

陈群在家排行老八，尤善八方敷衍，故素有陈老八的雅号。此君早年曾赴日留学攻读法律、经济，后追随孙中山，但与蒋介石不和，所以仕途不甚得意。不过，此君长相体面，女人缘十分了得，当年被大军阀卢永祥逮捕，卢亲自审讯之后竟要招其为婿，可见何等讨人喜欢。日后，陈老八一口气讨了六位妻妾，被人戏称为“妻妾陈群”，名气就更响了。

“陈部长，我今天来的目的，其实是为了惠梦石。”米东杰无意闲扯，连忙把话引入正题。“陈部长还记得惠梦石吗？”

“惠梦石？”陈群一怔。“当然记得，老朋友啦。”

“我听说，陈部长与其素有交情，不知是否确有其事？”米东杰轻探了一句。

“没错，当年我最不得意的时候，曾在三马路摆过旧书摊，平时寄居在一家名叫米家船的裱画店楼上，最拮据的时候，连房租都付不出来，若无梦石兄接济，恐怕要沦落街头了，”陈群并不避讳那段穷困潦倒的往事，“梦石兄这人吧，其它都好，就是脾气太傲、太倔，我来上海以后找过他多次，可他居然一点面子都不给，连一顿饭都不肯出来吃，实在拿他没办法。唉，人各有志，我也可以理解。”

“是啊……”米东杰含糊其辞地附和道。

“对了，今天是他叫你来的？”陈群问道。

“惠梦石被宪兵队抓了起来，这事陈部长不知道？”米东杰反问道。

“抓起来了？”陈群一楞，看样子不像是装出来的。“我打个电话问问。”

陈群拿起电话，很快便问清楚了惠梦石的“案由”，放下电话，首先问米东杰一个问题：你为此事奔走，到底是惠梦石的什么人？

“我是他儿子。”米东杰答道。

“笑话，惠梦石的底细我还不清楚？想当年，我们就像亲兄弟一样无话不谈，他身上有几颗痣我都知道，就是不知道他还有儿子。”陈群说起话来滔滔不绝。“当年，他在苏北响水因为一桩情事曾被人打伤下体，故而终身未娶，这会儿又哪来的儿子？”

这倒是个意外收获，米东杰这才明白，难怪父亲一直独身，这么多年始终没有儿女。

“我就来自苏北响水。”米东杰平静地说道。

“你？”陈群马上瞪圆了眼。

米东杰从头说起自己那连遭遗弃的往事，以及段红莲在这件事中所起的作用，听得陈群口瞪目呆却又津津有味，最后长吁短叹，感慨万千，对米东杰顿时刮目相看。

“唉，梦石兄有了儿子，我也为他高兴啊，”陈群点上一支粗大的雪茄，马上话锋一转，“不过这人就是脾气太固执，不知道逢场作戏，凡事不讲通融，这不，吃苦头了吧？”

“所以今天来请陈部长帮忙……”米东杰连忙提出要求。

“这个不大可能，”陈群抢着打断米东杰的话头，“这是日本军部的事务，我这边插不上手，实在爱莫能助。”

“要是需要一定的花费，这个毫无问题……”米东杰赶紧添上筹码。

“不是钱的问题，”陈群断然否定，“你说我会缺钱吗？日本人会缺钱吗？”

米东杰心里一冷，知道自己找错了人，别看陈群人虽平和，但涉及根本的时候绝对不好商量。关键的一点，这家伙不缺钱，就是神仙也难下手。

看来此路不通，还是另想他法吧。

不过，刚想告辞，一眼看到桌子上的那册古书，心里突然冒出一个主意，猛然想到了万宏银行的宋经理。

宋版书存世极少，可谓稀世珍品，换句话说，你就是有钱也不一定买得到，一般人哪怕觅得一张散页也奉若至宝，通常会装裱起来用镜框挂上墙。宋经理那么有钱，手上也只藏得一部从哈同花园流出来的《孝经》，平时锁在保险箱里，从不轻易示人。

金钱对陈群没有吸引力，那么千金难求的宋版书呢？

“陈部长手上这本是宋版书吧？”米东杰装作随意的样子问道。

“识货。”陈群稍微有点意外。“呵呵，宋版的《史记》，这可是无价之宝哪。”

“不过，这好像是南宋版吧？”米东杰走近去看了一眼。

“没错，是元代复刻的南宋版，你怎么知道？”陈群惊喜地问道。“看来遇到方家了。”

“哪里，我只是有位好友喜好此道，平时耳闻目染，知道点皮毛而已。”米东杰试着放出一点诱饵。“北宋版的纸色更白，字体粗壮，版口宽阔，鱼尾美观，元代复刻的南宋版与之相比，还是逊色不少。”

"没错，没错，"陈群忙不迭地点头，"你那位朋友也在上海吗？能否商量商量，将宝贝借来一顾？或者，我登门求教。"

"不在上海，回苏州老家去了。"米东杰答道。

"能不能联系一下，看看是否愿意出手？"陈群急切地问道。"价格绝对好商量，哪怕一、二十万也在所不惜。"

这帮混蛋，手里握着财权，只把金钱看作印刷过的花纸头——米东杰心里暗骂——不过话又说回来了，那部北宋版的《孝经》，确实也值这个价。

"倒不是钱的问题，主要是人在苏州，一时没法找到，"米东杰继续吊胃口，"找得到的话，便是买下来送给陈部长也是应该的，毕竟，陈部长乃家父的故友，按道理来说，晚辈该叫一声世叔才对。"

"就是，就是，"陈群一下子亲热了许多，"世侄，多想想办法，千万帮我搞到手，拜托，拜托。"

"可是……"米东杰继续做出为难的样子。

"令尊的事情，我也多想想办法，"陈群终于说出这句米东杰最想听的话来，"放心，我一定尽力去办。"

"那好，我试试看吧。"米东杰迟疑着答应下来。

这边是答应下来了，可宋经理那边能答应吗？

宋经理爱书如命，手上也不缺钱，听到一个"买"字，当下就跳了起来。

"米老弟，你这哪是要我的书，分明是要我命啊。"宋经理脸都急白了。

"按理说，君子不夺人所爱，可是，现在是人命关天啊。"米东杰只能耐心说服。

米东杰一五一十细说缘由，听得宋经理大眼瞪小眼，再也没法摇头，但更没法点头。

振兴总公司是万宏银行最大的客户，而且私交也很不错，人家遇到了这么大的难题，怎能坐视不管呢？

"这部《孝经》作价十万如何？"米东杰不管三七二十一，先开出价来再说。"日后只要有机会，无论多高的价格，我一定再帮你找到一本完整的宋版书。"

"唉，不是钱的问题啊。"宋经理叹了口气。"没有缘分，纵有千金也枉然。"

"还有，我的贷款，日后不管法币和储备券的比率如何波动，我始终按照法币的币值来偿还，决不让万宏银行受到损失。”米东杰又强调了一句。

这句话的价值远远超出了刚才的十万元，宋经理不得不认真考虑了。

“好吧，让我再考虑一下。”隔了许久，宋经理总算松了口。

第二十二章　父与子

书到了手，还不能冒冒失失先交出去，万一陈群不守信用，东西到手后却不出力，那不成肉包子打狗了?

米东杰先打了个电话给陈群，声称自己已经找到那位苏州的朋友，对方也同意出让，但二十万元的价格不收储备券，只收相等价值的黄金或美钞，所以还需要一、二天的时间，以便筹集这笔“硬货”。

陈群一听就明白了，这是要他先放人。

大汉奸就是大汉奸，放个把人不算难事。

当天下午，惠梦石被陈群的汽车接到了新亚酒店，换句话说，惠梦石是通过陈群之口，得知米东杰是自己儿子这一惊人消息的。

说如梦初醒也好，说晴天霹雳也好，惠梦石无论如何没有想到，那个倔头倔脑的苏北年轻人，那个雄心勃勃一心想与自己争夺日化大王地位的工商界后起之秀，竟是自己在这世上唯一的血脉，真乃天道不测，造化弄人，简直就是命运的捉弄。

“梦石兄，今晚我设个便宴，见证一下你们父子相认的历史瞬间吧。”陈群笑呵呵地提议道。“我马上打电话把令郎叫来。”

见面的情景有些出人意料。

按陈群的想象，父子相认，骨肉团聚，肯定会出现一幕抱头痛哭的场面，但是，米东杰没有适应儿子这一角色，惠梦石也没做好当父亲的准备，乍见之下竟都有些不知所措。

海伦用胳膊肘暗暗捅了米东杰一下。

"父亲。"米东杰的声音低得像哽在嗓子口。

"儿子。"惠梦石走上一步，向米东杰伸出手来。

两双手紧紧地握在一起。

"这算怎么回事？算是两位老板见面还是生意对手和解？"陈群笑着嚷嚷道，又朝米东杰一抬下颌，"来，按咱们中国人的规矩，给你父亲磕个头。"

米东杰退后一步，推金山，倒玉柱，果然跪下地去磕了个头。

"快起来，快起来……"惠梦石抢上一步双手扶起。

这一跪，令惠梦石真真切切感受到了"父亲"的概念，心头波涛汹涌，泪水夺眶而出，双手抚摩着儿子的肩膀，忍不住失声痛哭起来。

米东杰的心中就像人们常说的那样——打翻了五味瓶，各种滋味全都有——心潮澎湃起伏，一浪高过一浪，感情的闸门被一下子冲开，积攒了三十年的泪水尽情地喷涌而出。

一旁的海伦也被感动得哭泣起来，陈群受到感染，也滴下了不少感动的眼泪。

"好啦，总的来说，这是一件高兴事，还是别太伤心啦。"陈群第一个缓过神来，拉着惠梦石坐到酒桌边。"来，一起喝一杯，庆祝你们父子团聚。"

这顿酒喝得相当尽兴，伤心过后的父子俩，心里充盈的全部都是快乐和喜悦，不知不觉之间，几杯美酒已经下了肚。

"世侄，那部宋版书……"陈群最惦记的还是自己的宝贝。

"放心，明天我就亲自送来。"米东杰马上承诺。

大汉奸可糊弄不得，他能让你出来，当然也能让你再进去。

酒后，米东杰将父亲送还住处，又让李春荣先送海伦回去，自己留下来准备和父亲彻夜长谈。

惠梦石居住在法租界中心地带的一幢花园洋房里，平时由司机兼任保镖，家中只有一名管家和一名厨子、二名女仆。惠梦石将儿子领进书房，一边吩咐女仆赶紧去煮咖啡。

刚才的酒席上，惠梦石已经了解过儿子幼时的成长情况，以及来上海后的创业经历，现在要谈的，主要是日后的规划。

经过这次的被抓，惠梦石已经看清楚上海不是久留之地，别说是做事业，就是过日子也麻烦多多，这次花费了那么大的代价才恢复自由，可下一次呢？人常说，树大招风，现在儿子这棵树也不小，日后的麻烦肯定也少不了。

“儿子，我已经想好了，准备把所有的企业全部都卖掉，”惠梦石对米东杰说道，“我建议你也这么办，把企业卖掉，所有的资财全部换成黄金和美钞，彻底退出工商界。”

“这个想法我也有过。”米东杰点点头。

“其实，开战之初我就应该这么办，只是当初一直放不下辛辛苦苦创下的企业和家当，再加上无儿无女，所有的财产连个继承人都没有，实在是心有不甘，”惠梦石说到这里又有点伤感，“现在好啦，我就什么都放心了。”

“可是，企业也如儿女，一时也难割舍啊。”米东杰愁眉苦脸地说道。

“是啊，我又何尝不是这种感受，”惠梦石点点头，压低了一些声音，“我的考虑是，将大部分的黄金和美钞隐藏起来，比方说，埋在这幢房子的地底下，然后远走高飞去重庆，以后看情况再去欧美。”

“这个办法好是好，但……”米东杰看上去有点动心。

“下不了狠心？”惠梦石问道。

“不是决心的问题，”米东杰摇摇头，“我的考虑是，战争不可能永久不息，日本人终有落败的一天，只要我们能把企业留在手上，哪怕是暂时关门歇业，那也保存了实力，只要日本人一走，我们马上可以东山再起。”

“唉，想法是很好，”惠梦石一声长叹，“可惜太平洋战争的形势不容乐观啊，谁都无法知道，上海何时才能脱离魔爪。”

“是啊，小日本一路侵占香港、马来西亚、菲律宾、关岛、印尼，确实处于优势，前景很不明朗。”米东杰掰着手指头历数道。

“我现在倒是最担心你。”惠梦石看着米东杰说道。“他们看我不肯就范，说不定接下来就会打你的主意。你想啊，我是德国国籍，他们都那么肆无忌惮。”

这话算是说到了根本上，柴田会善罢甘休？洪云甫会停止兴风作浪？

这一夜的交谈没有结果，最后的共识是：看看再说。

要看的东西很多，国际间的战事、上海滩的风云、柴田和洪云甫的动向等等，都需要密切关注。

储备券在枪杆子的支撑下，终于慢慢地推广开来——前一阵重庆和南京的银行多次火拼，眼看着将同归于尽，吃亏的军统忙请正在香港的杜月笙设法调停，汪伪答应休战，军统上海区也接到戴笠停止行动的命令，一场银行血战暂告终结。

由于原料和煤炭、电力的缺乏，上海的所有工厂已经处于事实上的半停工状态，这一点，连柴田的工厂也不例外。

储备券的币值朝三暮四，物价自然一日三涨。平民百姓拼命地囤积日用品，不要说棉布、奶粉、肥皂、牙膏、火柴、蚊香之类的俏货了，便是糖精这样的东西也被抢购一空，老百姓们日常见面，寒暄的话题往往都是“你最近囤了些啥”。

货币不保值，对普通百姓来说是件苦事，对有钱人来说则更是一场灾难。日伪当局禁止外币、外股、黄金上市买卖，为求资产保值，久坐冷板凳的华商股票突然受到青睐，大量游资如洪水般猛地涌入。

华商股票兴起初期，上海的交易公司虽已出现，但数量并不多，太平洋战争爆发前仅有十家，而现在中国企业的股票成了抢手的香饽饽，新成立的交易公司一下子猛增到一百余家。

二战爆发后，从各地流入上海租界的游资达到了惊人的五十亿元，其中单单来自香港、新加坡两地的资金便有十五亿元，股市热度持续升温，这部分游资寻到了出路，顿时充斥于投机之途，所以对股票筹码的需求大大增加。老企业的增资股票陆续上市，大批新设立的企业股票不断上市，上市交易的华商股票种类短短数月间便增至近二百种，一举改变了抗战前证券市场基本以政府债券为交易标的物的所谓“财政市场”性质。

在米东杰的印象中，股票市场，永远只是投机的代名词，所以一向不太关注，但现在风云变幻，特别是惠梦石有了新的发现，这就让人无法再保持旁观者的身份了。

“儿子，晚上回家来吃晚饭吧，我有重要的事情跟你说。”惠梦石打电话来通知米东杰。

傍晚时分，米东杰带着海伦来到父亲家中，听到了一个最新的消息。

惠梦石说，据可靠的消息来源，柴田主办、洪云甫挂名的“新华化学工业公司”目前已正式更名为“华商新华企业公司”，冒充华商进入股市兴风作浪。

这是一个信号，说明日本人的目光正在“与时俱进”，从日趋寥落的实业领域转向火热的金融市场。

“难怪洪云甫这小子这阵子消停下来了，原来是柴田改变了方向。”米东杰恍然大悟。

“最近还有一个现象，银元又开始流通，这同样不是一个好的苗头。”惠梦石忧心忡忡地说。

“为什么？”海伦不太明白，插嘴问道。

“上海被日本人占领多年，但法币依然坚挺，币值也比较稳定，那是抗战之初国民政府请英国专家鲁斯爵士制定的方案，将银元全部收归国库，使民间无法流通，法币的地位就无法动摇，这是长期抗战的一大法宝。”惠梦石解释道。“现在法币退场，储备券泛滥，再加上银元回流，情况就极其糟糕了。谁都知道，上海乃全国的金融中心，上海一乱，势必影响全国，长此以往，前景堪忧哪。”

“汉奸新贵们的口袋都快被储备券撑破了，依我看来，最近的股票狂潮，似乎也是日伪当局的黑手在背后推波助澜，”米东杰说出了自己经长期观察得出的结论，“为了避免黄金和美钞越炒越高，他们才故意将泛滥成灾的储备券引导到证券市场上去。道理很简单，日本人的目的就是希望股市畸形发展，以免游资最终冲击市场物资，影响他们的军需收购与存贮，以便持久地支持规模庞大的太平洋战争。柴田支使洪云甫进入股市，肯定怀有不可告人的目的。”

“昨天晚上，我整整考虑了一夜，觉得我们也应该及时进入股市。”惠梦石说出了今天把米东杰叫来的目的。

“自打工厂停工以来，我就开始考虑过这一问题，只是门槛太高，只能望股兴叹。”米东杰为父亲的酒杯斟满酒。“按照伪财政部和实业部的规定，如果要在上海华商证券交易所上市，公司得属于华商性质，实收资本必须达到五百万元以上。”

“是啊，你挂的是法商的招牌，我则是老牌的德商，但是，如果我们将公司合并，重新成立一家大型华商资本企业集团，堂堂正正地使用华商的名号，这五百万元的实收资本就不成为难题了。”

“合并？”海伦十分惊讶。

“呵呵，按照我们中国人的传统，本来就有父子传承的习俗，我只不过是早点将家当交到儿子手里而已。”惠梦石笑着向海伦解释道。“再说我也老啦，也该退下来过几天安静的日子了，看点书、画点画、打打太极拳，这该多好。”

“父亲，这可是您一辈子的心血，交到我手上您能放心？”米东杰感动得眼眶都湿润了。

"没什么不放心的，你年仅三十便能在上海滩上跟我较量，完全就能证明你的能力，一定能够驾好这艘大船。"惠梦石目光炯炯地说道。

"可是，一旦失去法商和德商的名义……"海伦仍有担忧。

"这个我也想过，"惠梦石明白海伦害怕什么，"依照局势来分析，法租界肯定无力支撑多久，日军早晚会登堂入室，这些自欺欺人的外衣，已经没什么意义了。我这次被抓，就是最后的例证。至于挂在我名下的段家兄妹的厂子，我会说服他们一同合并进来，以后同进同退、同声同气，"

"可是，对于资本市场，我目前仅有不多的书本知识，恐怕难以胜任啊。"米东杰的信心还不够充分。"而且，还不知道段家兄妹是否愿意合并进来。"

"摸着石头过河吧，我认为他们应该乐意，"惠梦石以轻描淡写的语气为儿子鼓气，"这样吧，我们的新企业仍然使用振兴的名号，振兴这两个字，很有现实意义啊。"

"是啊，这两个字现在看来确实是不二之选，"米东杰兴奋地建议道。"既然是企业公司，那就叫'华商振兴企业公司'吧。"

"好，就叫这个名，"惠梦石端起了酒杯，"来，为了我们的新企业，一起干杯。"

"华商振兴企业公司"的办公地址现在搬到了惠梦石原来的那间办公室，米东杰天天坐镇于此，惠梦石则形同退休，很少再来这里。

惠梦石估计得没错，在法租界岌岌可危的形势面前，段家兄妹非常乐意合并——狂潮袭来，小舢板很容易被掀翻，唯有大船才比较安全。

企业的生产已完全停止，工人们领取半薪在家待业，好几家工厂的院落里已经长出了荒草。

米东杰新交了一批朋友，大多是些长年厮混于证券市场的投机老手，天天在一起吃饭、喝茶、闲谈，跟着他们一点一滴地学习相关经验。这是一条理想的捷径，可以短期内捉摸到股市的脉搏，了解投资和投机的特性，避免日后实战时付出血的代价。

一天，米东杰正在办公室里跟几位新朋友闲谈，秘书突然进来报告说：门外又有二位客人前来拜访。

米东杰一看名片，顿时大吃一惊。

来的是柴田和洪云甫！

夜半鬼敲门，恐怕不会是什么好事。

“米桑，别来无恙乎？”柴田一进门便热情洋溢地叫唤道。

“老米，许久不见啊。”跟在后面的洪云甫满面堆笑。

“久违，久违，二位，请坐。”米东杰只得强打精神离座迎客。

几位证券界的老兄看出柴田是日本人，慌忙纷纷起身告辞。

“老米，外界传闻你们父子团聚一事已久，可惜我商务繁忙，一直没空前来道贺，实在是失礼。”洪云甫装模作样地说道。

“可喜可贺，可喜可贺。”柴田附和道。

“一点家事而已，哪敢惊动二位。”米东杰不冷不热地敷衍道。

“不容易啊，当初的振兴社，现在成了日化行业当之无愧的龙头老大。”洪云甫酸溜溜地感慨道。

“你也不错啊，新华企业公司的实力哪是我辈所能比拟的。”米东杰轻轻刺了一句。

“呵呵，各有所长罢了，”洪云甫大概也听懂了意思，脸上稍微有点不自在，“你看，现在不就有求于老兄了？”

“哦，什么事？”米东杰暗叫不妙。

“一共是两件事，需要米桑的协同合作。”柴田的话说得非常直接。“一是希望米桑属下的甘油厂、硫酸厂、硝酸厂全面复工。”

米东杰心里一沉，猛然联想到了“清乡”两字。

最近的报纸天天在说“清乡运动”，称汪伪准备成立一个“清乡委员会”，由汪精卫亲任委员长，陈公博、周佛侮任副委员长，李士群任秘书长，军事方面由日军负责，政治方面由汪氏负责，以“军政并进，剿抚兼施”为方针，从苏南地区开始，其次在太湖东南、上海郊区、苏北及浙江展开，最后向安徽、广东、湖北推行。届时将修筑碉堡、炮楼、封锁沟、封锁墙、竹木篱笆、铁丝网、电网，分割和封锁抗日根据地，以便最终实施“扫荡”……这么大的军事行动，对枪支弹药的需求无疑会猛增，而甘油、硫酸、硝酸又是制造军用炸药的主要原料，日本人在打什么算盘，简直问都不用问了。

这样的要求还需要考虑吗？米东杰对自己说，难道让他们用自己亲手制造出来的炸药去杀害中国人？

“呵呵，上海的情况两位又不是不知道，没有原料，巧妇难为无米之炊，就是神仙也开不了工啊。”米东杰故作轻松地笑道。

“这个不用担心，原料由我负责。”柴田一句话就堵死了退路。

“非但是原料，就是电力、煤炭、运输等等也不用担心。”洪云甫补上一句。

“商人重利，这一点我们很清楚，所以生产的利润，我们会给得很足。”柴田又说道。

完了！米东杰顿时头都大了一圈。难怪日本人一到上海就处心积虑地要染指工商业，其实就是在为今天做准备，不必问，柴田自己的工厂肯定早就加班加点开始运转了。

“还有一件事是什么？”米东杰现在没法回答能或不能，只能先把话题岔开。

“另一件事大同小异，是希望米桑的搪瓷厂复工，为我们大量生产军用搪瓷。”柴田答道。

“我的仓库里连一张铁皮都没有了，怎么生产？”米东杰无力地抵抗道。

“同样由我来提供。”柴田答道。

“不可能，美国禁运已久，你们就是搜遍上海也找不到多少原料。”米东杰叫了起来。

确实，自打去年的十月开始，美国禁运钢铁和石油，一下子打中了日本的七寸。没有燃料，飞机无法升空，坦克无法作战；没有钢铁，军工生产难以为继。正因为如此，日本才不得不“以战养战”。但是要在中国的土地上开采石油或冶炼钢铁，至少需要两个条件：一是恢复工业基础设施，二是和平的环境，所以，日军进入租界以后一直没有对工商企业控制过猛，眼下又出笼了所谓的“清乡运动”。

“呵呵，上海有钢铁，有大量的钢铁。”柴田笑了起来。

“上海的电车轨道，还有建筑物内的钢窗等等，这些不都是钢铁？”洪云甫说出了谜底。“还有苏州到嘉兴的苏嘉铁路，计划中也将被拆除。”

“这不是只要羊卵子，不要羊性命？”米东杰心里又急又恨，不小心粗话都说了出来。

“这算什么，接下来老百姓家中的废铜烂铁、锅碗瓢盆也得交出来。”洪云甫翻了个白眼。

“没错，马上还要搞一个‘国民献纳’活动。”柴田证实了这一说法。

米东杰彻底闷掉了。

“老米啊，今天来主要是跟你打个招呼，让你先做一下准备，机器设备保养一下，工人和技师都召集起来，到时候原料一到就可以开工。”洪云甫阴阳怪气地说。“军方的事情，可不能开玩笑，出了问题别说你老米得吃不了兜着走，就是陈群也担待不起啊。”

这句话简直就是赤裸裸的威胁和命令，顺便还提了一提上次抓捕惠梦石的事情，言下之意就是：别看你们父子有陈群这条路子，到时候完全不管用。

真是难煞人了。

“老板，这事可不能干啊。”柴田和洪云甫一走，李春荣忙对米东杰说。

“是啊，特别是甘油和硫酸、硝酸，那可是制造炸药的原料。”海伦也提醒道。

“我知道，搞了那么多年的化工，这点还不知道？”米东杰苦笑着说道。“这事干了，我岂不是成了民族的罪人？”

“可是，不干又如何过关呢？”海伦愁眉苦脸地说。“洪云甫正愁抓不到你的辫子呢，被他抓住了把柄，还不往死里整？”

“就是这个道理啊……”米东杰皱着眉头开始考虑对策。

可是，想了整整一天，没有任何结果。

晚上，米东杰回家跟父亲商量，惠梦石唯一想得出来的办法是：将设备的关键部件人为破坏掉，或者干脆拆下来掩埋起来。

“破坏掉的话他们可能有办法修复，”米东杰摇了摇头，“就地掩埋的话虽然是个办法，但这样相当于公开与其作对，后果不堪设想。”

“是啊，日本人狗急跳墙的话，什么事情都做得出来。”海伦也认为不能这么干。

“要不，还是老办法，干脆低价把所有的工厂卖掉，咱们一起远走高飞。”惠梦石又想到了一个走字。

“问题就在于没法一走了之啊，”米东杰说出了心底的想法，“现在守着这些空厂，早已谈不上什么国计民生，但我们退避以后，工厂肯定被日本人直接占据，那后果就更糟糕了。我的想法是，作为中国商人应该承担的义务和责任，不能在军事上作出抗争，但还是应该在这最后的权利上实行坚守，就像当年四行仓库保卫战中的八百壮士那样，至少也能将日本人牵制住。”

“儿子，你的境界比我高，这才是真正的为商之道。”惠梦石由衷地感慨道。“唉，早知道这样，咱们就该把机器砸了卖废铁。”

问题在于，光有境界没有用，得有具体的解决方案，否则柴田拉下脸来，那就什么都完了。

换句话说，一定得赶在柴田拉下脸来之前找到办法。

柴田所说的“拆废铁”行动说来就来，日本士兵和汪伪军人成群结队地上了街，押着无数民工深入大街小巷，好几条线路的电车轨道一夜之间被撬了起来，西式建筑物内的钢窗也被强行拆除，本来还算平静的租界顿时被搞得鸡飞狗跳。

一大清早，米东杰刚刚来到办公室，各厂的告急电话纷至沓来。

“老板，不好了，硫酸厂里来了日本人，硬是要拆办公楼的钢窗。”接电话的李春荣对米东杰高叫道。

“走，去看看。”米东杰连忙跳起身来。

李春荣发动汽车，带上两位水火帮的弟兄，载着米东杰朝硫酸厂所在的方向快速赶去。

车子开得飞快，但途径法租界与公共租界交界处的一处路口时，遇到了一点意想不到的状况。

路口被一群日本兵设了卡，封锁住一条弄堂的出口，所有走出弄堂的中国百姓都必须接受检查。米东杰将头透出车窗询问一名行人，问这里到底发生了什么事。行人回答道，一清早有位日本军官坐车经过这里时，被人扔了一颗手榴弹，可惜扔得太高没有命中，这不，正气势汹汹要捉拿“凶手”呢。

米东杰再一细看，更摸不着头脑了，只见守在卡口的好几名日本兵，手里全都拿着一根粗铁丝弯成的圆圈，凡是经过的青壮年男子，都必须让这只铁圈往脑袋上套一套，随后有的放行，有的则被扣押。

“这搞的是什么把戏？”米东杰大惑不解。

“扔手榴弹的人逃进弄堂去了，这帮活宝不知怎么想出了一个聪明透顶的笨办法，荒唐得叫人哭笑不得。”那位行人笑嘻嘻地解释道。“他们在现场捡到一只礼帽，认定这就是扔手榴弹的那人遗落的，这不，做了一批跟帽子尺寸一样的铁丝圈，正一个人一个人比划人家脑袋的大小呢，只要尺寸正好，马上就算是嫌疑犯。他妈的，已经扣起来好几十人了。”

“真是一群蠢货。”米东杰暗骂道。

“他们还自以为聪明得不得了呢，”行人又说道，“看到那边那家点心店了吗？已经被征用当作审讯的地方啦，只要你手指上有扣扳机的老茧，肩膀上有扛枪的印痕，马上送进宪兵队去严刑拷打。”

“唉，又有不少人得遭殃了。”米东杰叹道，缩回头来对李春荣说道：“走吧。”

汽车继续前进，但米东杰却突然有了想法。

日本兵中间，许多都是些农夫和渔夫，能有多少见识？要是假这些蠢货之手把硫酸厂的设备当“废铁”拆走，那不是什么都解决了？事后，柴田只能哑巴吃黄连，根本没法怪罪。

“好办法！”李春荣听了这一设想连声叫好。

“机器以后可以修、可以配、可以再买，”米东杰欢快地叫道，“现在则不一样，上海与西洋的运输中断，你就是一只泵、一只阀门、一只电机都没处配，关键部件没了，日本人肯定束手无策。”

“这件事我来办，”李春荣自告奋勇地说，“我去骗那帮蠢货，引他们去拆设备，然后再叫咱们自己的工人去帮忙，乘乱把拆下来的设备砸坏、砸烂。”

“对，就这么干，砸成真正的废铁！”米东杰兴奋地叫道。“要是这办法管用，马上通知其他厂也这么做。”

第二十三章　也是战争

硫酸厂和硝酸厂被拆了个七零八落，但甘油厂慢了一步，被闻讯后匆匆赶来的柴田制止了。

洪云甫在现场转来转去到处看，虽然有点怀疑是米东杰故意所为，但又抓不住什么把柄，只得派了几个人进入甘油厂值守，重点看护发电机组所在的动力车间，防止类似的情况再次发生。

甘油厂的发电机组，是一台瑞士苏尔寿公司出品的三千匹马力的中型柴油发电机，日本人如此看重发电机，马上令米东杰联想到了另一件事。

太平洋战争爆发后，日本海军千方百计地筹建航空母舰和大型战舰，为了解决动力设备，将目光投向了远东最大的柴油发电机厂："法商电车电灯公司"，征用了多台大型发电机组运往日本，准备移置到航母和战舰上去——那么，眼下是不是又在打自己这台机组的主意呢？

"米桑，碳酸钠需要从天津运来，还需要一些时间，"柴田对米东杰再三关照，神态十分严肃，"这段时间里，请做好设备的养护工作，工人和技师也得提前召集起来，以便原料到齐后马上开工。"

甘油厂使用的是美国最新发明的糖类添加碳酸钠的发酵技术，利用粮食原料，如玉米、甘薯、大豆等作为原料，利用淀粉的发酵制得丙三醇。现在粮食那么紧张，市民们天天都得排队去领"户口米"，或是购买价格高昂的黑市米，甘油厂的开工，无疑意味着将夺取无数老百姓的口粮。

米东杰无计可施，只能拖一天是一天。

考虑到最后，唯有一个“走”字。

既然守不住，那就只有走，可谁能甘心就这么拱手相让？这些企业，是米东杰多年的心血，更是父亲辛苦一生的结果！

李春荣出主意说，实在不行，咱们搞点炸药，偷偷把关键设施炸毁，这样原料来了也干不成。

“自己炸自己，亏你想得出来。”海伦埋怨道。

“你别说，实在不行的话，这可能是唯一的办法了。特别是发电机组，千万不能让他们得手。”米东杰倒有点心动。“可是，去哪弄炸药呢？”

“老米，亏你还是搞化工的行家，”海伦提醒道，“给我一天时间，在实验室里就能制备，就是引爆部分稍微麻烦一些，不过也有办法解决。”

“那就别犹豫了，马上着手准备起来。”米东杰打定了主意。“设备以后可以再修、再买，不必心疼。”

米东杰将这一方案带回家去跟父亲商量，惠梦石听了之后马上表示赞同“走”的方案，但反对“炸”的做法。

“日本人现在搞的还是所谓的委托生产，我们要是动用炸药，这一层面皮就算彻底撕破了，”惠梦石的担忧不无道理，“到时候，他来个强行接管怎么办？那时就不是一套设备的问题了。而且，只怕是想走也走不了。”

“嗯，不是没有这个可能。”米东杰也承认。“特别是发电机组，现在是军方的心头肉。”

“炸药不是不可以用，但用之前一定要做好安排。”惠梦石又补充道。“任何事都要想好退路。”

“这样行不行？”米东杰开动脑筋，突然有了新的想法。“我们增发股票，将资产摊薄，这样可以将企业的资产藏没于民间，以待来日复兴。”

“这倒是个办法，至少也能增加日本人的顾忌。”惠梦石认真想了一会，点点头说道：“这样可以增加对整个社会的牵动程度，还能一举两得。”

“是啊，日本人一心想把股指推高，我们给他来个增发摊薄，这样对那些跟风的投机者来说，也能起到打击投机信心的作用。”米东杰补充道。“此后我们分批抛货，再到黑市上去换成黄金和美钞。等甘油厂爆炸的消息一传开，看他们还怎么疯涨。”

“好，试试看吧。”惠梦石点点头。“唉，现在商战二字的概念早已不是什么商业计谋的争斗和对抗，而是一场真正的战争了。”

股票增发的方案马上在市场上起到了作用，但从盘面来分析，柴田的新华企业公司一直在暗暗较劲，力图继续推高。

新华企业公司的能量确实不小，在股市上真是翻手为云、覆手为雨。

米东杰观察下来发现，他们的手法很多，而且经常变换，一般炒家真是防不胜防。

一是故作谣言，散布空气，使股价在数日之间大幅涨跌，此为惯技。

二是“包揽发行”，通过私相受授，直接操纵某项股票使其价格腾涨，比方十元票面的股票，作价为十二元包揽销认，其中的二元升价，既非溢价，更非承募费用，此种“飞票”的形式，与房主暗中出顶房屋索取巨额顶费，以及二房东分租房屋后索取小费的性质一样恶劣。

三是不依产销状况为标准而滥行增资，在增资方式上以“升股”为主，有时一股送五股，有时一股升一股，杀鸡取卵般刺激股价上涨。

四是“溢价发行”、“股款临时收据流通”、“附加承募费”等等名目不一而足，再加上场外交易和黑市猖獗，私自对做实行五日期、一星期期、一个月期不等的期货交易——简直就是群魔乱舞。

惠梦石通过银行界的老关系和黑市交易，开始暗中大量收购黄金和美钞，连久不流通的英镑和银元也一并收纳。米东杰有点担心，这么做动静颇大，恐怕会引起柴田和洪云甫的注意，从而猜测到背后的金蝉脱壳之策。

海伦精心配制了一批苦味酸炸药，由李春荣分批带入甘油厂，在精馏塔、液化设备、压滤设备和发电机组等重要环节的隐秘处小心安放，不管以后是否用得上，也算是未雨绸缪。炸药全部用蜡纸包装成一个个小卷，然后将这些药卷分组装配成大小不一的药包，仍用蜡纸封装起来。

现在，最让人举棋不定的是：究竟往哪里跑？

航线断绝，去往欧美已不可能，唯一能去的只有香港，然后中转去重庆。但是，米东杰的目光跨过长江，注意到了家乡的土地——苏北。

自打去年皖南事变发生以后，新四军在盐城重建“新军部”，全军九万余人继续在华中地区活动，随即建立起蓬勃发展的抗日根据地来。浴火重生的新四军先后成立苏中、淮南、苏北、淮北、皖江等军区，发展地方武装和民兵达六十万之巨，令日军和汪伪异常头疼但又莫奈何。

段家兄妹倾向于回归老家，惠梦石也不反对去苏北，海伦更是无所谓去哪里，一番商量之后，米东杰拍下板来：回苏北。

但是，上海被围得铁桶也似，如何出得去？

关键时刻，水火帮的弟兄倒有办法。

两位保镖都有诨号，一个叫做“大公鸡”，一个叫做“小耳朵”，自打来到米东杰身边后跟李春荣处得十分热络，对米东杰更是忠心耿耿，也佩服得五体投地。大公鸡出主意说，可以堂而皇之地先坐船往南通海门的青龙港走，因为那一带虽然属于日军和汪伪控制，但再往前走到二甲镇便属于拉锯地带，新四军的海防团势力很大，日伪根本不敢小觑。如果能顺利到达掘港，那就彻底安全了。

“我哥手上有条大船，最近一直在帮海防团运送物资，我可以先去二甲镇跑一趟，让我哥准备接应。”大公鸡自告奋勇地说。“放心吧，是我亲哥，绝对靠得住。”

“海防团？”米东杰闻所未闻。

大公鸡解释说，海防团是新四军新近建立的一支海上小型武装力量，手里控制着数个船帮，平时以运输民用物资做掩护，源源不断地为苏中根据地运送药品、炸药、汽油和枪支弹药等军需物品。

“上海被围得这么紧，居然还有这么大一个空档？”米东杰有点不大相信。

“黄浦江以外的水域那么大，日本人能有多少人力物力来控制？”惠梦石十分看好这一计划。“我看可以一试。”

“是啊，对岸的沿海滩涂上有许多港汊和小沙洲，只适合木帆船进出，日本人的舰艇很容易搁浅。”大公鸡说道。“狗日的也是没办法。”

“那你马上准备动身，我这就去帮你买船票。”李春荣对大公鸡说道。

“不用，去青龙港的航班每天二班，日班一点半，晚班九点半，坐的人不多，船票可以随到随买。”大公鸡说道。“放心吧，多则四五天，少则二三天，听我回来时的好消息吧。”

“嗯，越快越好，我就担心，我们收购黄金美钞的消息会泄露出去，”惠梦石忧心忡忡地说，“世上没有不透风的墙啊。”

惠梦石的担忧不无道理，而且很快就兑了现。

谁都没有料到，风声会传得那么快，第二天一大早，柴田和洪云甫便来到了米东杰的办公室。

“米桑，统制会决定，你们的企业公司现在由军部正式接管，希望你予以配合。”柴田板着面孔说道。

这句话，米东杰并不吃惊，知道这是必然的结局，但还是觉得来得太早了一点。

“这是接管协议，签字吧。”洪云甫打开一只卷宗袋，将一叠文件放在米东杰面前。

“我不签。”米东杰面无表情地摇摇头。

“老米，你要想清楚，不要干蠢事。”洪云甫将双腿搁到米东杰的办公桌上，摆出一付流氓腔来。

“我是有名的米呆子，就喜欢干傻事。”米东杰将洪云甫搁在桌上的脚使劲推落。“企业公司既然上市，我没有权利出卖所有股东的权利。”

“笑话，眼下的华商股票根本就是一个笑话，谈什么股东不股东，”洪云甫有点恼火，“谁都知道这些形式毫无意义，你还是别扯这些闲话啦。”

“既然这些形式毫无意义，那我现在签不签字又有什么区别？”米东杰压抑着怒火反问道。“你直接派兵进驻就是了，我能拿你们怎么样？”

“这不一样，”柴田插嘴说道，“帝国还是讲道理的，也是尊崇国际法的，所谓没有规矩不成方圆嘛。”

“还有一点更加重要，甘油厂的发酵法技术资料也得交出来。”洪云甫补充道。

米东杰一惊，这句话算是说到了要害上。

上海的所有甘油厂，采用的都是提炼法和合成法，只有米东杰采用的是最新的美式发酵法，假如没有这套原版资料及熟练的工程师、技师和工人，柴田根本就无法开工。

所以，米东杰现在签不签字其实无所谓，不签的目的只是想尽量拖延一些时间罢了，而发酵法技术资料就不一样了，具有无可替代的实际意义。

“资料不在我手上，在总工程师手上。”米东杰试图搪塞过去。

“那就顺便把工程师和技术人员的名单也一块儿交出来吧。”洪云甫步步紧盯。

“没有这样的名单。”米东杰摇摇头。

“老米，你又固执了。”洪云甫恨铁不成钢般摇头叹息。

“是啊，这么做，完全没有好处。”柴田的语气说得很重。

“老米，你要是再这么坚持下去，可能就不是跟我们在这里谈了。”洪云甫加了一句。

“抓进宪兵队去？”米东杰干脆把话点破。

“呵呵，哪会这么干呢？我们毕竟还是朋友。”洪云甫讪笑道。

“朋友？”米东杰终于爆发出来，“你还好意思提朋友两字？”

洪云甫的脸上顿时乌云密布，喉头滚动了几下，似乎有什么话被硬咽了下去。

“米桑的意思，我们不再是朋友了？”隔了好一会儿，柴田打破了沉默。

“似乎早就不是了。”米东杰没好气地答道。

“希望你不要后悔。”洪云甫说道。

“后悔？”米东杰叫了起来。“我现在什么都没了，厂子全部瘫痪，设备也被拆得七零八落，现在连产权都要被剥夺了，你说吧，我还有什么可后悔的？”

“你别敬酒不喝喝罚酒！”洪云甫一拍桌子彻底翻脸。

“来吧，把你的罚酒端上来吧。”米东杰也猛地一拍桌子。

米东杰想得很简单，反正就要远走高飞了，今天这口恶气无论如何不能咽回去。

“冷静，米桑，请冷静。”柴田赶紧打圆场。

在没有拿到发酵法技术资料之前，不能两个人全唱红脸。

“我已经非常冷静了。”米东杰气呼呼地说道。

“这样吧，我们暂且告退，”柴田朝洪云甫递了个眼色，“让米桑在好好考虑一下。”

“不送。”米东杰咬牙切齿般说出这两个字来。

两位瘟神终于离开了办公室，但一丝不祥的预感顿时袭上了米东杰的心头。

这两个家伙这么好对付？

刚进六月，上海已经热得气都透不过来。

政治空气尤其令人窒息，特别对于数万犹太难民来说，纷传中的“梅辛格计划”如恶魔的身影逼近，地狱中的火焰再次熊熊燃烧。

绰号叫做“华沙屠夫”德国盖世太保驻日本首席代表梅辛格来到上海，向日本当局提出了一个屠杀犹太人的最后解决方案，计划中，一是将其装上船驶往深海炸沉；二是强制开矿，让其慢慢累死；三是禁锢在崇明岛上，由其活活饿死——消息通过无线电、报纸和各种渠道透露出来后在上海不胫而走，犹太难民再度面临灭顶之灾。

“不要怕，反正我们就要离开上海了。”米东杰不停地安慰海伦。“苏北是新四军控制的区域，别说是德国人，就是日本人的魔爪也伸不到那里去。”

还好，传闻归传闻，日本人最终并没同意实施行动，而是两相折中，宣布在虹口成立一个“无国籍难民指定区”，要求犹太难民必须迁移到这个面积为一平方英里的隔离区内。

没有办法，海伦同样必须搬迁，搬出原来租住的那间房屋，迁到四周围着铁丝网和铁门的隔离区去，按规定，以后走出隔离区时，还须领取日军颁发的临时通行证。

“唉，眼看着就要走了，又爆出了这件事。”米东杰懊恼地嚷嚷道。

明天，是海伦必须迁走的最后一天。

“别担心，最多再熬个两天时间，等大公鸡一回来，我们马上就动身。”米东杰捧着海伦的脸安慰道。“走，我帮你去收拾东西。”

米东杰叫上李春荣，开车来到海伦的租住地，也就是舟山路中段那家面包店的后院，那幢搭建出来的二层小楼的楼下。

其实也没有多少东西可收拾，无非是一些衣服及零星用品，两只大皮箱便能全部收纳起来。

即将离开这个虽然狭小但不无温馨的小窝，去到另一个陌生的环境，海伦难免有些伤感，也有些害怕，望着空空荡荡的屋子，不由得流下了眼泪。

“别哭，想想未来的日子吧，我们将能在苏北大地上呼吸到自由的空气，”米东杰一把搂住海伦，“海伦，等到我们的双脚踏上苏北的土地，我将正式向你求婚。”

海伦一头扎在米东杰的怀里，两个人紧紧地拥抱在一起。

“来吧，高兴一点，”米东杰拍拍海伦的后背，“拉一曲流浪者之歌的欢快片段吧，好久没有听到你的琴声了。”

这么一说，海伦果然高兴起来，马上打开琴箱拿出那把名贵的小提琴，站在窗前拉响了乐曲的第四部分。

极快的快板充满着朝气蓬勃的舞蹈气氛，欢快中带着豪迈，特别是右手的快速拨奏，以及高音区藕断丝连般的滑奏，显露出一种无比欢愉和乐观的心绪。米东杰半眯着眼用心聆听，顿时忘记了自己现在身处何地。

等候在楼下的李春荣和小耳朵也被窗口透出的琴声所吸引，将头透出车窗听得津津有味。

时近黄昏，过路的行人极多，走过窗下时纷纷驻足倾听，不多时，竟聚起了一大群人。

米东杰走下楼来的时候，天色已经有点昏暗。

“今晚早点休息，明天一早我来送你。”米东杰钻进汽车后摇下车窗朝海伦叫道。

“好。”海伦依在门口朝米东杰挥了挥手。

汽车缓缓地调头驶离，坐在后座上的米东杰，耳边依稀回荡着刚才那美妙的乐声

“咱们现在去哪？”李春荣问。

“到我父亲那儿，明天一早再来接我。”米东杰答道。

今晚，必须把藏匿黄金的地方确定下来。

惠梦石陆陆续续收购来的黄金全都藏在地下室里，前几天又遣散了所有的管家、司机、厨师和女仆——道理很简单，藏匿黄金必须避人耳目——偌大的宅院里现在只剩下父子俩居住，所以米东杰必须早点回去。

藏匿的地点，一是后花院的树下，二是地下室，今晚必须商量出结果来，然后连夜开始挖掘。计划中，这个坑必须挖至一米深，至少二米见方，四周还得以水泥加固以便防潮，方能放得下那十几只装满黄金和美钞、银元的大铁箱，而且这些工作还必须由父子俩亲力亲为。

汽车还没驶出舟山路，突然听到身后的方向隐约传来好几声沉闷的爆炸声。

“听到爆炸声了吗？”米东杰问身边的小耳朵。

“听到了，一共三声，像是手榴弹的声音。”小耳朵回答道，回头通过后车窗不停地张望。“听声音，好像是在舟山路的中段。”

米东杰心里一惊，不祥的预感冲上心头，激得头发根都竖了起来。

“调头。”米东杰朝李春荣大吼道。

晚了，什么都晚了，预感竟然是正确的!

面包店的后院被炸得一片狼藉，那幢搭建出来的二层小楼已彻底坍塌，变成了一堆废墟，路人们站得远远地围观，谁都不敢贸然靠近。

“海伦！”米东杰大叫着跳下车来直奔废墟。

没有回应。

米东杰奋力搬开那些断砖和破碎的木板，李春荣和小耳朵连忙上前帮忙。但是，表面的瓦砾被清理掉以后，首先露出来的是一些小提琴的碎片——那把名贵的“米来阔特”老琴。

米东杰一阵腿软，差点站立不稳。这把名贵的、见证了自己与海伦的爱情的小提琴，现在碎裂的模样看上去竟是如此地触目惊心。

李春荣继续往下挖，瓦砾中露出了一只白皙的手臂。

小耳朵老练地搭住海伦的手腕，试着寻找脉搏，但最后还是无可奈何地朝着米东杰摇了摇头。

米东杰完全没法相信这一事实，几分钟之前，海伦还在这里忘情地演奏，那依在门口朝自己挥手告别的身影还历历在目，怎么可能刹那之间已魂归天国？

这是谁干的？

除了柴田和洪云甫，还会是谁？

米东杰一下子瘫坐在瓦砾堆上，凝望着那只洁白如玉的手臂，以及能够演奏出美妙乐声来的、修长柔软的手指，胸中撕肝裂胆般的沉痛一阵阵汹涌袭来。

暮色降临，米东杰抬眼仰望青灰色的天空，大颗的眼泪顺着面颊无声地滚落。

最后的挖掘结果证明，海伦实际上是被炸弹直接炸死的！由于犹太民族拒绝火葬，而且必须二十四小时内下葬，灵柩第二天便被送进了倍开尔路上的犹太人公共墓地。

拉比[1]面朝耶路撒冷的方向诵读“卡迪什[2]”，帮助死者的灵魂得以安宁。送葬的人群中，除了面包店的那对老夫妻，还有几位海伦原来的朋友和邻居，以及闻讯赶来的雅各布。惠梦石和段家兄妹全部到场献花，汤伯卿还按中国人的习俗送来了花圈。

犹太人不用有生命的活物祭奠无生命的死者——包括鲜花在内——吊唁者全都在墓前放上一块小石子以示悼念，最后轮到米东杰献花的时候，摆出来的既不是鲜花也不是石子，而是一只牛皮纸的档案袋。

档案袋里，装着的是美式甘油发酵法的全套，也是唯一的一套技术资料。

米东杰划着火柴，毫不犹豫地点燃了档案袋。

“海伦，因为它，你付出了生命的代价，现在，也许只有它才能抚慰你的灵魂了。”米东杰再次泪如雨下。“我向你发誓，我将永远不会向我们的敌人屈服。”

轻风吹拂，档案袋化为灰烬。

回到家里，惠梦石不断地劝儿子尽快振作起来，特别是地下室里的掩埋工

[1] 犹太教中负责执行教规、律法并主持宗教仪式的“贤人”。
[2] 犹太教哀悼逝者的祈祷文。

作，已经不能再拖。

“柴田要是知道你烧掉了资料，肯定急眼，天晓得还会干出什么伤天害理的事来，”惠梦石的话确实很有道理，“儿子，为了明天，你得暂时忘记悲伤。”

“今天晚上我来完成挖掘。”米东杰答应道。

入夜以后，父子俩通力合作，花费了整整一夜的时间，终于完成了艰巨的挖掘和掩埋工作，随后清理现场，重新铺好水泥地面，并将挖出来的浮土倒入花园里的水池。

按惠梦石的意思，现在最好别去惊动柴田和洪云甫，海伦的事只当没发生，千万别想着去责问和谴责，报仇雪恨可待来日，只有装傻才能有效地拖延时间，一直拖到大公鸡回来才是上策。

问题在于，你不去惊动他，他要来惊动你。

第二天一早，米东杰刚来到办公室不久，洪云甫打来了电话。

“老米，事情考虑得怎么样了？”洪云甫先试探了一句。

“不用考虑，”米东杰一句话顶死，“资料已经被我烧掉了！”

“烧了？”洪云甫大吃一惊。

“昨天在海伦的墓前烧掉的，”米东杰强抑怒火，嗓音微微发颤，“既然海伦是因为它而失去了生命，那就只有将其烧掉才能告慰她的在天之灵了。”

“老米，你这么做，事情越搞越僵啊。”洪云甫停顿了一会儿说道。“你看是不是这样，资料的事情先不谈，咱们退而求其次，你把工程师和技师的名单交出来也行。”

“没有名单。”米东杰使劲挂上了电话。

看来柴田已经急得走投无路了，因为他们自己的甘油厂，包括上海的其它甘油厂，采用的全部是提炼法和合成法，在目前化工原料断绝的前提下无法投产，要是始终拿不出产品来，柴田可能就要挨军部的板子了。

整个上午，米东杰一直无法静下心来，脑子里乱糟糟一片全是海伦的影子，但是，临近中午的时候，又出事了。

一个急促的电话打进办公室，米东杰以为又是洪云甫，但接起来一听，却是小耳朵。

“老板，祸……祸事啦！”小耳朵结结巴巴地叫道。

早晨临出门的时候，米东杰怕父亲一个人在家中不安全，特地让小耳朵留下来陪伴——难道是父亲出事了？

“别慌，慢慢说。”米东杰对着听筒说道。

“刚才来了一批宪兵队的人，啥话都不说就把你爹给带走了。”小耳朵平静了一些。

“你看好门，别离开。”米东杰关照道。

事情十分明显，柴田和洪云甫很清楚米呆子不是轻易就肯屈服的人，而且已经意识到“杀”不如“抓”有用——杀人只会造成极端的后果，并不会形成有效的要挟，杀了海伦，米东杰马上变回以前的那个米呆子，随手就把资料烧了，反而一点余地都没有，只有抓住惠梦石，才能真正对米东杰构成威胁。

怎么办？米东杰在屋子里团团打转，脑子里急剧思索。

不好，洪云甫对段家兄妹本就会怀恨在心，这次会不会“乘汤下面”？

米东杰抓起电话，刚想打到段家去通风报信，办公室的门被猛地推开，脸色煞白的段令康急匆匆地闯了进来。

“不好啦，宪兵队的人把红莲抓走啦！”段令康扑到米东杰面前高叫道。

“这帮畜生！”米东杰无力地放下电话。

“我上午去百货公司买皮箱，准备收拾杂物，所以正好不在家，”段令康心有余悸地说道，“否则也被狗日的带走了。”

“我父亲也被带走了。”米东杰一拳擂在办公桌上。

“老米，你说咋办呢？”段令康哭了起来。

是啊，咋办呢，难道再去找陈群？

第二十四章　玉石俱焚

李春荣驾车送米东杰来到新亚大酒店门前时，差不多正好是午饭时分。

走进那间陈设简陋的临时办公室，一眼看到陈群正伏身在桌前写字，再一细看，原来是在练习书法。

办公桌上摆着一块巨大的水磨京砖，陈群握着一管毛笔，蘸着清水在砖面上书写，写后等干，干后再写，以便节约纸张。海禁以来，纸张奇缺——这其实是一句废话，眼下的上海有什么是不缺的——大量的报馆都不得不关门大吉，所以连陈群这样的人都得想方设法省着点用。

米东杰还没开口，陈群已知来意。

“我都知道，有关方面已经知会过我。不过有一点你尽可放心，令尊和段小姐绝对不会受到半点委屈。”

“那……”

“世侄，这次和上次不一样，我恐怕也无能为力。”

“为什么呢？”

“嗐，为什么你还不清楚呢？依我说，他们要你签字，你签一个不就得了？这年头，签个字算多大个事？还有什么甘油资料、工程师名单什么的，也痛痛快快拿出来算了，别老拗着劲，毫无意义，吃亏。”

“唉，工厂就快变成杀人工厂了，这个字签下去，我不就成元凶了？”

此话一出，陈群明显不高兴了。

“世侄，事情呢，你自己掂量着办，我别的忙也帮不上，最多只能居中调解一下。你要考虑好了，我就把他们叫过来，大家一起坐下来好好商量。有一点我可以保证，只要你肯签字，我可以保证令尊毫发无损，立即回家。”

说罢，陈群再也不睬米东杰，自顾自地继续蘸着清水在方砖上书写。

砖面上的字迹十分清晰，但由于砖体的吸水性极好，几十秒钟之后便会迅速消失。米东杰呆呆地看着这些消隐的笔划，心里突然冒出了一个大胆的设想：要是签字也能这样就好了！

哪里去找这种神奇的墨水？

如果利用“酸碱中和”的原理，能不能自己配制出这样一种墨水来呢？比方说，让写出来字迹在碱性条件下呈蓝色状态，在酸性条件下呈无色状态，以此实现墨迹的自动消失。

“好吧，我回去考虑考虑。”

“这就对啦，现在不是倔的时候。想好了赶紧给我打电话，或者直接来这里，具体由我来安排。”

离开新亚大酒店的时候，米东杰已经饿得两腿发软。

“要不要先去吃点东西？”李春荣关切地问道。

“不用，先回去。”米东杰答道。

回到办公室，只见段令康像热锅上的蚂蚁一样，心神不宁地站在窗口朝楼下的马路上张望，大概是害怕宪兵队再来此地抓人。

“怎么样？”一见米东杰回来，段令康连忙满怀希望地问。

“不行，一滴水都泼不进去。”米东杰摇摇头。

“我就知道这些狗汉奸不会讲什么情面。”段令康垂头丧气地说道。

“不过，我倒有个设想，咱们一起商量商量看。”米东杰压低了一些声音。

关起门来，米东杰简单说了一下自己配制墨水的打算，听得段令康大眼瞪小眼，摇着头直说一个难字。

“令康兄，你我好歹也算搞化学出身，多做做实验，并不是毫无希望，”米东杰鼓励道，“来吧，咱们分头做实验，也许天无绝人之路呢？”

“好吧，那就试试看吧。”段令康点点头。

“走，去我的牙膏厂。”米东杰叫道。

来到牙膏厂的实验室，空空荡荡的屋子里再也见不到海伦的身影，米东杰怔在门口，又想起了与海伦相处的那一个个日日夜夜，眼眶里顿时湿润起来。

“抓紧时间干吧。”段令康拍拍米东杰的肩膀。

两个人分头做实验，效率确实比较高。段令康的思路着眼于在现有的蓝墨水基础上添加“脱色”的成份，米东杰则着眼于直接配制。

一次次的实验，持续了整整一个下午，但似乎没有成功的希望。

“我看，还是放弃这个打算吧。”段令康首先灰心丧气。

“歇一下，再继续。”米东杰已经饿得头昏眼花。“唉，要是海伦在就好了。”

吃了二个李春荣买来的大饼，米东杰擦擦嘴继续埋头苦干。

很不幸，一直干到天黑，依然毫无头绪。

晚上八点多钟的时候，总算等来了一个好消息：大公鸡回来了。

大公鸡这次把事情办得十分漂亮，他那位帮海防团运送物资的亲哥极肯出力，答应一切由其来安排接应，只要上海方面能够坐上航班到达青龙港，就能绝对保证逃脱成功。大公鸡解释说，青龙港一带虽属日汪控制，但由于二甲镇的海防团势力很大，许多伪军根本不敢与其作对，大多数时候都是睁一眼闭一眼，如果再私下塞点好处，很容易蒙混过关，到时候穿过防线到达掘港镇，那就彻底安全了。

“好，明天天一亮我就去买船票。”段令康高叫道。

“对，先把船票买好，人一出来就直接去码头汇合。”米东杰点点头。

“可是，老米啊，到底救得出来、救不出来呢？”段令康一下子又泄了气。“这鬼墨水一点眉目都没有啊。”

“别灰心，皇天不负苦心人，”米东杰其实也有点泄气，“次氯酸的强氧化性虽然可以夺走有机色素的电子，草酸能使有机羧酸铁转化为可溶性的草酸铁，但是，你一直在用蓝黑墨水做实验，可能犯了一个错误，因为其中的碳素无法消解，所以始终没能成功。待会儿你改用纯蓝墨水再试试。”

“嗯，有道理。”段令康点头同意。

“我刚才由百里酚酚酞与邻苯二甲酸酐缩合制得了百里酚酞，此物溶于稀碱液显蓝色，我在考虑，如果加入乙醇溶液和少量的氢氧化钠，不知能不能得到满意的结果。”米东杰沉吟着说道。“先去吃晚饭吧，然后我们挑灯夜战。”

李春荣去厂子不远处的一家“包饭作”里叫来简单的饭菜，大家围在一起飞快地吃完，米东杰马上迫不及待地重新走进实验室。

又是一个不眠之夜。

凌晨时分，配方终于确定，使用百里酚酞乙醇溶液。

米东杰将一支钢笔里的蓝黑墨水排空，再以清水洗净，然后吸入新配制的“墨水”，试着在纸上写了几个字。

字迹看上去与通常的蓝墨水一模一样，毫无异常之处。

“现在看看，大概多久开始褪色，”米东杰撩起衣袖看了一眼手表，“还有，能不能褪尽。”

“嗯，时间必须算准。”段令康也看了眼手表。

试写纸静静地放在桌子上，大家围坐在一起，眼巴巴地看着上面的字迹。

自打海伦遇难以后，米东杰还没正经合过眼，这会儿实在打熬不住，趴在桌沿上沉沉地睡了过去。

“看，颜色变淡了。”大公鸡叫了起来。

“多久了？”被惊醒的米东杰赶紧看手表。“三小时多一点。”

字迹的颜色在由蓝变淡。

“看看最后的效果。”段令康说。

五小时以后，字迹越来越淡，几乎无法看清。

“效果不错。”米东杰十分满意。“就是有一点，必须在三个小时内把事情办妥，否则有可能会露马脚。”

“一会儿我去买船票，买下午的那一班。”段令康叫道，又问大公鸡：“下午的航班几点开船？”

“一点半。”大公鸡答道。

“好，就买一点半的票。”米东杰点点头。“咱们算准时间，一定要让他们先放人，然后把签字落笔的时间拖延到十一点钟以后。”

天色大亮以后，纸上的字迹已完全消失，效果堪称完美。

米东杰拿起电话，直接打进了陈群的办公室。

“世叔，我想好了，还是父亲的安危要紧。”米东杰装出有气无力的样子说道。

“这就对啦，说句老生常谈的话，识时务者为俊杰嘛。”陈群似乎很高兴。

“那接下来怎么弄呢？”米东杰继续装无奈。

“这样吧，我来安排，”陈群想了想说道，“我把他们叫来，一会儿你也到我这里来，咱们三方一起坐下来把话说开、说透。”

“好吧，我十点多一点准到。”米东杰立即答应。

搁下电话，米东杰松了口气。

“你们先去吃早点，我去买船票。”段令康跳起身来，叫上自己的司机出了门。

“一共五个人，买五张普通舱的票吧，别太显眼。”米东杰吩咐道。

按计划，这次除了大公鸡随行，李春荣、小耳朵和汤伯卿仍然留在上海，全部住在惠梦石的宅院里看守房产。

段令康答应着去了，一小时以后，顺利买到五张船票，兴冲冲地回来了。

“令康兄，一点钟以后，你和大公鸡先到码头边去等候。”米东杰再次叮嘱道，又问：“是外白渡桥旁的民生码头吧？”

“对，民生码头，我一点钟准到。”段令康连连点头。

看看时间将近十点，米东杰叫上李春荣出了门。

来到陈群的办公室，一进门便让人一楞，只见沙发上坐着柴田和洪云甫，看样子已早早地在此等候。

“老米，恭候你多时啦。”洪云甫站起身来热情地招呼道。

“老朋友，辛苦你了。”柴田假惺惺地鞠了个躬。

“呵呵，刚才我还在说，这是最好的结果了。”陈群笑呵呵地说道。“中午我做东，一块儿在我这里畅饮一杯。”

“这倒不必了，”米东杰客气地回绝道，“还是先让家父回家吧，洗个澡好好休息一下才是真的。”

“这个不用担心。”柴田连忙抢着说道。“我们在这里打一个电话就能安排，确保令尊毫发无损。”

柴田的意思很清楚，就是要先签字，再放人。

这一前提本来就在米东杰的意料之中，没什么奇怪的。

“我都同意签字了，还有什么不相信的呢？”米东杰装出有些气愤的样子提高了一些音量。“要说不相信，也应该是我不相信你们，万一我签了字你们却不放人呢？”

“怎么可能呢？”洪云甫讪笑起来。“陈部长跟令尊也是老朋友，不看僧面看佛面啊。”

“我现在人在这里，大概不签字也走不掉，我父亲先放后放有什么区别呢？”米东杰干脆把话挑明。“我现在坐在这里，就不妨把我当成是人质吧。”

“呵呵，米桑言重了，”柴田笑着摇摇手，“其实，我们是想和米桑探讨一下甘油厂的工程师和技师的问题。”

这才是重点，意思就是必须交出那份工程师和技师的名单来。

“没有问题，一会儿我会详细开列一份名单出来，你们就按图索骥吧。”米东杰一脸的无奈。“厂子都归了你们，一份名单对我来说还有什么重要的？”

“米桑，我强调一句啊，工厂只是接管，财产权还是属于你的，帝国还是比较尊崇国际法的。”柴田不阴不阳地哼哼道。

呸，真是又要做婊子又要立牌坊——米东杰在心中暗骂了一句。

时间还早，还得扯一会儿皮。

继续聊一些不咸不淡的闲话，看着时间一分一秒地过去。

“世侄，要不这样吧，你现在就把名单写出来，这样不就什么都解决了？”陈群忍不住建议道。

“是啊，你把姓名、住址写出来就行了。”洪云甫说道。

“好吧。”米东杰知道这一关逃不过去。“不过，我还是希望先放人。”

“老米，让我怎么说你。”洪云甫皱着眉说道。

“你应该知道我这人认死理，不然的话，段红莲也不会总叫我米呆子了。”米东杰的态度十分坚决。

洪云甫无奈，只能侧着头与柴田轻声商量了几句。

“好吧，我这就打电话。”洪云甫站起身来，拿起陈群的电话。

“好，我让司机直接去接。”米东杰拉开办公室的门，把等候在走廊里的李春荣叫了进来，同时当着所有人的面关照：“小李，你先去宪兵队接我父亲，送回家以后再来这里接我。”

李春荣问清楚地址和该找什么人以后快步离去。

“现在能下笔了吧？”洪云甫苦笑着问。

“再等等吧，等小李回来就签。”米东杰翘起了二郎腿。“我都不急，你急什么？”

“行啦，再等等吧，”柴田笑着说道，“米桑这人办事情踏实，这一点我非常欣赏。”

等啊等，等啊等，等得米东杰心急如焚，如坐针毡，但表面上还得显出十分淡定的样子，一边悠闲地喝茶，一边有一搭没一搭地随口敷衍。

好不容易熬过个把小时，李春荣终于满头大汗地回来了。

“送回家了？”米东杰忙问。

“到家了，还有段小姐，一块儿接回来了。”李春荣点点头。“一切都好。”

“怎么样？我没瞎说吧？”洪云甫说道。“就是把惠先生请去了解一下情况而已，肯定是好吃好喝的招待。”

“好吧，我这边交货吧。”米东杰看着洪云甫说。

陈群找来纸和笔放在米东杰面前的茶几上，米东杰赶紧抢先掏出自己口袋里的钢笔，临落笔时看了看手表，时间已过十一点，时机正好。

工程师一共是二位，技师是五位，但米东杰全都故意写错了名字和地址。

字迹看上去毫无可疑之处，至少是与一般的蓝墨水无异。

“老米，这也一块儿签了吧。”洪云甫打开一只档案袋。

档案袋里是一叠“接管协议书”，洪云甫翻到最后一页递给米东杰。

米东杰手持神笔一挥而就。

“合作愉快。”柴田装模作样地抓住米东杰的手晃了晃。

“我可以回去了吧？”米东杰问。

“不急，老米，不急，”洪云甫翻看着那份名单，又有了新花样，“咱们一块儿吃个饭，我这边顺手叫人去拜访一下这位总工程师。还有，甘油厂的设备，特别是发电机组也得清点、移交一下，回头别少了什么关键部件扯不清楚。”

很明显，洪云甫并不完全相信这份名单的真实性，此外还怕设备方面，尤其是发电机组被做了手脚。

“这样吧，不如一起去甘油厂看看，对了，把总工程师也请来吧，咱们来一个当面移交。”柴田提议道。

“只要总工程师点了头，以后任何事与你老米无关。”洪云甫补充道。“这么做其实对你也有好处，以后即使军部要打板子，那板子也会落到总工程师的屁股上去。”

“好吧，那就先去甘油厂。”米东杰心里一沉，但嘴上只得答应。

看来暂时是无法脱身了，如果坚辞不去，反而会增加对方的怀疑。只有顺水推舟先跟他们走，拖一分钟是一分钟，到时候见机行事找机会脱身。

一行人与陈群告别，下楼坐上柴田那辆车头插着太阳旗的轿车——柴田拉着米东杰一同坐进这辆车——米东杰只能吩咐李春荣的车跟在后面。

甘油厂大门紧闭，大院内空空荡荡，各个车间更是空无一人，只有办公室里守着几名洪云甫安排在此的人，正在吵吵闹闹地打牌赌钱。

“这几天没什么事吧？”洪云甫问那几个汉子。

“没事，弟兄们日夜盯着呢。”一名为首的汉子答道。

“好，辛苦了。”洪云甫俨然一付老板派头。

柴田让洪云甫和米东杰先去车间，自己留在办公室内打电话，派人去把总工程师接到厂里来当面核对。

米东杰暗暗叫苦，这通电话打出去，不出半个小时事情便会穿帮——姓名和地址都是胡编乱造的，去哪找总工程师来？

米东杰预感到了不祥。

也许，今天再也走不出甘油厂的大门了！

看看手表，现在是十二点半，父亲和段家兄妹、大公鸡应该已经在码头上汇合，再有一个小时，航班就将启航。米东杰急得两腿有些发软，看看跟在身后的李春荣，同样急得脸色都有点发白，幸亏洪云甫东看西看地检查设备，没有发现任何异常。

怎么脱身？用强肯定不行，办公室里全是洪云甫的人，而且说不定那帮小子的身上还带着枪。

唯一的办法，只有让大公鸡护送父亲和段家兄妹先走，自己以后再想办法脱身，反正去青龙港的这条路子已经清楚，以后还怕没有机会？

洪云甫正在远处的配电箱附近查看线路，米东杰不动声色地靠近李春荣。

“时间来不及了，你赶紧去码头叫他们先走，明天我自己坐船去青龙港，然后去二甲镇或掘港镇找他们。”米东杰压低嗓音，快速但清晰地关照道。

看看时间已近一点，李春荣实在没有反对的理由，但还是拍拍腰际，意思是身上有枪，要不要试试。

“不行，枪声一响，谁都走不了，连你都得一块儿送命。”米东杰瞪着眼严肃地说道。“记住，留得青山在，不怕没柴烧。”

李春荣的眼眶有点湿润，偷偷地从衣服的下摆处伸进手去掏出手枪，飞快地塞在米东杰的手里。

“小李，肚子饿坏了，去帮我买些点心来吃吃。”米东杰将手枪放入口袋，故意高声吩咐道。

“多买点，我也饿坏了。”洪云甫听到后也叫道。

李春荣朝米东杰使劲地点点头，快步转身离去。

时间飞快地流逝。

看看表，一点十分。

“老米，你这司机怎么回事，怎么买个点心到现在还不来？”洪云甫有些疑心了。

米东杰没有回答，也不需要回答了。

车间的大门被猛地拉开，满脸怒色的柴田快步走了进来。

米东杰透过敞开的大门，一眼望见院子里停着一辆三轮摩托，旁边站着二名日本士兵，显然是刚才被柴田派去“礼请”总工程师而扑了个空的宪兵队士兵。

麻烦比预计的还要大。

“你搞的是什么鬼？”柴田一路走一路挥动着那份名单。

米东杰只能沉默。

“怎么回事？”洪云甫凑了过来。

柴田将名单递给洪云甫看，米东杰一眼扫去，惊奇地发现纸上的字迹在开始褪色，差不多已经变成了一张白纸。

怎么回事？昨夜做试验时是三个小时以后开始褪色，怎么现在两个小时就完全褪尽了呢？

只有两个可能，一是钢笔里的乙醇成分有所挥发，“墨水”的性状随之发生细微的变化，二是昨夜做试验等结果时自己睡了过去，而其他人当时可能也在打瞌睡，没有发现褪色的过程其实早就开始了，而不是误认为的“三小时之后”——不过，这些已经不重要了。

“名单完全是假的，根本没有地址上的这个人！”柴田吼叫起来。“接管协议上的签名也变成了空白，毫无疑问，墨水中使用了某种化学成分。”

“老米，你敢骗我们？！”洪云甫也吼了起来。

“好吧，你进宪兵队去解释吧。”柴田一指院子里的士兵。

“慢，我觉得有些蹊跷，”洪云甫的眼珠骨碌碌乱转，“这家伙刚才在陈部长的办公室里再三强调要先放人，而且马上就让司机去接，看来是做好了脚底抹油的打算。”

“那司机跑哪里去了？”柴田问洪云甫。

“对了，那司机借口说是去买点心，我看不是去送信就是一块儿开溜了。”洪云甫彻底醒悟过来。“得马上通知火车站和轮船码头，惠梦石肯定想跑。”

“我去打电话。”柴田顿时明白过来。

完了，什么都完了！

现在唯一能做的，就是不能让父亲和段家兄妹落入魔爪。

米东杰顾不得多想，飞快掏出了口袋里李春荣留下的手枪。

“你想干什么？”洪云甫大惊失色，机灵地后退了几步。

“退后！”米东杰将枪口对准柴田，眼睛却看着洪云甫。“你们俩要是敢出声的话，我马上就开枪！”

柴田吓得浑身一颤，手里的名单掉落在地，连连后退着躲到发电机的背后。

米东杰后退着走向车间门口，手快脚快地关闭那扇沉重的横移式铁门，顺手将虚挂在搭扣上的一把大铁锁“喀嗒”一声锁死，同时拔出钥匙放进口袋。

“老米，外面就是训练有素的士兵，你能往哪里跑？”洪云甫镇静了下来。“还是放下枪来吧，咱们弟兄一切都好商量。”

“对，我可以保证，绝对不让宪兵队的人把你带走。”柴田见到门被反锁，也看出了事情的严重性。

“住嘴！”米东杰低声喝道，又晃了晃手枪。“给我脸冲墙蹲下，否则马上开枪。”

洪云甫看看米东杰不像是虚张声势的样子，只得乖乖就范，柴田见了也只得蹲下，但不明白米东杰究竟要干什么。

米东杰三步并作二步走到配电箱前，在墙上的挂钩上取下了一盏手持式的移动“工作灯”。

这盏灯的灯泡装在一只金属框罩内，线长达二十米，是机修工们平时检修设备时所用的照明工具，可以随意放置到任何死角里去。米东杰使劲拔掉灯泡，将电线的线头放入口中，咬住后再用力一拉，线头露出了铜芯。

柴田和洪云甫偷眼观察，但实在搞不懂米东杰想干什么。

米东杰将裸露的电线一直拉到压滤设备底部的隐秘部位——那里，静静地躺着那几包海伦配制的、李春荣前几天偷偷夹带进来的苦味酸药包——米东杰将铜芯小心翼翼地插入了蜡纸卷中装有引火剂的电雷管。

在众多的猛炸药中，苦味酸的威力仅次于硝化甘油，但在小剂量的情况下并不容易起爆。要说起爆的方式，无非是热起爆、机械起爆、化学能引爆、电起爆这几种，其中最简单的，也是目前唯一能做到的，似乎只有电起爆了。只要接通电源，电雷管将瞬间引爆药包，强大的冲击波，又将导致安放在附近精馏塔、液化设备、发电机组等处的药包发生“殉爆”。

“老米，有话好商量，别干傻事。”洪云甫还是看不懂米东杰想干什么，但本能地感到危险逼近。

“住手，到底想干什么？”柴田大吼道。

“干什么？”米东杰面色惨白，嗓音发抖。“跟你们同归于尽！”

“老米，你怎么这么傻？”洪云甫绝望地哀嚎道。

“你不知道我是有名的米呆子吗？”米东杰仰面冷笑。

洪云甫跳起身来，想扑过来拉扯电线，米东杰稍微瞄了一瞄，毫不犹豫地叩响了扳机。

枪声凄厉地响起，可惜米东杰枪法不准，根本没打中，但还是吓得洪云甫马上躲到了发电机的后面，不敢贸然上前。

枪声引起了门外那二名士兵的注意，从外面拼命擂响了铁门。

“畜生，走狗，我要你们为海伦偿命！”米东杰似火山爆发一般高叫道，旋即以冲刺的速度奔向配电箱。

“老米，求求你别干傻事好不好？”洪云甫绝望地跪了下来，并且很没出息地哭了起来。

“米桑，求你了。”柴田也跪倒在地。

米东杰冷笑一声，再次抬腕看看手表。

时针正好指在一点半的位置。

米东杰觉得很奇怪，为何这一刻自己的心情会如此平静，难道这就是人们常说的“视死如归”？

插上移动工作灯的插头，米东杰最后一次抬头环顾空空荡荡的车间，脸上浮现出一丝凝固般的笑容。

手起，闸落，炸声四起，烟尘直冲半空。

时针永远停止在一点半。

一点半，民生码头驶往青龙港的航船正好启航，伴随着震耳欲聋的汽笛声，巨大的航船缓缓地驶离码头，朝着正北方向逐渐加速。

甲板上，惠梦石和段红莲、段令康、大公鸡全都挤在围栏边，瞪大了眼睛凝望着码头，祈望米东杰的身影能在最后一刻出现。

船越开越快，码头的影子渐渐模糊，只有江水滔滔不息。